D1026846

Lune de sang

Todd Ritter

Lune de sang

Traduit de l'anglais (américain)
par Florianne Vidal

Ixelles éditions

Ouvrage réalisé sous la direction de Sophie Descours.

Titre original : *Bad Moon*
© 2011 Todd Ritter

Pour l'édition française © 2011 Ixelles Publishing SA

Tous droits de traduction, de reproduction et d'adaptation réservés pour tous pays.

ISBN 978-2-87515-125-4
D/2011/11.948/126
Dépôt légal : 3ᵉ trimestre 2011
Imprimé en Italie

Ixelles Publishing SA
Avenue Molière, 263
B-1050 Bruxelles

E-mail : contact@ixelles-editions.com
Site Internet : www.ixelles-editions.com

À ma famille,

20 juillet 1969

CE FUT LE BÉBÉ QUI LA RÉVEILLA. Pas son mari. Pas la police. Juste les pleurs de l'enfant dans son berceau.

Maggie avait fini par s'y accoutumer. Après tout, c'était son second. Il lui arrivait même de s'endormir sans le vouloir, malgré le raffut qu'il faisait. Mais cette nuit, c'était différent. Son fils ne pleurait pas comme d'habitude. Elle ne reconnaissait ni les vagissements colériques du bébé affamé ou fatigué, ni les plaintes du nourrisson qui fait ses dents. L'enfant hurlait de terreur et ce bruit-là tira Maggie du sommeil, de son lit et de sa chambre.

Les yeux encore embués, elle regarda la pendule posée sur la coiffeuse. Il était presque onze heures du soir. Elle avait dormi trois bonnes heures. C'était mieux que d'habitude, mais nettement insuffisant malgré tout. Encore lasse, elle longea le couloir menant à la chambre d'enfant. Non, elle n'était pas lasse, elle était complètement épuisée.

En entrant, Maggie alluma le plafonnier. La lumière trop vive l'éblouit, ce qui n'arrangea rien. Mais tant pis, elle savait se diriger les yeux fermés dans cette pièce. C'est d'ailleurs ce qu'elle fit. Elle gardait en mémoire des centaines d'autres nuits, toutes semblables. À droite, le rocking-chair, à gauche, la commode, « attention ne te cogne pas le pied dans le coffre à jouets ». En arrivant près du petit lit, Maggie ouvrit enfin les paupières.

Le lit était vide. Et pourtant, elle entendait toujours son enfant pleurer.

Maggie tendit l'oreille. Son fils hurlait de peur. Debout au milieu de la chambre, elle fit un tour complet sur elle-même, cherchant une explication plausible. Était-il sorti de son berceau ? Comment ?

Elle dut faire encore deux tours pour que son esprit embrumé réintègre son corps. C'est alors qu'elle comprit d'où venaient les cris. Le bébé n'était pas dans sa chambre. Le bruit montait du rez-de-chaussée. À chaque seconde qui passait, les pleurs devenaient plus hystériques.

Maggie sortit de la chambre et se précipita maladroitement dans l'escalier. Elle s'attendait à voir Ken assis dans le fauteuil inclinable du salon, avec le bébé sur les genoux. Mais pas du tout. C'est Ruth Clark qui occupait le siège en question. Ses bras grêles avaient du mal à contenir la fureur du nourrisson.

Ruth, leur voisine, avait soixante ans mais en faisait largement dix de plus. Elles étaient amies mais pas assez pour que Ruth débarque en pleine nuit pour s'occuper de son fils sans y avoir été invitée. Pourtant, elle était là, devant le halo de la télévision, et elle s'acharnait à calmer l'enfant.

– Ruth ? Que se passe-t-il ?

Maggie n'y comprenait rien. Elle cligna les paupières en s'apercevant que sa voisine portait… une chemise de nuit enfoncée dans un pantalon râpé, et des mules aux pieds. Elle s'était habillée en toute hâte.

– Où est Ken ?

– Tu dormais, dit Ruth. Alors il m'a demandé de venir surveiller le bébé. Il est sorti, mais il ne va pas tarder.

– Pourquoi est-il sorti ?

Au lieu de répondre, Ruth lui colla le gosse dans les bras. On l'avait enveloppé dans une couverture serrée dont émergeait seulement son petit visage. Qui avait fait cela ? Ken ou Ruth ? En tout cas, c'était une mauvaise idée car le temps était lourd. L'enfant avait tellement transpiré que la couverture était trempée, d'où les pleurs.

Ses sanglots s'espacèrent dès que Maggie s'assit sur le canapé pour le libérer. Ruth s'installa près d'elle. Trop près. Elle était carrément penchée sur elle. Elle la surveillait.

– Ken a-t-il dit où il allait ?

– Non, s'empressa de répondre Ruth. Elle mentait mal.

– Et quand il rentrerait ?

– Bientôt.

– Je vais l'attendre. Tu peux rentrer chez toi.

– Je préfère rester.

Maggie n'eut pas la force de protester, d'autant plus que Ruth semblait très sûre d'elle. Vaincue par la lassitude, ne sachant que dire ni que faire, elle posa les yeux sur l'écran de télévision.

La scène qui s'y déroulait avait de quoi étonner.

On n'y voyait pas grand-chose à part une sorte de brouillard grisâtre ou plutôt des taches mousseuses allant du noir au gris. Puis une forme apparut. La silhouette d'un homme engoncé dans une combinaison massive, comme un fantôme épinglé sur la toile obscure d'une nuit éternelle. Il descendait une échelle en bondissant d'un barreau à l'autre.

Arrivé au dernier échelon, il posa un pied au sol. Un commentaire retentit :

« C'est un petit pas pour l'homme mais un bond de géant pour l'humanité. »

– Doux Jésus, s'écria Ruth. Il est vraiment dessus.

Il, c'était Neil Armstrong. Et *dessus* désignait la surface de la lune. Ruth avait raison – l'astronaute marchait sur la lune aussi facilement que Maggie dans son salon.

Le regard braqué sur l'écran, Maggie songea aussitôt à Charlie, son fils aîné. Il avait neuf ans de plus que le bébé et, depuis des mois, ne parlait plus que de cela. La lune et encore la lune. Dans l'après-midi, quand *Apollo 11* avait fini par se poser, Charlie avait explosé de joie en hurlant à tue-tête. Il s'était tellement agité qu'il avait vomi.

Il n'aurait pas manqué cela pour tout l'or du monde, se dit Maggie.

– Je vais réveiller Charlie.

Ruth se précipita derrière elle.

– Maggie, attends !

Maggie ne l'écoutait pas. D'un pas résolu, elle remonta l'escalier. On entendit ses pieds nus sur le parquet du palier. Elle longea le couloir menant à la chambre de Charlie. Restée au bas des marches, Ruth l'appela.

– Je t'en prie, reviens ! Charlie n'est pas là !

Maggie s'arrêta net, la main sur la poignée.

– Que veux-tu dire ?

– Redescends, fit Ruth. Je vais t'expliquer.

Au lieu d'obéir, elle poussa la porte. Le réverbère devant la fenêtre projetait un rectangle de lumière sur la moquette. Mais elle n'en avait pas besoin. Cette chambre lui était aussi familière que celle du bébé. Elle en connaissait tous les détails, depuis le télescope posé dans un coin jusqu'aux fusées miniatures alignées sur la bibliothèque.

Les vitres ouvertes laissaient entrer un léger crachin qui humectait les rideaux. Au-dessous luisaient les étoiles, la lune et les planètes imprimées sur l'édredon. Elle fit passer le bébé au creux de son bras droit et, avec la main gauche, souleva l'édredon puis le rabattit.

Tout comme le berceau, tout à l'heure, le lit de Charlie était vide.

– Maggie, je t'en prie, redescends.

Ruth venait d'apparaître sur le seuil. Elle respirait fort, son visage trahissait son inquiétude.

– Où est-il ? Ken l'a emmené avec lui ? demanda Maggie.

Ruth entra, voulut lui prendre la main. Maggie la repoussa.

– Réponds, Ruth. Où est mon fils ?

– Il a disparu.

– Je ne comprends pas.

Pourtant Maggie comprenait parfaitement. Elle recula, chancelante, et se laissa tomber sur le lit.

Ce lit qui normalement aurait dû abriter le sommeil de Charlie. Son fils. Son enfant parti sans dire où il allait.

– C'est pour cela que Ken est sorti ? Pour le chercher ?

– Il a appelé la police, dit Ruth. Puis il est venu nous réveiller, Stan et moi.

Maggie supposa que Stan, le mari de Ruth, s'était lui aussi lancé à la recherche de Charlie, avec la police et Dieu seul savait qui d'autre. Apparemment, tout le monde était au courant sauf elle.

– Pourquoi ne pas me l'avoir dit tout de suite ?

– Ken ne pensait pas que tu te réveillerais. Et il préférait ne pas t'inquiéter.

C'était réussi, pour le coup. Son corps avait beau reposer comme une masse inerte sur le lit de Charlie, son esprit tournoyait aussi vite qu'un derviche. La peur, les mauvais pressentiments déversaient leurs poisons en elle. Où était passé Charlie ? Depuis combien de temps avait-il disparu ? Était-il trop tard pour qu'on le retrouve ? Quand le cerveau de Maggie fit une pause, son corps prit le relais. Elle se redressa, passa devant Ruth et se rua dans le couloir.

– Il faut que j'y aille, dit-elle. Il faut que je le trouve.

De nouveau, Ruth voulut l'arrêter.

– Je me charge du bébé.

– Non.

Maggie serra le petit contre elle. L'un de ses enfants venait de disparaître. Il n'était pas question de lâcher l'autre.

Elle regagna le salon. La télé marchait toujours, diffusant des images hallucinantes venues d'un autre monde. Un deuxième astronaute avait rejoint Armstrong. Ensemble, ils bondissaient comme des gros lièvres à la surface de la lune. Maggie passa devant l'écran sans leur accorder la moindre attention. Seul comptait son enfant. Elle se fichait de la lune et des astronautes, tout comme elle se fichait de sortir sous la pluie les pieds nus, vêtue d'un short en jean et d'un T-shirt taché de vomi de bébé.

Arrivée sur le trottoir devant chez elle, Maggie vit deux hommes approcher. Son mari et le voisin. Maggie regarda plus loin, espérant que Charlie traînerait derrière eux. Mais il n'y avait personne.

– Vous l'avez trouvé ? demanda Maggie en les rejoignant sur la route. Où est-il ?

– Je n'en sais rien, dit Ken. Rien du tout.

Il avait la mine défaite, le teint blême – encore plus spectral que les astronautes dans le poste de télé. Ses cheveux étaient plaqués par la pluie. De grosses gouttes restaient accrochées dans sa barbe.

– On regardait la télévision, dit-il. Ils montraient des images de l'alunissage et Charlie a dit qu'il voulait sortir avec son vélo pour aller voir la lune. Il croyait pouvoir apercevoir les astronautes d'ici.

C'était ridicule, mais Charlie avait souvent ce genre d'idées.

Maggie l'imagina sautant sur son vélo – bleu nuit, décoré d'étoiles – et se mettant à pédaler comme un fou.

– Ça fait combien de temps ?

– Une heure environ.

– Par où est-il allé ?

– Vers les chutes.

Charlie adorait se promener près de cette rivière qui s'enfonçait dans la forêt, derrière la petite zone résidentielle où ils habitaient. La route bitumée s'arrêtait après les maisons. Ensuite, un sentier de terre, idéal pour les cyclistes, menait à un pont piétonnier d'où Charlie aimait regarder l'eau basculer par-dessus les chutes de Sunset et se déverser dix mètres en contrebas, dans un bassin rocailleux. Cet été, Maggie et Ken lui avaient donné l'autorisation d'y aller seul. À présent, elle le regrettait amèrement.

– Vous avez vérifié du côté du pont ? demanda-t-elle.

En entendant son mari soupirer, Maggie eut soudain envie de le frapper. Si elle n'avait eu le bébé dans les bras, elle l'aurait fait. Elle lui aurait balancé quelques bons coups de poing en lui demandant pourquoi il l'avait laissé partir seul, pourquoi il ne le retrouvait pas, pourquoi il revenait à la maison sans Charlie.

– Bien sûr que j'ai vérifié du côté du pont. C'est par là qu'on a commencé. La police s'y trouve encore.

Alors, il fallait chercher ailleurs. Elle s'en chargerait puisque Ken semblait décidé à suspendre les recherches pour la nuit. Maggie s'éloigna, comme poussée par une force inconnue. Si elle restait plantée là, jamais on ne retrouverait Charlie.

– Où vas-tu ? demanda Ken.

Maggie s'abstint de répondre. N'était-ce pas évident ? Elle allait chercher son fils. Point à la ligne.

Ken cria son nom. La pluie assourdissait sa voix.

– Tu devrais me laisser le bébé. Je ne…

Il ne termina pas sa phrase, mais elle avait bien compris ce qu'il essayait de dire. Ken ne lui faisait pas confiance. Pas après ce qui s'était passé en mai dernier. Voilà pourquoi il ne l'avait pas réveillée quand il avait constaté la disparition de Charlie. Voilà pourquoi il avait envoyé Ruth surveiller le bébé. Voilà pourquoi il voulait l'empêcher de se porter au secours de son fils.

Mais Maggie ne s'arrêterait pas. Ses jambes avançaient toutes

seules. Comme un robot, elle traversa la route, sans faire attention à la pluie qui tombait à verse, maintenant. Sans écouter Ken
qui la suppliait de revenir. Sans s'apercevoir qu'entre son mari et
elle, la distance grandissait à chacun de ses pas.

Il y avait quatre maisons individuelles dans leur impasse,
séparées par de vastes pelouses et des haies de sycomores. Celle
de Ken et Maggie était de loin la plus modeste − presque un cot-
tage − et la plus exiguë. Le père, la mère et deux enfants, entassés
dans un espace que Maggie s'escrimait à tenir propre. De l'autre
côté de la rue, la villa de Lee et Becky Santangelo − vaste, impec-
cable, pleine de caractère − était le reflet inversé de sa propre
résidence.

Debout au milieu de l'allée, Ken la vit traverser le jardin des
Santangelo, bien plus grand que le leur. Sa pelouse vert brillant
était toujours taillée à la bonne hauteur. Un gamin du coin passait régulièrement la tondeuse. Pour l'heure, elle ressemblait
plutôt à un marécage. Les pieds de Maggie s'enfoncèrent dans la
boue avec un bruit de succion.

Quand elle atteignit le porche, elle saisit l'énorme heurtoir
de cuivre qui trônait sur la porte en bois massif et frappa deux
fois. Comme personne ne venait, elle recommença et ne s'arrêta
qu'en voyant Lee Santangelo passer le nez dans l'embrasure.

Non seulement les deux maisons différaient radicalement
l'une de l'autre, mais les maris aussi. Lee était l'exact contraire
de Ken. Grand, beau garçon, bien bâti. Un physique de jeune
premier, toujours rasé de près. D'habitude, il aimait quand
Maggie passait les voir en coup de vent avec Charlie. Pour eux,
sa porte était toujours grande ouverte. Mais ce soir, c'était différent. Lee se contenta de lui jeter un regard empreint de surprise
embarrassée.

− Maggie, s'exclama-t-il comme s'il était content de la voir.
Que se passe-t-il ?

Maggie avait posé la même question à Ruth Clark quelques
minutes auparavant. En les entendant dans la bouche de Lee,
elle réalisa combien ces mots pouvaient être choquants, agressifs.

− C'est Charlie. Il a disparu.

À l'intérieur, la musique jouait à pleins tubes. Une mélodie psychédélique dont Maggie ne se rappelait pas le titre. Par derrière, à peine audible, elle perçut un genre de vrombissement continu. Quand elle voulut regarder ce qui se passait à l'intérieur, Lee lui bloqua le passage en s'encadrant dans l'entrebâillement. Ce faisant, il dévoila son corps. Il ne portait qu'un caleçon court et une chemise déboutonnée qu'il venait sans doute d'enfiler pour ouvrir. Maggie s'en fichait. Il aurait pu être nu comme un ver.

– Et vous pensez qu'il est ici ? demanda Lee.

– Avec cette histoire de lune, et tout ça, je me suis dit qu'il aurait pu faire un saut chez vous. Vous savez, puisque…

Puisque Lee Santangelo travaillait pour la NASA. Du moins avait-il été formé à ce métier. Il avait failli partir là-haut, disait-on. Maggie ne connaissait pas les détails. Elle savait seulement que Charlie avait assommé leur voisin de questions pendant tout l'été.

– Je ne l'ai pas vu, ce soir. Désolé. Mais je vous promets d'ouvrir l'œil.

– S'il passe, je vous en prie, dites-lui que nous le cherchons. Et que nous nous faisons du souci.

Elle avait ajouté cela dans l'espoir que Lee la laisserait entrer pour jeter un coup d'œil. Il n'en fit rien. Au contraire, il voulut refermer aussitôt. Maggie eut le réflexe de caler son pied dans la porte. Elle grimaça. Son gros orteil était coincé.

Malgré la douleur, elle insista.

– Et qu'en dit Becky ?

– Becky ?

– Peut-être l'a-t-elle vu, ce soir.

Maggie savait que Charlie avait le béguin pour la femme de Lee, encore que l'enfant n'en fût pas conscient. Pour cette raison même, Charlie aurait pu venir sans que Lee le remarque et aller directement voir Becky qui avait pris l'habitude de lui offrir des gâteaux, lui ébouriffer les cheveux et soigner ses genoux écorchés.

– Elle n'est pas là, répondit Lee en détachant ses mots. Elle ne reviendra que demain. Je suis seul.

Maggie comprit qu'elle n'en obtiendrait pas davantage. Le temps filait et chaque seconde passée avec Lee Santangelo aurait pu être employée à rechercher activement son fils. Donc elle le remercia pour le dérangement et s'en alla.

Elle traversait la pelouse dans l'autre sens quand elle vit du coin de l'œil quelque chose remuer dans la grande villa. C'était un rideau qui frémissait au premier étage. Un visage se profilait derrière, tendu dans sa direction. Maggie poursuivit son chemin, l'air de rien. Quand elle atteignit la limite du jardin, elle s'accorda un dernier regard furtif vers la fenêtre. S'y encadrait une silhouette gracile avec une longue chevelure.

Une femme.

On n'y voyait pas assez clair pour déterminer s'il s'agissait de Becky Santangelo. Mais là n'était pas le problème. Ce qui intriguait Maggie, c'était que Lee lui avait menti.

Maggie retraversa la route. Les gravillons enfoncés dans ses plantes de pied lui faisaient un peu plus mal à chaque pas. Mais elle n'en avait cure. Au contraire, cette douleur était la bienvenue. Elle lui faisait un peu oublier l'angoisse qui lui étreignait le ventre. C'était un soulagement momentané, elle le savait, mais étant donné les circonstances, elle s'en contentait.

Elle se retrouva devant chez elle. Ken s'était enfin décidé à rentrer. Par une fenêtre de devant, elle le vit arpenter le salon. Son attitude de tout à l'heure l'avait rendue folle. Elle n'arrivait pas à déterminer s'il était embarrassé, inquiet ou fébrile. Sans doute tout cela à la fois. Mais soudain, en le voyant s'agiter ainsi, elle réalisa que son mari nageait en plein désarroi. Il regardait fixement le sol en tirant sur les poils de sa barbe. Tout à coup, il ferma les yeux et se pinça l'arête du nez entre le pouce et l'index, dans un geste que Maggie connaissait bien. Il faisait cela quand il avait la migraine.

Maggie était partagée. Devait-elle rentrer à la maison pour le réconforter ? Malgré leur mésentente de ces derniers mois, elle l'aimait encore de tout son cœur. Mais elle aussi avait besoin de réconfort et elle savait qu'elle ne connaîtrait pas la paix avant qu'on ait retrouvé Charlie sain et sauf. Si bien qu'elle repartit bille en tête, malgré ses bras qui faiblissaient sous le poids du bébé, malgré ses jambes qui se dérobaient sous elle.

Elle avait déjà presque fait le tour du maigre voisinage. En dehors de celles des Clark et des Santangelo, il n'y avait qu'une seule maison dans leur impasse. Mais c'était le dernier endroit où Charlie aurait pu se rendre. Elle-même redoutait d'y aller. Pourtant, il le fallait bien, juste pour demander, au cas où.

La demeure en question se dressait à côté de la leur. C'était la plus ancienne du lotissement. Une demeure de style victorien lourdement décorée, contrastant avec le dépouillement de leur petit pavillon moderne. Charlie aimait à se faire peur en racontant qu'elle était hantée. Il disait que les fantômes des enfants enterrés dans le jardin erraient la nuit entre les vieux murs de la bâtisse. Maggie ignorait d'où lui venaient ces idées macabres tout en admettant que l'aspect de la maison pouvait contribuer à enflammer sa jeune imagination. Des volets noirs obturaient les hautes fenêtres. Sur le toit, une vaste terrasse semblait pencher sous l'effet du vent, d'où qu'il souffle. On accédait à la véranda qui courait sur le pourtour par des marches si vermoulues que Maggie crut passer au travers quand elle les gravit.

Il n'y avait pas la moindre lumière, mais elle savait que le propriétaire était là. Il était toujours là.

– Monsieur Stewart ? Elle fit passer le bébé sur son bras gauche et frappa de la main droite.

Aucune réponse. Ce qui ne l'étonna nullement. Glenn Stewart n'ouvrait jamais à personne et, pour autant qu'elle le sache, ne passait jamais le pas de sa porte.

– Monsieur Stewart ? Vous êtes là ?

Maggie frappa de nouveau, tout en se remémorant la dernière fois qu'elle l'avait vu, lors de cette regrettable fête de bienvenue. Un vrai fiasco. C'était elle qui en avait eu l'idée, hélas. Comme elle ne lui connaissait pas de famille, elle s'était dit qu'il aurait besoin d'un peu de chaleur humaine en emménageant à son retour du Vietnam dans cette immense baraque héritée de ses grands-parents. De sa propre initiative, elle avait donc confectionné un gâteau, convoqué les voisins et toqué à sa porte, dans l'intention de lui faire un accueil sympathique.

Glenn était à des années-lumière de ce genre de réjouissances. Quand il était tombé sur ces sept personnes (sept et demie puisque Maggie était enceinte) en train d'applaudir sur son perron, il ne s'était pas montré grossier. Non, il avait eu l'air plus effrayé qu'autre chose, tremblant comme un gibier face à une meute de loups. Mais il avait refusé de les laisser entrer et ignoré le gâteau que Maggie lui tendait comme une bouée de sauvetage. Ne sachant qu'en faire, elle l'avait déposé sur le sol de la véranda, en espérant que Glenn le récupérerait plus tard. Puis ils étaient partis. Le message était clair. Glenn Stewart voulait qu'on lui fiche la paix.

Ce soir, Maggie ne lui ficherait pas la paix. Pas avant qu'elle sache s'il avait vu passer Charlie. Si bien qu'elle se mit à tambouriner de toutes ses forces.

– Monsieur Stewart. C'est Maggie Olmstead, votre voisine.

Dégoûtée, elle baissa la tête et, ce faisant, vit une forme par terre, sur les lattes du perron, à environ un mètre d'elle. C'étaient les restes d'un gâteau – déchiqueté par les oiseaux, les insectes et quatre longues saisons – laissé à l'endroit exact où elle l'avait posé, un an plus tôt.

Quand elle fit demi-tour, Maggie aperçut deux voitures de police au fond de l'impasse, là où le macadam se transformait en un sentier pédestre partant à travers bois. Deux semblables faisceaux de lumière balayaient les branchages. Les torches perçaient les masses obscures où son fils errait peut-être.

Elle vit un rayon s'immobiliser brusquement, entendit une voix s'élever des fourrés.

– Je crois qu'il y a quelque chose !

Très vite, comme ballotté par des vagues, le deuxième faisceau rejoignit le premier. Maggie se mit à courir vers eux. Elle ne sentait plus ni les petits cailloux collés sous ses plantes de pied ni l'averse qui lui criblait le visage. Elle sentait uniquement le poids du bébé gigotant dans ses bras et le nœud d'angoisse qui se ramifiait à travers tout son corps.

En revanche, tous ses autres sens étaient tendus à se rompre. Quand elle atteignit le sentier et s'enfonça dans le sous-bois, ses yeux voyaient malgré la pénombre. L'odeur de la terre mouillée, de la mousse, de la sève d'érable lui monta au nez. Les bottes écrasant les brindilles, les murmures échangés par les policiers lui firent l'effet d'une rumeur assourdissante.

Puis elle vit la rivière dont l'eau scintillait, renifla ses berges odorantes, perçut le fracas des rapides annonçant les chutes de Sunset.

Deux hommes se tenaient près du petit pont : l'adjoint Owen Peale vêtu d'une pèlerine imperméable, le visage caché sous une capuche, et le chef de la police Jim Campbell. À la pèlerine, ce dernier avait préféré un chapeau à large bord. En voyant surgir Maggie, ils sursautèrent.

– Vous ne devriez pas être là, Maggie, dit Jim en venant à sa rencontre.

– Avez-vous trouvé Charlie ?

Il voulut l'écarter, l'empêcher de voir la rivière.

– Qu'est-ce que vous faites ici avec le bébé ? Vous êtes trempés jusqu'aux os.

Maggie résista. Elle tendit le cou pour regarder par-dessus l'épaule du chef. Derrière lui, l'adjoint Peale braquait sa torche sur les remous.

– Est-ce que Charlie est avec vous ? demanda-t-elle. Il va bien ?

– On va vous ramener à la maison, dit le chef Campbell.

Le ton de sa voix renseigna Maggie. Il parlait sur un ton faussement optimiste, à la limite de la condescendance. Quelque chose clochait.

Le bébé recommença à se tortiller dans les bras de Maggie, puis il se mit à brailler aussi fort que tout à l'heure, quand ses cris l'avaient réveillée. Il avait peur.

– Si vous me donniez le gosse, proposa Jim. Je suis plus sec que vous.

Quand il lui tendit les bras, Maggie esquiva. Elle le dépassa et s'élança vers le pont. L'adjoint voulut la rattraper au passage, mais elle fila sur la gauche, lui échappa et courut jusqu'au milieu du pont pour voir l'eau couler en dessous. Vingt mètres plus loin, la rivière s'interrompait brusquement. Au-delà, il y avait les chutes.

Sous ses pieds, une branche émergea, emportée par le flot gonflé de pluie. Elle filait à la surface puis un rocher l'arrêta. Mais le courant était si fort que rien ne restait immobile bien longtemps. Les tentacules liquides délogèrent la branche et l'emportèrent jusqu'à la limite des chutes où elle glissa et disparut.

Basculer, tomber, disparaître.

Maggie entendit Jim Campbell hurler son nom. Owen Peale

se rapprochait lentement, en disant :

– Tout va bien, Madame Olmstead. Tout va bien se passer.

Elle se retourna vers l'endroit où la branche venait de chavirer dans les ténèbres. Ensuite, elle suivit des yeux le chemin qu'elle avait parcouru, mais à l'envers, en remontant le courant. Soudain, Maggie fit volte-face. Elle se posta de dos aux chutes. La rivière semblait tout aussi agitée, de ce côté-là. Des feuilles, des brindilles, des amas de détritus flottaient vers elle avant de disparaître sous ses pieds. Elle vit aussi des rochers, surtout deux gros qui dépassaient comme des icebergs.

Owen Peale la rejoignit, la prit par les épaules en secouant la tête pour la dissuader.

– Ne regardez pas. Je vous en prie, ne regardez pas.

C'est alors que Maggie vit ce qu'elle n'était pas censée regarder. Un objet accroché au rocher le plus proche du pont, coincé par le courant. Il était bleu. D'un bleu si foncé qu'on le discernait à peine. Avec des tâches blanches peintes dessus, des dessins au contour irrégulier évoquant vaguement des étoiles.

Maggie poussa un grand cri.

C'était le vélo de Charlie. Juste là, dans l'eau. En forçant sur les rayons de la roue avant, le courant désordonné la faisait tourner dans un sens et dans l'autre.

Jim Campbell parvint à leur hauteur. L'un des deux hommes, Maggie ne vit pas lequel, attrapa le bébé. L'autre voulut éloigner Maggie de la rambarde. Elle se laissa faire. Elle n'avait pas la force de lutter. Pendant qu'on l'entraînait loin du pont, elle sentit son corps s'amollir comme une poupée de chiffon. Elle lança un dernier regard vers la rivière, bien qu'elle sût qu'elle avait tort. Mais il fallait qu'elle le fasse. Juste pour s'assurer qu'elle ne rêvait pas.

Elle vit le vélo se décrocher, comme la branche l'avait fait peu avant. Emporté par le flux, il s'enfonça, resurgit de l'autre côté du pont, filant inexorablement vers les chutes. Quand il y arriva, il fit la culbute. La roue arrière tournait toute seule. Puis il passa par-dessus.

Il bascula.

Il tomba.

Il disparut.

Mercredi

1

CINQ MINUTES.

C'était le temps dont disposait Kate Campbell ce matin avant de partir. Cinq malheureuses petites minutes pour faire le café, nourrir le chien, empaqueter le déjeuner de son fils et griller les deux bagels qu'ils mangeraient dans la voiture. Les jours fastes, tout cela pouvait se faire en dix minutes chrono. Mais ce n'était pas un jour faste. Loin s'en fallait.

Le café passait si lentement que Kate se prit à espérer qu'un inventeur génial découvrirait sous peu un système pratique pour s'injecter de la caféine par perfusion. Un bagel resta coincé dans le grille-pain, virant rapidement du brun doré au brûlé. Sur le comptoir, l'autre attendait de subir le même sort. Pour l'instant, le déjeuner de James consistait en deux tranches de pain et une part de pudding au chocolat. Ayant déjà fait une croix sur son petit déjeuner, le beagle Scooby mâchonnait un rouleau de papier toilette vide qu'il avait extrait de la poubelle de la salle de bains.

– James ? Tu es bientôt prêt ?

Kate ne bougea pas du comptoir de la cuisine. C'était inutile. Elle savait parfaitement calculer la distance que parcourait sa voix à travers la maison. Quand elle y mettait toute la force de ses poumons, elle s'engouffrait dans l'escalier et pénétrait à peine diminuée dans les oreilles de son fils.

– Une minute, renvoya James.

Le bruit d'un tiroir refermé en toute hâte lui parvint. Mauvais signe.

– C'est la rentrée des classes. On n'a pas une minute.

En fait, il leur en restait trois, mais Kate était trop occupée à préparer le déjeuner de James pour corriger son erreur. Elle colla quelques rondelles d'on ne sait quoi sur le pain, les enduisit de moutarde, jeta le tout au fond d'un sachet hermétique puis dans une boîte-repas où il rejoignit le pudding, une barre chocolatée et l'argent du lait. Après cela, elle se consacra aux bagels. À force de secousses et autres tapotements, celui qui adhérait au grille-pain fut libéré grâce à l'intervention d'un couteau à beurre. L'autre resta comme il était.

Pendant ce temps-là, Scooby avait réussi à balancer le cylindre en carton dans sa gamelle, pour mieux souligner la négligence de Kate, sans doute. Elle le remplaça par des croquettes, versa de l'eau dans sa coupelle et le laissa s'empiffrer.

La cafetière ayant craché ses dernières gouttes, Kate s'empara du verseur et remplit la moitié d'une thermos. C'était terminé. En plus, elle avait presque une minute d'avance.

Elle s'accorda une pause, histoire de souffler un peu, et se tourna vers le petit poste de télé posé sur le comptoir de la cuisine. Il arrivait que James regarde des dessins animés le matin tout en prenant son petit déjeuner. Ce jour-là, il était branché sur CNN. Un présentateur beau comme une gravure de mode égrenait les dernières informations.

– La conquête de l'espace vient officiellement de reprendre, dit-il. Tôt ce matin, l'Agence spatiale chinoise a réussi le lancement de son premier engin habité en direction de la lune.

Les studios de CNN disparurent, remplacés par un reportage. On vit le président chinois se féliciter de cette belle réussite. Puis il y eut des images du lancement lui-même – une tour d'ivoire projetée à travers le ciel – suivies d'une vue de la place Tian'anmen envahie par une foule en liesse.

– Devant les yeux de la nation tout entière, trois astronautes chinois sont partis pour la lune qu'ils atteindront normalement vendredi après-midi. En cas de réussite de cette mission, la Chine deviendra le deuxième pays, après les États-Unis, à conquérir la lune. Depuis 1972, plus personne ne s'y était aventuré.

Kate consulta sa montre. C'était l'heure. Elle éteignit la télé et renouvela son appel :

– James, il faut qu'on parte. Même si tu es tout nu, on s'en va.

Deux secondes plus tard, son fils déboulait dans la cuisine. Il portait un jean, un T-shirt Phillies et des baskets. Tout était neuf. Et cher. Kate n'aurait pas dépensé une pareille somme pour des pseudo-fringues de sport si James n'avait juré ses grands dieux qu'il en avait besoin pour être présentable. Hélas, c'était sûrement vrai, songeait Kate avec tristesse. James entrait en CM2, une année difficile pour tous les gosses et plus encore pour ceux affligés d'un syndrome de Down. Mais James était un garçon intelligent, il suivait bien en classe et, jusqu'à présent, aucun de ses camarades ne l'avait vraiment ennuyé. Pour que les choses continuent ainsi, Kate était prête à faire des sacrifices. Elle avait donc acheté de nouveaux vêtements. Et de nouvelles baskets. Et un sac à dos, même si celui de l'année précédente tenait encore le choc.

Le seul objet ayant réchappé au coup de balai était la boîte-repas garnie de personnages du film *Cars*. Kate s'était dit que James en réclamerait une nouvelle, plus cool, dans le style du reste. Mais constatant qu'il n'abordait pas le sujet, elle laissa la chose courir, trop heureuse d'économiser ainsi quelques sous.

Pourtant, lorsque Kate lui tendit son déjeuner, James posa les yeux sur la bonne vieille *Flash McQueen* rouge puis regarda sa mère comme s'il lui était poussé une deuxième tête.

– C'est quoi ce truc ?

– Un repas. Ou du moins quelque chose qui s'en rapproche.

James ne goûta pas la plaisanterie.

– Les élèves de CM2 n'ont pas de boîte-repas.

– Je n'ai pas vu passer cette circulaire. Et on n'a pas le temps de s'en occuper ce matin.

– Mais je vais avoir l'air d'un imbécile, dit James en balançant son sac à dos sur son épaule.

– Tu n'avais pas l'air d'un imbécile, l'année dernière.

– Mais j'étais en CM1. C'était cool en CM1.

– Et demain, tu redeviendras cool.

Kate lui tendit son bagel et l'orienta d'une poussée vers la porte de derrière.

– Mais aujourd'hui, c'est soit la boîte-repas, soit pas de repas du tout.

James poussa un soupir mélodramatique. C'était devenu une habitude chez lui, quand il voulait lui faire sentir qu'il avait raison et elle tort. Chaque fois qu'elle l'entendait soupirer ainsi, Kate repensait avec une pointe de nostalgie au petit garçon d'autrefois, qui admirait tout ce qu'elle faisait.

Dès que James eut franchi le seuil, Kate tendit la main vers la patère fixée au mur derrière la porte. Deux objets y étaient suspendus. Les clés de sa voiture de patrouille et son holster. Kate les décrocha, mit le trousseau de clés dans sa poche et l'holster autour de sa taille. Le petit coffre-fort sous la patère contenait son Glock. Elle l'ouvrit, prit l'arme, vérifia la sécurité avant de la glisser dans l'holster. Puis son bagel brûlé dans une main, la thermos dans l'autre, elle sortit.

Pendant le trajet, James ne remit pas le sujet sur le tapis, mais Kate savait que cette histoire de boîte-repas le préoccupait. Il ne cessait de la contempler avec une résignation teintée d'une certaine agitation. Elle le sentait nerveux, ce qui était compréhensible. Kate n'était pas très à l'aise non plus. Elle se rappelait encore son premier jour de CM2, quand elle avait découvert combien cette classe différait du CM1. Pareil pour l'entrée en sixième. Après, en troisième, elle avait dû se coltiner un autre genre de problème : les bandes, le harcèlement, les mini-sévices au quotidien.

– Tout ira bien, petit ours, dit-elle comme ils arrivaient en vue de l'école. Et demain, on emballera ton déjeuner dans un sachet en papier kraft.

James lâcha la boîte du regard et se tourna vers sa mère.

– Promis ?

– Juré.

Après avoir déposé sur la joue de James un bisou qu'il s'empressa d'essuyer d'un revers de main, Kate partit travailler. Le poste de police de Perry Hollow se trouvait à quelques blocs au sud-est de l'école. Au lieu de s'y rendre directement, elle bifurqua sur Main Street qu'elle parcourut sur toute sa longueur en prenant le temps d'observer les boutiques et les restaurants pittoresques alignés de chaque côté.

Ces commerces formaient le cœur de Perry Hollow depuis

que l'usine à bois ayant donné son nom à la ville avait fait faillite. En tant que chef de la police municipale, Kate devait s'assurer que ce cœur battait régulièrement. Quand *Big Joe's*, le Starbucks local, était fermé à cette heure-ci, cela signifiait que sa propriétaire, une femme âgée nommée Ellen Faye, n'allait pas bien et qu'il fallait faire un saut chez elle. En passant devant l'échoppe du fleuriste, *Au Coquet Bouquet*, elle vérifiait toujours la présence de la camionnette de livraison.

Il était encore tôt. La plupart des magasins n'étaient pas ouverts. Mais, chez *Big Joe's*, les lumières brillaient déjà, ce qui signifiait qu'Ellen avait bon pied bon œil. Même constatation pour la brasserie de Perry Hollow dont le parking hébergeait trois fois plus de camions que de voitures. Devant *Au Coquet Bouquet*, la Ford blanche attendait sagement les prochaines livraisons.

Kate poussa un soupir de soulagement. L'année dernière, le cauchemar avait commencé avec le vol de la camionnette du fleuriste. Presque douze mois plus tard, les habitants de Perry Hollow semblaient avoir tourné la page.

Kate et James aussi. Enfin presque.

Sa tournée d'inspection terminée, Kate s'engagea dans une rue secondaire et gara sa Crown Vic sur le parking du poste de police, près de deux autres voitures : le véhicule de patrouille de son adjoint, Carl Bauersox, qui faisait le service de nuit, et la Coccinelle de Louella van Sickle qui leur tenait lieu de standardiste et de secrétaire, tout en s'occupant du ménage et de tout le reste, avec un talent qui la rendait indispensable.

Quand Kate entra, Lou déjà installée à son poste, repéra aussitôt la thermos et le bagel carbonisé dans les mains de sa chef.

– Encore coincé dans le grille-pain ?

– Ben ouais, fit Kate. C'est un jour sans. Je te parie que le café sera du même tonneau.

Dès la première gorgée, elle gagna son pari. Bien trop fort, le breuvage déposa au fond de sa gorge un arrière-goût amer et persistant.

Lou secoua sa chevelure grisonnante.

– Café infect. Bagels cramés. Tu as besoin d'un homme à la maison.

– Et toi, répliqua Kate, tu devrais te mettre dans la tête qu'on n'est plus dans les années cinquante.

Lou, qui était mariée depuis quarante-trois ans, prit sa remarque comme un compliment.

– Tu as beau me traiter de ringarde, je suis une femme comblée. Je ne prépare jamais le café, le matin. C'est Al qui s'en charge. Il répare les toilettes, tond la pelouse. Et en plus, il se défend encore pas mal au lit.

Kate n'avait pas envie d'en savoir plus. Malgré les lourdes allusions de Lou, elle se passait très bien des hommes. Entre son boulot, son fils et son chien, elle ne chômait guère. Avec un emploi du temps pareil, elle aurait eu du mal à trouver un compagnon et surtout à le garder.

– Je te donne un seul conseil : reste ouverte à toute éventualité, insista Lou. Sinon, un de ces quatre, l'homme idéal franchira le pas de cette porte et tu l'enverras balader aussi sec.

Soudain, comme un fait exprès, Carl Bauersox poussa la porte. C'était un garçon plutôt agréable à regarder, mais pas son type d'homme. En plus, il était marié, il avait deux enfants et un autre à venir.

– Tu sais faire le café ? lui demanda Lou.

Carl répondit d'un hochement de tête.

– Je répare les toilettes et je tonds la pelouse, ajouta-t-il.

– Tu nous as entendues.

– Oui, avoua Carl dont le visage poupin s'empourpra. En revanche, je donne mon joker en ce qui concerne le chapitre chambre à coucher.

– À ta guise, rétorqua Lou. Je passerai un coup de fil à ta femme.

L'adjoint parut mortifié, comme s'il la croyait capable de mettre sa menace à exécution. Pour mieux enfoncer le clou, Lou tendit le bras vers le téléphone. Kate la prit de vitesse, posa la main sur le combiné et promit à Carl que personne n'appellerait sa femme pour l'interroger sur leur vie sexuelle. Jamais.

– Ça s'est bien passé, cette nuit ? demanda-t-elle pour changer de sujet. Quelque chose à signaler ?

– Pas vraiment. Une contravention pour excès de vitesse sur Old Mill Road. Encore le fils Wellington.

Kate leva un sourcil.

– C'est sa troisième en quatre mois, non ?

– Mouais, dit Carl. Cette fois, il va écoper d'une suspension de permis. Je vais attendre un peu pour envoyer le truc.

– Rien d'autre ? demanda Kate.

Elle devenait parano et elle le savait. S'il y avait eu un problème dans la nuit, Carl lui en aurait déjà parlé. Mais elle éprouvait le besoin de se l'entendre dire, surtout après les tragiques événements de l'année passée. Il lui était difficile d'oublier qu'un tueur en série avait circulé en toute liberté pendant plusieurs mois dans les rues de sa ville.

Carl lui posa la main sur l'épaule.

– Du calme, chef, tout va bien. Maintenant, je rentre chez moi pour procurer à ma femme de quoi se vanter devant Lou.

Une telle manifestation d'humour grivois n'était pas dans ses habitudes. Kate éclata de rire. Quant à Lou, elle se mit à hurler que c'était une honte. Carl piqua un deuxième fard, agita la main pour leur dire au revoir et s'éclipsa dans la seconde.

– C'est bien ce que je disais, fit Lou. Tu as besoin d'un type comme lui.

– J'ai besoin d'un nouveau grille-pain et d'un bon d'achat *Big Joe's*.

Sur ces bonnes paroles, elle récupéra ses effets et partit vers son bureau. À peine avait-elle fait deux pas qu'un autre homme entra dans le poste de police.

– Chef Campbell. C'est justement vous que je venais voir.

Encore raté pour le Prince Charmant. Burt Hammond, le maire de la ville, n'avait pas vraiment le profil. Mesurant dans les un mètre quatre-vingt-cinq, il était plutôt fringuant pour un homme de soixante ans. Pourtant, quelque chose n'allait pas en lui. Il n'avait pas l'air honnête. Peut-être était-ce à cause de son sourire Pepsodent ou de l'autobronzant dont il s'enduisait et qui lui donnait cette couleur jambon fumé. Le jour des élections municipales, Burt qui vendait des tondeuses à gazon n'avait rien trouvé de mieux que baisser ses prix de 50 %. Inutile de préciser qu'il avait gagné haut la main.

Kate le voyait rarement, ce qui était une bonne chose, car elle ne l'aimait guère. Par radio-moquette – sur laquelle Lou van Sickle était branchée en continu –, elle avait appris que Monsieur le maire en avait autant à son service. Les rares fois où ils étaient obligés de se rencontrer, ils s'en tenaient à des propos laconiques bien que cordiaux.

La bouche de Burt s'épanouit dans ce sourire de composition dont sont affectés la plupart des politiciens.

— Désolé de débarquer ainsi, mais pourrions-nous avoir une conversation en privé ? dit-il.

— Mais comment donc.

Kate le précéda dans le couloir et s'assit derrière son bureau.

— Que puis-je pour vous, Burt ?

Le maire resta debout, les mains dans le dos, la tête très légèrement penchée. Depuis son fauteuil, Kate avait une vue imprenable sur l'énorme verrue qui pointait sur son menton. Burt n'était pas encore maire que déjà cette verrue l'avait rendu célèbre. Grosse comme une pièce de dix centimes, elle n'était pas particulièrement repoussante. Juste assez proéminente pour qu'on n'en puisse détacher les yeux une fois qu'on l'avait remarquée. En outre, elle rendait son propriétaire immédiatement repérable. Particularité qu'il avait largement exploitée dans ses campagnes de pub pour tondeuses. On racontait même que la véritable verrue avait été retirée depuis des années et que Burt en portait une fausse, pour qu'on le reconnaisse toujours.

— On a fait les comptes, se lança-t-il. Afin de voir où on en était avant d'établir le budget de l'année prochaine. Vous connaissez la musique.

En effet, cette musique-là, Kate la connaissait par cœur. Chaque année, elle réclamait du personnel, de l'équipement, de nouvelles voitures de patrouille, et chaque année, seules les requêtes les moins onéreuses étaient acceptées, au prétexte que l'argent manquait dans tous les secteurs et que chacun devait porter sa part du fardeau. Résultat, le poste de police bénéficiait d'un nouveau distributeur d'eau fraîche, mais Carl et elle devaient passer encore douze mois au volant de leurs Crown Vic, pourtant vieilles de huit ans.

— Cette année, reprit Burt, vous demandez de nouveaux véhicules.

— Des Dodge Charger dernier modèle, précisa Kate.

Ce qui se faisait de mieux dans le genre. Le commissariat de

Mercerville, la ville voisine, en avait été équipé deux ans auparavant. Elles étaient profilées, sûres et rapides comme l'éclair, qualité que Kate n'avait jamais jugée indispensable avant les événements de l'année précédente.

– Malheureusement, vous ne les aurez pas, dit Burt. Nous ne sommes pas assez riches. Pareil pour le poste supplémentaire, bien que vous m'ayez expliqué en long et en large pourquoi vous voulez un nouvel agent de police.

– J'ai *besoin* d'un nouvel agent de police.

Burt affichait ce sempiternel sourire. Kate en avait vu de plus sincères sur des cadavres à la morgue. Soudain, elle eut envie de l'effacer d'un revers de main.

– Je fais mon travail, déclara-t-il.

– Et moi le mien. Voilà pourquoi je m'inquiète pour le service dont je m'occupe.

– Vous n'êtes pas la seule concernée par les restrictions. Nous faisons tous des sacrifices.

En entendant ce mot, Kate leva les yeux au ciel.

– Des sacrifices ? Allez donc parler de sacrifices aux familles des personnes qui sont mortes l'année dernière. Elles vous en apprendront un bout sur la question, Burt.

– Je sais, c'était moche…

– Il s'agissait d'un tueur en série, le coupa Kate en détachant bien chacun de ses mots. Il habitait cette ville. Et chaque jour qui passe, je pense aux vies que j'aurais pu sauver s'il y avait eu un flic de plus dans les rues.

– Étant donné le coût en vies humaines que Perry Hollow a dû assumer, vous devriez vous féliciter d'avoir encore un boulot.

Kate bondit de son siège, fit le tour du bureau et essaya de coller son nez sous le menton de Burt. Peu importait que cet individu mesurât presque trente centimètres de plus qu'elle. Peu importait qu'il fût le maire, et donc son employeur. Il sous-entendait qu'elle n'avait pas fait tout ce qui était en son pouvoir pour protéger cette ville de l'Ange de la mort, et Kate ne pouvait pas laisser passer cela.

– Je ne vous aime pas, Burt, dit-elle, rouge de colère. Et vous ne m'aimez pas non plus. Parfait. On s'en fiche l'un comme l'autre. Mais si jamais vous mettez en doute mon dévouement envers cette ville, je jure devant Dieu que…

Soudain, Kate se trouva à court d'idées. Un millier de menaces différentes défilaient dans sa tête, chacune plus risquée que la précédente. Celle qui lui chatouillait le bout de la langue donnait ceci : « …j'arracherai cette verrue de votre menton. »

Par chance, elle n'eut pas l'occasion de la proférer. Son portable sonna juste avant qu'elle ne signe son arrêt de mort professionnel. Sauvée par le gong, en quelque sorte.

Pendant qu'elle reprenait son souffle, le portable continuait à claironner la rengaine des Simpsons. Quand elle s'écarta de Burt Hammond, Kate s'aperçut à quel point elle était petite, face à lui.

– Vous feriez mieux d'y aller, dit-elle.

Burt acquiesça sèchement.

– Bonne idée. Nous discuterons de tout cela plus tard. Quand vous aurez appris à contrôler vos émotions.

Il la laissa seule, avec son cœur qui battait la chamade et son portable qui sonnait.

– Allô ? fit-elle sur un ton agacé.

– J'arrive en ville.

C'était Nick Donnelly. Ancien officier de police, Nick avait enquêté sur les meurtres de l'Ange de la mort, puis s'était fait virer de la police d'État de Pennsylvanie pour avoir agressé un infirmier de l'hôpital du comté. Il ne s'encombrait pas de formules de politesse. Normalement, Kate désapprouvait ce manque de courtoisie, mais comme elle lui devait la vie, elle ne lui en tenait pas rigueur.

– Quelle ville ? demanda Kate.

– La tienne. J'ai rendez-vous avec un client.

Après son éviction de la police, Nick avait créé une association à but non lucratif ayant pour vocation de résoudre des affaires criminelles non élucidées. Ses clients, pour la plupart des familles endeuillées, cherchaient des réponses à des mystères enfouis depuis longtemps. Si l'un d'entre eux habitait Perry Hollow, cela signifiait que le crime s'était probablement commis ici.

Sauf qu'il n'y avait pas de crimes non élucidés à Perry Hollow. C'était une toute petite ville, une minuscule enclave commerçante coincée entre montagne et forêt, au sud-ouest de la

Pennsylvanie. Avant les meurtres commis par l'Ange de la mort, le taux de criminalité avait été proche de zéro. Si une affaire non résolue dormait parmi les vieux dossiers entreposés au sous-sol, elle n'en avait pas connaissance.

– Qui est ce client ?

Nick resta évasif.

– Je te le dirai quand on se verra. Retrouve-moi chez *Big Joe's* dans un quart d'heure.

– Pas avant que tu m'aies dit qui c'est.

– Je vais faire mieux que cela. Je vais te dire sur qui porte l'affaire.

– Très bien. Qui ?

– Charles Olmstead.

Kate eut un hoquet de surprise. Nick l'avait-il remarqué ou pas ? Le connaissant, oui. Mais pour le coup, elle s'en fichait. Elle était trop occupée à s'interroger. En quoi l'affaire Olmstead pouvait-elle intéresser quelqu'un ? L'enquête de Nick allait-elle lui retomber dessus ? Et quand ?

2

L'ORAGE APPROCHAIT. Nick le sentait dans son genou droit pendant qu'il remontait péniblement le trottoir menant chez *Big Joe's*. Un élancement violent traversa son articulation maintenue par des agrafes en titane et des implants en polyuréthane. Après l'opération, Nick avait dit pour plaisanter qu'à quelques boulons près, il aurait pu prendre la suite de Steve Austin dans la série *L'homme qui valait trois milliards*. Plus banalement, il était devenu un baromètre vivant, capable de repérer un système de basse pression à des kilomètres.

Celui qu'il détectait ce matin était un truc énorme. Il ignorait d'où il venait et quand il atteindrait Perry Hollow, mais une chose était sûre : il fonçait droit sur eux. Son genou ne mentait jamais.

Avoir une jambe-baromètre comportait un sérieux inconvénient. On marchait nettement moins bien. Quand Nick s'appuyait dessus, son genou droit réagissait comme une masse de gélatine, ce qui ne faisait qu'accentuer son boitement. Lorsqu'il entra chez *Big Joe's*, il ressemblait à Long John Silver penché sur sa canne.

Comme Nick le prévoyait, Kate était déjà là. Elle lui fit un signe de la main. Nick voulut lui répondre de la même façon, mais la chose se révéla plus compliquée que prévu. D'une main, il tenait encore la porte, de l'autre sa canne. Résultat, il se mélangea les bras, se cogna les coudes et finit par opter pour un simple hochement de tête.

Le café était agencé de telle manière que marcher en ligne droite depuis la porte jusqu'au comptoir était impossible. Les clients devaient slalomer entre des tables minuscules, éparpillées sans grande logique. C'était déjà embêtant pour quelqu'un disposant de deux jambes valides. Mais comme Nick devait se contenter d'une jambe et demie, la tâche relevait de l'acrobatie.

– Assieds-toi, dit Kate. Je vais te chercher un café.

Nick repoussa son offre d'un geste.

– Laisse. J'y vais. Ma kiné prétend que j'ai besoin d'apprendre à faire les choses par moi-même. La salope.

Shirley, l'armoire à glace qui lui tenait lieu de kiné, lui avait également conseillé de moins compter sur sa canne et plus sur sa jambe. Il s'en servait comme d'une béquille, disait-elle, ce à quoi Nick répondait non sans un certain bon sens : « Mais c'est une béquille ! »

Shirley ne prisait pas son humour. Quant à Nick, il n'avait aucune intention de renoncer à sa canne. Pour la bonne raison que ce foutu machin l'aidait à se déplacer. Par ailleurs, il lui donnait de la classe, il fallait bien l'admettre. La tige était en teck. Le pommeau en bronze représentait un pit-bull. Ses anciens collègues de la police d'État la lui avaient offerte comme pour lui transmettre le message : « Accroche-toi et ne lâche rien. »

Et c'est ce qu'il s'ingéniait à faire, même s'il devait pour cela clopiner jusqu'au comptoir d'un café hors de prix pour commander un double expresso maison. Son gobelet en main, il retourna vers la table et s'assit avec un soupir de soulagement. Moins son genou portait de poids, mieux il allait. En plus, la chaleur ambiante venait de débrancher sa station météo portative.

– Comment va ta jambe ? demanda Kate.

– Elle me fait encore mal, mais je survivrai.

– C'est à elle que je dois d'être ici aujourd'hui.

Nick s'était esquinté le genou en sauvant la vie de Kate. Mais d'un accord tacite, ils ne s'étendaient jamais sur le sujet.

– Tu as des nouvelles de Henry ? demanda Nick.

Il voulait parler de Henry Spector, l'homme qu'il avait sauvé en même temps que Kate. Comme elle, Henry avait eu maille à partir avec l'Ange de la mort. Il s'en était fallu d'un rien qu'il y reste. À présent, il vivait en Italie. Enfin, peut-être. Nick n'en était plus si sûr. En tout cas, Henry avait quitté Perry Hollow et c'était bien dommage.

– Rien depuis le Jour de l'An, dit Kate en fronçant les sourcils. Et franchement, je doute qu'il se manifeste de nouveau.

Nick saisit cette occasion pour aborder le sujet qui l'amenait. Il sortit une feuille de papier de sa veste et la posa sur la table. C'était la photocopie d'un vieil article de journal comportant la photo d'un petit garçon aux oreilles décollées, au nez minuscule. Sa chemise, sa cravate et ses cheveux blonds bien lissés au peigne laissaient supposer qu'il s'agissait d'un portrait de classe. L'enfant faisait l'effort de sourire, mais la tristesse voilait ses yeux.

Au-dessus de l'article et de la photo, un titre laconique mais alarmant : un enfant de 10 ans a disparu à Perry Hollow.

– Charlie Olmstead, dit Kate.

– Tu le connais ?

– Tout le monde ici a entendu parler de Charlie.

– Que lui est-il arrivé ?

– Nul ne le sait. Raison pour laquelle cette histoire est restée gravée dans les mémoires, je suppose.

Nick posa le doigt sur l'article.

– Ce papier manque de précision, mais il cite le chef de la police de l'époque. Jim Campbell. Ce nom t'évoque quelque chose ?

Le flic en question était le père de Kate. Il avait dirigé la police municipale jusqu'à sa mort, intervenue quand Kate avait dix-huit ans. Nick le savait et Kate savait qu'il savait. Il avait cru que sa remarque la ferait sourire. Mais non. Elle observait la photo d'un air soucieux.

– Ça fait si longtemps, Nick.

– Je sais.

– Alors comme ça, c'est ta prochaine enquête ?

– Tu l'as dit.

La Fondation Sarah Donnelly portait le nom de la sœur de Nick, assassinée quand Nick avait dix ans. On n'avait jamais retrouvé le coupable, mais Nick avait son idée sur la question. Comme le tueur présumé était mort en prison voilà plusieurs années, l'affaire Sarah Donnelly demeurerait à jamais un mystère. Voilà pourquoi Nick avait créé cette fondation. Les journaux de Philadelphie le qualifiaient de « philanthrope des affaires classées ». Nick trouvait cette appellation pertinente. Sa mission était claire et nette – rouvrir des dossiers et trouver des coupables. Que ses clients soient riches ou pauvres, jeunes ou vieux, bobos ou cul-terreux, ils avaient tous besoin d'une réponse et Nick essayait de la leur fournir.

Les gens qui lui donnaient un coup de main travaillaient sur la base du volontariat. De temps à autre, Kate l'aidait à éplucher des dossiers, l'accompagnait sur des scènes de crime éloignées, passait des coups de fil à des collègues susceptibles de les tuyauter. Mais cette fois-ci, c'était différent. L'affaire s'était déroulée chez elle, dans sa ville. Et son père avait procédé à l'enquête. Pas étonnant qu'elle soit tendue.

– Je mets à ta disposition toutes les infos que je possède, dit-elle. Si tu veux, on peut descendre tout de suite aux archives pour jeter un œil sur le rapport. Mais n'attends aucune aide de ma part. L'affaire a été officiellement classée voilà des dizaines d'années.

– Changeras-tu d'idée si je te donne le nom de mon client ?

Kate soupira.

– Je ne pense pas.

– Son frère.

– Tu as parlé à Éric ?

Elle avait presque réussi à cacher sa surprise. Sa voix était demeurée ferme, son corps détendu. La seule chose impossible à contrôler était son regard. Elle écarquilla très légèrement les yeux mais Nick le remarqua. Il avait un réel talent pour noter les petits détails trahissant les émotions de ses semblables. Ce qui avait fait de lui un flic hors pair.

– J'en conclus que vous vous connaissez, dit-il.

– Ça date.

Nick l'observa, cherchant un signe révélateur. Kate ne lui donna pas cette satisfaction. Elle resta impassible, le visage figé, la voix monocorde. C'était inhabituel chez Kate dont les émotions se lisaient aussi facilement que si elle les épinglait à côté de son insigne. Elle connaissait Éric Olmstead mieux qu'elle ne voulait l'avouer.

– Que peux-tu me dire sur lui ?

– Ça fait si longtemps, dit Kate. Tu en sauras davantage en surfant sur Internet. Il a probablement une page Wikipedia.

– En effet.

Nick l'avait consultée cinq minutes après avoir eu Éric Olmstead au téléphone. D'autres sites lui avaient appris une foule de détails inutiles sur le plus célèbre enfant de Perry Hollow. Écrivain, 43 ans, auteur de sept romans policiers qui s'étaient vendus comme des petits pains. Il avait remporté l'Edgar Award à deux reprises. Il lui arrivait de jouer au base-ball avec John Grisham et de gratter la guitare avec Stephen King. Sur son site officiel, il avait trouvé des *fan fictions* consacrées à son fameux héros, Mitch Gracey, et des librairies en ligne proposant tous ses livres.

En revanche, Nick n'avait relevé aucune allusion à son frère ni rien qui lui permette de comprendre pourquoi, après plus de quarante ans, Éric Olmstead tenait tant à découvrir ce qui lui était arrivé. Leur court échange téléphonique n'avait porté que sur des points basiques : où, quand, comment. Le pourquoi avait été omis, bien que cette dernière question fût précisément la raison de sa présence à Perry Hollow.

– Tu sais pourquoi il m'a demandé d'enquêter sur la disparition de Charlie ?

Kate hocha la tête tout en avalant une gorgée de café – enchaînement périlleux dont seuls ont le secret les vrais accros à la caféine.

– C'est sûrement à cause de sa mère. Elle est morte il y a deux semaines.

– Intéressant. Mais j'en aurais bientôt le cœur net. Tu m'accompagnes ?

– Où ?

– Chez Éric. Je t'ai dit que je venais pour rencontrer un client.

Kate faillit lâcher sa tasse.

– Éric est encore à Perry Hollow ?

– C'est ce qu'il m'a dit, répondit Nick. Ça serait sympa d'aller le voir ensemble. Vous pourriez évoquer le bon vieux temps.

– Je ne t'ai jamais parlé de bon vieux temps.

– Pas besoin. J'ai deviné.

Kate se leva d'un bond en repoussant si fort sa chaise qu'elle heurta le genou valide de Nick. Kate se répandit en excuses pendant qu'il la considérait d'un air soupçonneux. Décidemment, ce sujet lui faisait perdre tous ses moyens.

– Alors tu m'accompagnes ou pas ? demanda-t-il.

Kate s'arrêta devant la porte qu'elle ouvrit pour laisser passer Nick et sa canne.

– Évidemment.

– Parfait. Dans la voiture, tu m'expliqueras comment Éric Olmstead s'y est pris pour te briser le cœur.

En entendant cela, Kate lâcha la porte vitrée qui se referma en claquant à quelques centimètres du visage de Nick qui dut jouer de la canne pour se sortir de ce mauvais pas. De l'autre côté, Kate le regardait d'un air qu'on pouvait qualifier de confus.

– Tu l'as fait exprès, hurla Nick à travers la vitre.

Kate lui adressa un sourire doucereux.

– Oui, et pour la chaise aussi.

3

ASSIS DEVANT SON PORTABLE, Éric fixait la surface immaculée de l'écran. Il tapa deux mots. TROUVE-LE.

Il soupira en relisant les fins caractères noirs sur fond blanc. Pourquoi avait-il écrit cela ? Il avait dit à son éditeur – en fait, il lui avait promis – qu'il s'attellerait à la dernière aventure de Mitch Gracey, détective de son état, ex-journaliste sportif. Malheureusement, en l'espace de deux semaines, il n'avait pu écrire que ces deux mots-là qui n'avaient strictement rien à voir avec le dénommé Mitch, supporteur des Mets et adepte de la dive bouteille.

Et pourtant, Éric ne pouvait se résoudre à les effacer. En fait, il poursuivit sa frappe. Trouve ton frère.

Puis il supprima tout. Il fallait qu'il se concentre. Qu'il se mette enfin à écrire. Et vite. La date limite approchait comme un mur dressé devant le pare-brise d'une voiture roulant à cent à l'heure et il n'avait toujours rien à présenter. Il se redressa sur son siège, fit claquer les jointures de ses doigts et leva les mains au-dessus du clavier.

Elles restèrent inertes.

Il avait beau faire, Éric était incapable de construire la moindre phrase. Son blocage avait commencé quelques jours avant la mort de sa mère et n'avait fait qu'empirer ensuite. D'abord, il l'avait attribué à une série d'éléments perturbateurs. Les lieux, par exemple. Le bureau bancal de la chambre où il avait grandi ne ressemblait guère à l'espace de travail qu'il occupait dans son appartement de Brooklyn. Par ailleurs, il y avait les plages horaires. D'habitude, il écrivait la nuit, car l'obscurité aidait à l'éclosion des dispositifs violents liés à ce type de romans. Or à Perry Hollow, il se réveillait tôt. L'état de santé de sa mère l'avait exigé. À présent qu'elle était partie, il n'arrivait pas à reprendre son ancienne routine.

Pourtant, au fond de lui, il savait que le problème se situait ailleurs. Il cherchait des excuses au fait qu'il passait ses journées à sommeiller. Ou à surfer sur Internet. Ou à manger des sandwichs au beurre de cacahuètes en regardant *Police Academy* pour la énième fois.

En fait, si Éric Olmstead n'arrivait pas à écrire, c'était qu'il avait perdu l'inspiration. Il ne savait pas très bien pourquoi. Le chagrin, probablement. La culpabilité, certainement. Mais voilà, sa muse l'avait quitté et elle ne reviendrait pas de sitôt, quel que soit le temps passé à contempler la page blanche de son ordinateur.

Ce matin-là, il s'était juré de ne pas bouger avant d'avoir écrit cinq pages ou que midi sonne. Mais rien ne sortait. Éric était en train de se dire que midi allait remporter la partie quand il entendit une autre sorte de sonnerie. Il était neuf heures et quart ; ce visiteur arrivait à point nommé pour lui sauver la mise. Enfin une distraction ! Les écrivains aiment presque autant les distractions que les chèques de droits d'auteur.

Il se précipita pour ouvrir. Un homme en complet noir se tenait sur le perron. S'il avait figuré dans l'un de ses romans, Éric l'aurait décrit comme un type svelte, au visage las mais beau. La canne dans sa main droite révélait un passé agité. Il avait été flic, autrefois. Éric le devinait à ses yeux verts dont le regard perçant fouillait l'espace devant lui pour tout capter en même temps.

– Éric Olmstead ? dit l'inconnu.

– Lui-même.

L'homme tendit la main.

– Je suis Nick Donnelly.

Éric dut marquer une hésitation car l'homme en noir ajouta :

– On s'est parlé au téléphone vendredi. Vous m'avez proposé de passer ce matin.

Éric se frappa le front du plat de la main. Comment

avait-il pu oublier qu'on était mercredi ? Quand on faisait semblant d'écrire, les jours avaient tendance à se confondre dans le
même brouillard.

– Je suis désolé. Ça m'était totalement sorti de l'esprit.

Posant un pied sur le paillasson, il s'effaça pour laisser entrer
Nick qui l'effleura de son regard coulissant. Derrière lui, une
femme montait les marches du perron d'un pas hésitant. Son
uniforme indiquait qu'elle était flic, elle aussi. Il n'ignorait pas
que Kate Campbell avait suivi les traces de son père.

Éric n'avait pas revu Kate depuis vingt-cinq ans. Le temps
s'était montré clément envers elle. Malgré les années, elle avait
gardé ce menton pointu qu'elle tendait vers le haut ou le bas
selon qu'elle était furieuse ou triste. Ses yeux pétillants en disaient
long sur sa nature généreuse et le dessin de ses lèvres trahissait
toujours son humeur, de l'énervement à l'ennui en passant par
l'esquisse d'un sourire.

– Je t'en prie, rassure-moi. Tu ne m'as pas oubliée ! On n'a
pas vieilli à ce point !

– Nous avons vieilli, répondit Éric, mais je ne t'ai pas oubliée,
Kate.

L'esquisse de sourire resta collée à son visage pendant qu'elle
s'étirait pour l'embrasser maladroitement. Éric avait espéré ce
geste, sans y croire vraiment. En fait, il ne l'avait pas mérité, ni
aujourd'hui ni encore moins autrefois.

– Laisse-moi te regarder, dit Kate.

Comme elle reculait pour mieux l'admircr, Éric se demanda
bêtement ce qui avait pu changer en lui depuis le lycée. À
dix-huit ans, il ne portait pas encore de lentilles. Ses cheveux
bruns, aujourd'hui longs et bouclés, n'étaient pas coiffés de la
même manière. Son corps aussi s'était transformé. Il était à la
fois plus mince et plus musclé qu'avant. Chaque année qui passait augmentait son ardeur à combattre par le sport les effets du
vieillissement.

En revanche, son visage était resté le même. À quarante-trois
ans, aucune ride, aucune tache ne marquaient sa peau. Il ignorait
combien de temps cela durerait, mais pour l'instant, il remerciait
le destin de lui avoir accordé de bons gènes. Même mâchoire
volontaire. Même nez puissant. Même sourire rusé.

– Tu as l'air en forme, fit Kate. Et je suis heureuse de ton succès. Très sincèrement.

Ces deux derniers mots n'avaient rien d'innocent, songea Éric. C'était une façon de lui faire comprendre qu'elle se souvenait de tout, mais qu'elle voulait bien passer l'éponge.

– Alors comme ça, tu travailles pour la fondation Sarah Donnelly ? demanda Éric.

Kate regarda Nick Donnelly qui assistait à leurs retrouvailles, appuyé sur sa canne.

– Non, même si Nick aimerait bien qu'il en soit ainsi.

Éric les considéra tous les deux sans comprendre.

– Alors que fais-tu ici ?

– Je m'efforce de faire mon boulot de flic municipal, rétorqua Kate en finissant par franchir le seuil. Et en tant que telle, je suis curieuse de connaître ton opinion sur la disparition de ton frère.

– Je ne sais pas ce qui lui est arrivé, répondit Éric. Mais ma mère avait son idée là-dessus.

– Quelle idée ?

– Pour elle, Charlie a été kidnappé.

Dans la salle à manger vieillotte, ils s'installèrent autour de la table en bois abîmée. Éric d'un côté, Nick et Kate en face. Comme il était placé, Éric devait choisir entre s'adresser au détective privé ou à son ex-copine. Ne sachant pour qui opter, Éric fixa l'espace entre leurs épaules, occupé par une bande de papier peint décoloré. Il y avait eu des roses à cet endroit, jadis. De petites fleurs dont les tiges sans épines s'enroulaient les unes autour des autres. Les roses s'étaient effacées, les tiges n'étaient plus que de vagues nœuds vert pâle.

– Avant d'accepter cette mission, commença Nick, j'aimerais obtenir certaines précisions, pour savoir si…

Éric termina sa phrase à sa place.

– Pour savoir si vous ne perdez pas votre temps. Je comprends parfaitement.

Mitch Gracey n'agissait pas autrement. Il ne gaspillait pas son énergie à courir après des causes perdues, des affaires insolubles. Son personnage de roman n'aurait pas accordé le moindre intérêt à la disparition de Charlie. Il espérait que Nick Donnelly ne raisonnait pas comme Gracey.

– Bien, dit Nick. Commencez par me dire ce que vous savez de la disparition de votre frère.

– Pas grand-chose, avoua Éric. J'étais bébé quand ça s'est produit.

– Vos parents n'en parlaient jamais ?

– Jamais. Mon père est plus ou moins sorti de ma vie quand j'avais deux ans. Et ma mère évitait ce sujet.

Mieux qu'une longue explication, il suffisait de regarder autour de soi pour comprendre. Il n'y avait aucune photo de Charlie dans la maison. Étant petit, Éric lui-même avait cru qu'il n'en existait pas jusqu'à ce qu'il tombe par hasard sur une boîte pleine dans la cave, un jour de décembre, alors qu'il fouillait pour dénicher les cadeaux de Noël. Il avait passé le reste de l'après-midi à les examiner les unes après les autres. Dix ans de photographies cachées comme un objet de honte.

Pareil pour la chambre de son frère. Au lieu de la vider, la mère d'Éric l'avait condamnée, comme une tombe. Elle était verrouillée et la clé aux oubliettes. En règle générale, Éric n'y pensait même pas. Mais parfois, quand il passait devant la porte, il s'arrêtait en se demandant ce qu'il y avait de l'autre côté. Il s'imaginait une pièce vide, propre et austère comme la cellule d'un moine.

Éric n'avait jamais évoqué ces photos, même pas au cours des derniers jours avant la mort de sa mère. Il ne l'avait jamais questionnée sur la chambre non plus. Il respectait son silence, sachant que le sujet était douloureux pour elle et que l'aborder n'aurait fait que raviver son chagrin.

Heureusement pour Éric, les habitants de Perry Hollow n'avaient pas ce genre de pudeur. Au contraire, ils semblaient intarissables. Tout ce qu'il savait sur l'incident lui venait de ses concitoyens – camarades de classe, commerçants, paroissiens de l'église où sa mère l'avait traîné pendant sa brève période mystique. Il ignorait si tout était vrai, mais en grandissant, il était devenu si avide d'informations qu'il avait fait ses choux gras du moindre racontar.

Il récita donc l'histoire telle qu'il l'avait reconstituée. Une nuit de juillet 1969, le 20 très exactement, Charlie était parti pour ne jamais revenir, ne laissant derrière lui que son vélo. Sa mère, le père de Kate et son adjoint avaient vu le vélo dériver puis basculer dans les chutes de Sunset. Le lendemain matin, on l'avait retrouvé broyé parmi les rochers, au pied des chutes. Mais personne n'avait jamais revu son frère. Après quelques jours d'agitation journalistique, de battues et plusieurs nuits de veille dans le salon des Olmstead, le chef James Campbell avait rédigé son rapport officiel : Charles Olmstead était par mégarde tombé dans la rivière avec son vélo, avant de basculer dans les chutes. Son corps avait ensuite été emporté par le courant.

– Mais votre mère n'y a jamais cru, intervint Nick.

– Visiblement pas.

Kate, qui n'avait rien dit jusqu'à présent, se pencha vers Éric.

– Et toi, qu'en penses-tu ?

– Honnêtement, je n'ai pas d'opinion. Charlie est parti. Dans mon esprit, il l'a toujours été. J'espère juste que vous serez en mesure de découvrir ce qui lui est vraiment arrivé.

– Mais pourquoi maintenant ? demanda Nick. Après plus de quarante ans.

– C'est la dernière volonté de ma mère.

Éric avait hérité de cet ultime souhait, en même temps que de sa maison, de sa voiture et de tout l'argent qu'elle avait réussi à mettre de côté, au fil des ans. Il prévoyait de vendre la maison et de donner la voiture. L'argent irait à une association caritative. Quand tout serait parti, il ne lui resterait plus que les paroles de sa mère sur son lit de mort, un murmure insistant qu'il entendait encore, après deux semaines.

Ils ne m'ont pas crue. Toi, ils te croiront. Trouve-le. Trouve ton frère.

Trop bouleversé pour en saisir pleinement le sens sur l'instant, Éric avait cru que Maggie délirait à l'approche de la mort, qu'elle lui demandait de convoquer à son chevet ce frère disparu depuis des décennies. Ce n'est qu'après le service funèbre auquel assistaient des gens qu'il ne connaissait pas, pour la plupart, qu'il en mesura l'importance. Maggie ne divaguait pas. Elle voulait vraiment qu'il retrouve Charlie. C'était le dernier ordre donné par une mère autoritaire à son fils.

Il en avait eu la confirmation officielle le lendemain des funérailles, quand un avocat l'avait contacté pour lui parler de la maison, de la voiture, de l'argent, avant de lâcher la bombe : sa mère avait la certitude, et ce depuis quarante ans, que Charlie avait été kidnappé. Dans son testament, elle avait prévu une petite somme d'argent destinée à financer l'enquête. La responsabilité en incomberait à Éric.

Il avait attendu une semaine pour se décider. Les quelques privés qu'il avait contactés lui avaient fait la même réponse que Nick Donnelly – les éléments de l'enquête étaient si maigres qu'on risquait fort de n'aboutir à rien. Éric avait insisté pour obtenir leur aide mais s'était vu opposer des refus polis.

Quelques jours avaient passé dans l'incertitude puis en lisant le *Philadelphia Inquirer*, il était tombé sur un article consacré à la Fondation Sarah Donnelly, une association ayant pour vocation d'offrir de l'espoir aux désespérés. Le vendredi suivant, il s'était décidé à téléphoner à Nick Donnelly. On était mercredi et Nick était assis là, devant lui :

– À votre avis, pourquoi votre mère songeait-elle à un kidnapping ? demanda-t-il.

– Pendant tout ce temps, elle aurait pu venir me voir moi, ou mon père, ajouta Kate.

– J'aimerais pouvoir vous répondre, dit Éric. Mais elle ne m'a jamais confié sa théorie de l'enlèvement.

– Je veux bien vous aider à faire la lumière sur la disparition de votre frère, intervint Nick d'une voix sonore. Mais pour cela, nous aurons besoin de beaucoup plus d'informations.

Éric se tourna vers Kate. Curieusement, l'uniforme qu'elle portait lui allait bien tout en ne lui correspondant pas tout à fait. Connaissant son sens du devoir et de l'honneur, son engagement dans la police ne le surprenait guère et pourtant, quand il la regardait mieux, Éric voyait encore l'adolescente au doux visage qu'il avait connue jadis.

– Je me disais que Kate pourrait nous aider. À moins qu'il ne s'agisse pas d'une affaire entrant dans tes attributions ? ajouta-t-il.

– En effet, répondit-elle hâtivement. J'ai déjà proposé à Nick de consulter nos archives. Encore que je doute qu'un enlèvement y soit consigné. Nous n'y trouverons donc pas grand-chose.

– Ça nous laisse la famille, rebondit Nick. Votre père est-il encore vivant ?

Éric acquiesça tout en précisant que Ken Olmstead ne leur

serait guère utile. Son père ne s'était jamais dérangé quand il avait eu besoin de lui. Il ne voyait aucune raison pour que cela commence aujourd'hui.

– Des voisins, alors, suggéra Kate. Lee et Becky Santangelo habitent toujours ici. Glenn Stewart aussi.

Certes, les voisins n'avaient pas déménagé mais, d'après Éric, ils ne leur seraient pas plus utiles que son père. Bien qu'il eût vécu toute sa jeunesse en face des Santangelo, il les connaissait à peine. Éric ne marchait pas encore quand sa mère s'était fâchée avec eux. Leurs échanges se limitaient à des regards cinglants, quand par hasard ils se croisaient en sortant la voiture du garage ou en allant relever le courrier.

Les seules trêves correspondaient aux campagnes électorales de Lee. Dans ces moments-là, ce dernier se montrait plus disert. La politique avant tout.

Dans la maison d'à-côté, il y avait Glenn Stewart. Chose extraordinaire, Éric en savait encore moins sur lui que sur les Santangelo. C'était un homme si secret qu'on l'oubliait facilement. On aurait pu croire sa grande baraque branlante inhabitée, tout comme celle où Stan et Ruth Clark avaient vécu.

– C'est déjà un début, fit Nick. J'irai leur demander s'ils se souviennent de cette nuit-là. Avec un peu de chance, l'un d'entre eux aura vu quelque chose d'étrange du côté de Sunset Falls.

Éric haussa les épaules, geste que Mitch Gracey ne se permettait jamais. Éric l'avait certes créé, mais Gracey ne lui ressemblait aucunement – c'était un homme décidé, pugnace et doté d'une totale assurance. Par exemple, à sa place, Gracey aurait déjà traversé la route et frappé chez les Santangelo pour leur tirer les vers du nez. Il ne serait pas resté assis dans la salle à manger à écouter Nick Donnelly énoncer les prochaines étapes de son enquête.

– Et cette chute d'eau, dit Nick. Où est-elle ?

Bien que cette question fût adressée à Éric, c'est Kate Campbell qui y répondit.

– Dans les bois, au bout de l'impasse.

– On peut y aller à pied, compléta Éric, désireux de se rendre utile.

– Bonne idée, s'exclama Nick en s'emparant de sa canne pour se redresser. Allons jeter un œil.

Lorsque Kate se leva à son tour, Éric l'imita avec réticence. Il n'avait aucune envie de visiter Sunset Falls. Même étant enfant, il évitait cet endroit qui avait détruit sa famille. Mais ce matin, il n'y couperait pas. Nick Donnelly voulait voir les chutes ; Éric était bien obligé de les lui montrer. L'existence de son frère s'était terminée là. Le hasard aidant, ils y découvriraient peut-être un début de réponse.

4

L A RUE ÉTAIT CALME. D'un calme inquiétant, comme un cimetière la nuit. Les urbanistes ayant conçu cette impasse avaient fait en sorte qu'elle rejoigne la rivière en s'enfonçant dans les bois. Il y avait d'autres rues comme celle-ci à Perry Hollow, mais aucune d'elles n'était aussi silencieuse, aussi paisible, aussi…

Hantée.

Un adjectif sans doute excessif mais qui résumait parfaitement l'impression que Kate en retirait. En lieu et place des trottoirs, les grands sycomores qui bordaient la chaussée arrêtaient la lumière du soleil. Dans leurs ombres feuillues, les quatre maisons de l'impasse paraissaient sombres et vides. Leurs pelouses désertes. Leurs perrons nus. Décidemment, ce lotissement avait des allures de ville fantôme.

Nick et même Éric Olmstead, qui y avait grandi, devaient ressentir la même chose qu'elle. Tous trois avançaient à pas lents au milieu du macadam, sans mot dire, comme s'ils redoutaient de déranger les esprits qui erraient dans les parages.

Nick le premier rompit le silence en désignant la grande villa en brique construite en retrait. Il y avait quelque chose d'ostentatoire dans cette bâtisse, depuis la majestueuse allée incurvée menant de la rue au garage jusqu'au gigantesque heurtoir de cuivre ornant la porte d'entrée.

– Qui vit ici ?

– C'est la résidence Santangelo, dit Kate. Lee et Becky.

– Lee Santangelo. J'ai déjà entendu ce nom.

– Il faisait de la politique. Il a été représentant de l'État de Pennsylvanie pendant une vingtaine d'années.

Jusqu'à ce que le nom d'Éric Olmstead figure sur la liste des best-sellers, Lee Santangelo avait été le plus fameux citoyen de Perry Hollow. À l'époque où il siégeait à la chambre, à Harrisburg, il s'était fait remarquer par son absence d'initiative. Ne prenant jamais position, il votait dans la direction où le poussait l'opinion générale. Pourtant les gens l'aimaient. En tant que pilote de chasse, la NASA l'avait sélectionné dans le cadre de son programme spatial. Sa femme, une ancienne reine de beauté, s'occupait de leur foyer. Ils formaient le couple Kennedy de Perry Hollow.

Chaque année, Lee visitait l'école primaire. Kate se rappelait les discours insipides où il passait tout en revue, depuis la conquête de l'espace jusqu'au gouvernement de l'État. Déjà, étant gamine, elle le trouvait un peu trop imbu de lui-même, un peu trop prompt à se tresser des couronnes. Les autres filles ne partageaient pas son avis. Lee avait dans les quarante ans, en ce temps-là, mais les petites camarades de Kate le trouvaient formidable.

– À quand remonte ta dernière conversation avec Lee Santangelo ? demanda-t-elle à Éric.

– Nous avons à peine échangé dix mots de toute notre vie. Les seules fois où nous parlions un peu, c'était à l'occasion des élections, quand il plantait ses panneaux dans notre jardin. Ma mère s'empressait de les arracher et les balançait dans la rue. Ils ne s'entendaient pas.

– Pourquoi cela ?

– Elle ne me l'a jamais dit. Ce qui me porte à croire que c'était à cause de Charlie.

Kate décocha un coup d'œil à Nick. Sciemment ou pas, Éric venait de leur fournir un premier suspect.

Leur étape suivante fut la maison en bois voisine de celle des Santangelo. Deux fois plus petite, elle comportait un étage en plus du rez-de-chaussée et, bien que la pelouse fût tondue et les fenêtres ornées de rideaux, Kate devina qu'elle était inhabitée avant même d'apercevoir le panonceau à vendre, au bout de l'allée.

Kate lut le nom de l'agent immobilier : Ginger Schultz, une ancienne camarade de lycée. Inscrites au même cours d'algèbre, elles avaient passé l'année à glousser au fond de la classe en se glissant des petits mots sur des bouts de papier. En y repensant, Kate se dit que la plupart de ces petits mots parlaient d'Éric Olmstead. Ginger rigolerait bien si elle savait que Kate et Éric venaient de se retrouver ici même.

– Qui vivait là ? demanda Nick.

– Ruth et Stan Clark, répondit Éric d'une voix chaleureuse. Maman les appréciait. C'étaient de braves gens.

– Quand ont-ils déménagé ?

Kate, dont le boulot consistait à en savoir un maximum sur ses concitoyens, prit la liberté de répondre à sa place.

– Ils n'ont pas déménagé. Ils sont morts. Stan à la fin des années 1980. Ruth au début des années 1990. Depuis, la maison a eu plusieurs propriétaires.

– Pour quelle raison ? demanda Nick.

– Je l'ignore.

Éric se remit à marcher.

– Je dirais que c'est à cause de cette rue, reprit-il. Les gens savent ce qui s'est passé ici. La rumeur court. Du coup, cet endroit passe pour…

Sa phrase resta en suspens, mais Kate savait quel mot lui était venu en tête. Elle-même y avait songé peu de temps auparavant. Hanté.

Comme si cette impression nécessitait une deuxième illustration, Kate se tourna vers la maison d'en face. Incroyablement grande et délabrée, le seul moyen de la rendre plus lugubre aurait été d'installer un cimetière sur la pelouse. Kate promena son regard du toit-terrasse à la façade. Les fenêtres larges et arrondies vers le haut ressemblaient à des yeux braqués sur le dehors. Certaines vitres étaient fendillées. D'autres n'avaient pas de volets. Les murs – sans doute blancs à l'origine – avaient bien besoin d'une couche de peinture. Le porche aussi était en mauvais état. çà et là, des trous béaient dans le plancher. Une bonne partie de la rambarde avait été arrachée ; elle traînait par terre, à moitié cachée par les herbes folles.

– Je parie que celle-ci est abandonnée, dit Nick.

– On pourrait le croire, à son aspect, répondit Kate.

Appuyé sur sa bonne jambe, Nick leva sa canne pour désigner l'immense baraque.

– Tu veux dire que quelqu'un loge ici ?

Kate acquiesça.

– Glenn Stewart. C'est l'ermite municipal.

Le sort de Charlie Olmstead était le premier grand mystère de Perry Hollow ; Glenn Stewart le second. Kate qui connaissait tous les habitants, au moins de vue, n'avait jamais posé les yeux sur cet homme-là. D'ailleurs, peu de gens avaient eu ce privilège. Pour apercevoir Glenn Stewart, il fallait entrer chez lui ou attendre qu'il sorte. Et pour autant qu'elle le sache, ces deux événements étaient plutôt rares.

– Il habitait là en 1969 ? demanda Nick.

– Oui, dit Éric. Mais d'après ma mère, il était déjà enfermé chez lui. Il restait dans son petit monde. De temps à autre, on voyait briller des lumières derrière les vitres. Sinon, on n'aurait même pas soupçonné sa présence.

Nick tendit le cou pour mieux examiner les fenêtres donnant sur la rue.

– Il nous entend, murmura-t-il.

– Comment tu le sais ? répondit Kate sur le même ton.

– Parce qu'il nous regarde.

Elle pencha la tête en arrière et vit la même chose que Nick. Un rideau de dentelle jauni par le soleil. Une main pâle le tenait écarté de la vitre. Au bout de quelques secondes, la main disparut, le rideau retomba.

– Craignos, fit Nick.

– Sacrément.

– Que sais-tu de cet individu ?

Kate se creusa la tête pour y dénicher au moins un petit détail, une rumeur, mais n'y parvint pas. Elle ne savait strictement rien de Glenn Stewart, et cela l'agaçait prodigieusement.

Ils continuèrent à marcher sans parler jusqu'au bout de l'impasse. Une épaisse rangée d'arbres se dressait comme un mur verdoyant, devant eux. Au-delà leur parvenait le fracas assourdi des chutes.

– C'est par ici, annonça Éric en leur montrant les vestiges du sentier qui autrefois coupait à travers bois. Aujourd'hui, on le voyait à peine sous les mauvaises herbes et les buissons d'épineux.

Il ouvrit le cortège en écrasant les ronces qui encombraient le chemin. Kate qui le suivait dégageait à coups de pied toutes les tiges et racines susceptibles de faire trébucher Nick. Quand elle se retourna pour vérifier s'il s'en sortait, elle le vit progresser avec une grande prudence, les yeux plissés par la concentration.

Au loin, le grondement des chutes augmentait au fur et à mesure. Bientôt, ils émergèrent du bois et se retrouvèrent sur la rive, comme happés dans une bulle sonore. Le vrombissement continu qui se répercutait contre les frondaisons les contraignit à crier pour se faire entendre.

— Nous y voilà, claironna Éric. Sunset Falls.

Devant eux, le courant filait à une vitesse surprenante. Plus humide qu'à l'habitude, l'été avait connu un grand nombre d'orages violents. Ce qui suffisait à expliquer cette rivière gonflée, tumultueuse, roulant son écume jusqu'à l'embouchure des chutes.

Une passerelle en bois enjambait la rivière sur quinze mètres environ. Juste assez large pour laisser passer deux personnes, elle offrait un aspect fragile. De l'autre côté, le sentier qu'ils avaient suivi se poursuivait, encore plus encombré et inextricable.

— Où mène ce chemin ? demanda Nick.

— Nulle part, répondit Kate. Il suit la pente jusqu'en bas des chutes et s'arrête là. C'était un coin où les gens venaient pique-niquer ou prendre des photos. Mais depuis que Charlie a disparu, plus personne ne traîne par ici.

— Peut-on atteindre les chutes par un autre chemin ?

Kate voyait où il voulait en venir. Dans l'hypothèse d'un enlèvement, il fallait savoir s'il existait d'autres voies d'accès.

— Non. Cette rue est le seul moyen d'y parvenir.

Elle aurait dû dire *était* le seul moyen d'y parvenir. En effet, le pont de bois avait été condamné quelques années auparavant, entre le règne de son père et le sien à la tête de la police municipale. L'écriteau signalant cette mesure de sécurité rouillait sur un genre de tréteau bancal posé en travers du passage.

— Tu crois qu'il est solide ? demanda Éric.

Kate, qui n'avait pas posé le pied sur ce pont depuis au moins vingt ans, répondit :

– Il n'existe qu'un seul moyen de le savoir.

Elle déplaça le tréteau et contempla l'ouvrage. Le temps et les intempéries avaient grisé le bois criblé de craquelures, de trous de termites. Mais dans son ensemble, le pont paraissait relativement stable. Alors elle tenta un premier pas.

Rien ne se passa. Pour l'instant tout allait bien. Encore une vingtaine de pas et elle serait de l'autre côté.

– Vous venez, les mecs ?

Nick secoua la tête et fit un pas en arrière.

– Non merci.

Kate se mit à sautiller sur la première planche pour éprouver sa solidité.

– J'ai l'impression que ça va. Où est ton sens de l'aventure ?

– Je l'ai laissé quelque part avec mon genou, répliqua Nick en tapotant sa jambe droite. Je préfère vous regarder, appuyé contre cet arbre.

Cela ne lui ressemblait guère. Canne ou pas canne, Nick n'aurait jamais hésité à franchir ce pont. À moins qu'il ait une idée derrière la tête. À moins qu'il veuille la laisser seule un moment avec Éric, sans doute pour qu'ils refassent connaissance.

Nick s'adossa délicatement contre un chêne. Kate refit un pas, presque sur la pointe des pieds. Bien que le pont ne montrât pas de signe alarmant, elle procéda de la même manière pour les deux pas suivants, sans lâcher la rambarde qui lui montait à hauteur de taille. Puis, renonçant à la prudence, elle adopta une allure normale.

Le pont craqua légèrement sous son poids, mais rien d'inquiétant. Tous les ponts craquaient. Ils se balançaient aussi. Le balancement l'effrayait davantage, mais il était trop tard pour faire demi-tour. Elle était arrivée au beau milieu. Entre les planches, elle voyait la rivière bouillonner sous ses pieds. Si jamais le pont s'écroulait, elle serait emportée inexorablement.

À sa gauche, le ruban de la rivière s'arrondissait doucement entre les arbres. Deux gros rochers dépassaient à la surface. En les percutant, le flot s'affolait, formant des tourbillons et des rides sur lesquels le soleil jouait. À sa droite, à cause du courant plus puissant, l'eau s'assemblait en longs filets d'écume avant de basculer dans le vide. Si jamais elle tombait dans la rivière, rien ne l'empêcherait de dévaler cette cascade.

Sauf une chose, peut-être, nota Kate. Une branche de chêne s'étirait au-dessus des chutes, à l'endroit même où la rivière disparaissait dans le gouffre bouillonnant. Une grosse branche bien épaisse qui lui sauverait la vie, à condition qu'elle s'y accroche bien fermement. Si elle ratait son coup, c'en serait fini d'elle.

Heureusement, Éric la rejoignit. Elle constata non sans une certaine tension que son arrivée lui avait fait oublier ses plans de sauvetage. Pour se calmer, elle lança la conversation.

– Combien de temps comptes-tu rester en ville ?

– Encore un mois, dit Éric. Il faut que je m'occupe de tout emballer avant de mettre la maison en vente.

– Ta mère était une femme bien. J'ai été triste d'apprendre qu'elle avait un cancer.

Kate avait songé à assister aux funérailles de Maggie Olmstead, mais finalement elle y avait renoncé. Revoir Éric dans de telles circonstances aurait été gênant pour l'un comme pour l'autre. Se retrouver seule avec lui sur ce pont était tout aussi embarrassant.

D'un autre côté, cette situation avait quelque chose d'étrangement grisant. L'espace d'un instant, elle redevint la lycéenne timide qui, récemment délivrée de son appareil dentaire, avait posé les yeux sur cet élève de terminale si séduisant derrière ses lunettes à la Buddy Holly. Des souvenirs enfouis depuis de longues années lui traversèrent l'esprit à la vitesse de l'éclair. La plupart étaient agréables. Il n'y en avait qu'un de mauvais.

– On continue ? lança-t-elle.

De l'autre côté du pont, le sentier ressemblait plus à une bande de terre abrupte dégringolant vers le pied des chutes. Kate respira un bon coup et se mit à descendre, suivie de près par Éric. C'était une entreprise hasardeuse. Des branches venues de nulle part leur giflaient le front, les ronces leur écorchaient les mollets. À droite, les chutes vaporisaient sur eux des nuages de brume qui leur collaient à la peau et rendaient le sol glissant.

– Alors comme ça, Nick Donnelly et toi, vous…

Il laissa Kate compléter sa phrase par l'euphémisme de son choix. Sortez ensemble ? Vivez ensemble ?

– On est juste amis, dit-elle. De très bons amis.

– Comment vous êtes-vous connus ?

– Nick appartenait à la police d'État. Il m'a aidée à enquêter sur une série de meurtres, l'année dernière.

– J'en ai entendu parler. Difficile d'imaginer qu'une chose pareille ait pu se passer à Perry Hollow.

Il était tout aussi difficile d'imaginer que le frère d'Éric ait pu être kidnappé par un inconnu dans les bois. Pourtant, cela n'avait rien d'inconcevable. Quatre-vingts pour cent des enlèvements d'enfant avaient lieu dans un périmètre de quatre cents mètres autour de leur domicile. Mais ici, on se trouvait dans un quartier isolé, disposant d'une seule voie d'accès. N'importe quel voisin aurait pu remarquer les allées et venues d'un étranger.

Arrivés au bas des chutes, ils constatèrent que le sentier s'aplanissait tandis que la végétation, moins touffue, laissait place à une berge jonchée de galets. L'eau se déversait dans un bassin profond, à grands renforts de remous et autres éclaboussures. D'après les documents officiels, les chutes faisaient dix mètres de haut. Mais de là où Kate se tenait, la dénivellation paraissait beaucoup plus importante.

– Si quelqu'un tombait, crois-tu qu'il survivrait ?

– J'en doute, répondit Éric. Mais il y a toujours des coups de chance.

Il faudrait un sacré coup de chance, se dit-elle en examinant les rochers déchiquetés qui pointaient sous le rideau liquide. Kate leur trouva une ressemblance avec des dents de dinosaure, hérissées, prêtes à cisailler tout ce qui passait à leur portée.

Plus loin, la rivière poursuivait son voyage, coupant à travers la campagne jusqu'à l'horizon. Le corps de Charlie Olmstead était-il enfoui quelque part le long de ses berges ? Retenu sous l'eau par des branches enlacées ? Gisant au pied d'un arbre, loin des regards ? À condition, évidemment, qu'il ait bien été emporté par les rapides.

– Dis-moi, crois-tu que ma mère avait raison ? demanda Éric.

– Aucune idée. Mais Nick fera tout son possible pour le découvrir.

Malgré cette promenade champêtre, Kate n'avait toujours pas l'intention de s'impliquer dans l'enquête. Elle voulait juste voir comment Éric avait évolué – en mieux ou en pire – avant de laisser les deux hommes se pencher sur l'insondable mystère

Charlie Olmstead. Elle n'avait pas de temps à consacrer à cette affaire, d'autant plus qu'ils risquaient d'aboutir à la même conclusion que son père.

Après un dernier regard sur les chutes, Kate fit demi-tour et reprit le sentier. L'escalade s'avéra encore plus ardue que la descente. Ils étaient à bout de souffle quand ils arrivèrent au sommet.

De retour sur le pont, Kate vit Nick se redresser sur sa canne. De toute évidence, son tête-à-tête avec Éric était terminé.

– Je crois qu'il commence à s'impatienter, dit-elle.

Éric la précéda sur le pont.

– Nick m'a l'air d'un type très déterminé. J'ai raison ? demanda-t-il en regagnant la terre ferme.

– Tu n'as pas idée. Dès qu'un truc le branche, il ne le lâche pas avant d'avoir obtenu ce qu'il souhaite.

Kate allait descendre du pont quand un grincement retentit sous ses pieds. Il se transforma vite en craquement puis la planche qui soutenait Kate se fendit et céda.

Kate n'eut pas le temps de réagir. Elle poussa un petit cri étranglé et passa à travers la brèche. À mi-chemin, elle resta coincée. Sa cage thoracique l'empêchait d'aller plus bas. Elle se mit à agiter les jambes comme si elle pédalait. L'un de ses pieds entra en contact avec l'eau. La planche brisée qui flottait à la surface heurta sa cheville avant de filer plus loin, emportée par le courant.

Aussitôt, Éric se porta à son secours. Penché au-dessus d'elle, il l'attrapa par les bras. Kate vit la planche où il se tenait ployer sous son poids.

– Arrête de bouger, dit-elle. Mets-toi à plat ventre. Répartis la charge.

Sans faire de mouvements brusques, Éric se baissa, s'allongea sur le ventre et glissa vers elle. Par-dessus son épaule, Kate vit Nick s'engager sur le pont.

– Kate ? Tu es blessée ?

Il courait presque, le bout de sa canne cognait contre les planches. Les poutres de soutènement réagirent en gémissant. Kate se sentit partir en arrière de quelques centimètres. La structure tout entière s'inclina. Éric et elle avaient prouvé que le pont pouvait supporter deux personnes. Rien ne disait qu'il en tolérerait une troisième.

— Ne viens pas ! hurla-t-elle. Ça fait trop de poids.

Nick recula jusqu'à la terre ferme. Sans lâcher les avant-bras de Kate, Éric recula lui aussi, par petits coups, de manière à lui laisser l'espace nécessaire pour se hisser elle-même hors du trou. Quand elle y parvint, le pont s'inclina de nouveau, mais dans l'autre sens.

Éric aida Kate à se mettre debout. Juste avant qu'ils regagnent le sentier, elle sentit encore le pont vaciller. Elle mit cette impression sur le compte des tremblements incontrôlables qui l'agitaient, auxquels elle remédia en respirant profondément. Elle ne s'en était pas trop mal sortie. Mis à part ces spasmes nerveux, il ne restait de l'incident qu'une traînée de terre sur le devant de son uniforme. Kate s'efforça d'en enlever le plus gros tout en regardant le pont d'un air pensif.

— Il va falloir que quelqu'un se décide à en faire du petit-bois, conclut-elle.

Une demi-heure plus tard, dans son bureau, Kate discutait au téléphone avec Burt Hammond, le sceptique, du danger que représentait ce pont enjambant les chutes de Sunset. Ne s'étant pas encore remis de leur conversation du matin, le maire faisait la sourde oreille.

— Je comprends votre inquiétude, chef, dit-il. Mais ce pont est fermé depuis quinze ans.

— La barrière posée devant ne sert strictement à rien. Il faut le démolir. J'ai failli passer au travers ce matin.

— D'abord, que faisiez-vous sur ce pont ?

Kate aurait dû prévoir cette question. Mais, dans sa fébrilité, elle n'avait pas pris le temps de préparer son coup de fil au maire. En tout cas, il n'était pas question de lui avouer la vérité. Burt Hammond considérerait son intervention comme une perte de temps.

— Rien qui vous concerne, marmonna-t-elle. En revanche, l'état de ce pont concerne tous les citoyens de cette ville.

— Le conseil municipal et moi étudierons la question.

Ce qui signifiait qu'ils n'étudieraient rien du tout. Si elle voulait un résultat, elle allait devoir reformuler le problème en des termes plus explicites.

— Si jamais une personne emprunte ce pont et qu'il s'écroule, elle risque fort d'être emportée par le courant, dit-elle. Et il se peut très bien que sa famille intente un procès à la municipalité. Bon, je ne sais pas pour vous, mais moi je n'ai pas envie de me retrouver devant un tribunal.

Quand Burt trouva quoi répondre, il maugréa :

– C'est une hypothèse que je n'avais pas étudiée.

Kate s'accorda un sourire de satisfaction. Mission accomplie.

– Je suis heureuse que nous tombions d'accord sur ce point. J'en conclus que nous pourrons également nous entendre sur la question du budget.

Burt s'empressa de la ramener sur terre.

– Ça m'étonnerait beaucoup, étant donné tout ce que vous demandez. Il lui dit au revoir et raccrocha aussi sec.

– Connard, murmura-t-elle.

Assis devant son bureau, Nick la regarda interloqué.

– Tu t'adresses à qui ? À moi ou au maire ?

– Au maire, bien sûr.

– Je voulais juste m'en assurer. N'oublie pas que ce matin, tu m'as envoyé une porte dans la figure. Ceci dit, je pense l'avoir mérité.

– Tu le méritais, confirma Kate. Mais je veux bien te pardonner si tu me pardonnes aussi.

– Marché conclu.

Entre eux reposait un club sandwich garni de frites venant de la brasserie de Perry Hollow. Kate en prit une portion et grignota un coin. Nick aspira une frite tout en s'emparant du dossier Charles Olmstead qu'ils avaient remonté de la cave. Quand il l'ouvrit, un nuage de poussière s'éleva.

Nick se plongea dans sa lecture sans omettre un seul mot. Depuis qu'elle était flic, Kate n'avait jamais rencontré personne ayant une telle capacité de concentration. Quand Nick se lançait dans une recherche, il était comme envoûté.

– C'est intéressant, dit-il. Après la disparition de Charlie, ton père a interrogé tous les habitants de la rue.

– Même Glenn Stewart ?

– Eh oui. Monsieur Stewart a dit qu'il était allé se coucher à neuf heures et qu'il avait raté tous les événements de la soirée.

– Commode comme alibi, fit Kate.

– En parlant d'alibi, Lee Santangelo prétend qu'il était seul chez lui, cette nuit-là. Sa femme était en voyage. Mais d'après Maggie Olmstead, Madame Santangelo était bel et bien là. Elle l'a vue derrière une fenêtre du premier étage.

– Quelle est la version de Becky Santangelo ?

Nick attaqua son morceau de sandwich qu'il mâcha lentement, perdu dans ses pensées. Il poursuivit, la bouche pleine :

– Elle rendait visite à sa sœur. Cette dernière a confirmé ses dires. Ainsi que ses invités. Une douzaine de personnes, au total.

– En tout cas, ce rapport est exhaustif. Mon père a fait du bon boulot, dit Kate en chipant une frite. Aurait-il pu imaginer qu'un jour, j'irais fouiller dans ses vieux dossiers ?

– Ce n'est pas ton père qui l'a rédigé.

Kate resta en arrêt, la frite à deux centimètres de la bouche.

– Qui alors ?

– L'adjoint Owen Peale. Tu le connais ?

– Non. Mais je connais quelqu'un qui ne l'a sûrement pas oublié.

Ils sortirent ensemble du bureau de Kate. Lou van Sickle, assise au standard, dégustait son propre club sandwich. Quand elle les vit approcher, elle protégea instinctivement ses frites.

– Que sais-tu de l'affaire Charlie Olmstead ? demanda Kate.

– Ça fait quarante-deux ans, dit Lou. Quel âge crois-tu que j'ai ?

Kate lui répondit du tac au tac.

– L'âge d'avoir connu la victime.

Lou lui décocha le regard assassin qu'elle réservait pour les occasions particulièrement désagréables. Ce qui ne l'empêcha pas de répondre.

– Je sais ce que tout le monde sait. Il n'y a aucun mystère là-dedans. Je me trompe ?

Kate aimait Lou comme une tante, mais elle la savait incapable de tenir sa langue. Plus exactement, Lou était la plus redoutable commère de la ville. Par conséquent, il n'était pas question de lui parler de cette enquête. Hélas, Nick mit les pieds dans le plat.

– Sa mère pensait qu'on l'avait kidnappé, laissa-t-il échapper. On aimerait parler à l'adjoint qui a rédigé le rapport.

Comme elle avait déjà utilisé le regard assassin, Lou choisit une autre version, celle qui signifiait : t'as-pas-mieux-à-faire-que-te-fourrer-dans-des-trucs-merdiques-comme-ça ? Kate lui avait déjà vu cet air-là, surtout à l'époque où la jeune femme avait commencé à coucher avec le collègue qui allait devenir son ex-mari. En l'occurrence, Kate aurait été bien inspirée de suivre ce conseil tacite.

– Il s'appelait Owen Peale, se lança-t-elle. Je ne l'ai jamais vu, ce qui veut dire qu'il a dû quitter ses fonctions quand j'étais très jeune.

Lou fit pivoter son fauteuil pour se replacer face à son déjeuner.

– Il a démissionné avant ta naissance. Il s'est fait embaucher dans une boîte de sécurité privée parce que ça payait mieux et qu'il avait trois bouches à nourrir. On s'est quittés bons amis. C'est moi qui ai fait le gâteau d'adieu. Vanille avec glaçage au chocolat. Pas très réussi d'ailleurs. Autre chose ?

– Est-il encore en vie ? demanda Nick.

– Il l'était la dernière fois que j'ai entendu parler de lui, répondit Lou. Vous le trouverez à la maison de retraite de Mercerville, *À l'ombre des Charmilles*. C'est bien ce que vous comptiez me demander, n'est-ce pas ?

Kate la serra contre elle et lui posa un bécot sur la joue.

– T'es géniale, Lou. Franchement géniale.

Nick s'approcha de Lou, mais au lieu de l'embrasser, lui vola une frite. D'une claque sur la main, Lou lui fit lâcher prise.

– Si vous refaites un truc comme ça, dit-elle, je vous casse l'autre jambe.

5

ASSIS SOUS LA VÉRANDA À L'ARRIÈRE DE LA MAISON, Éric tenait son téléphone dans une main, une cigarette allumée dans l'autre. Les levant simultanément, il posa le téléphone contre son oreille et glissa la cigarette entre ses lèvres.

Il recracha la fumée. À l'autre bout de la ligne, il y eut une sonnerie, puis une autre. Éric n'était pas un gros fumeur ; il se contentait de taper ses voisins de comptoir dans les troquets miteux autour de l'université ou à la pause, pendant les colloques barbants auxquels on l'invitait à parler littérature. En fait, il ne s'était mis à fumer qu'en revenant à Perry Hollow pour s'occuper de sa mère. Une façon comme une autre de compenser le stress, se racontait-il. Ce n'était peut-être pas tout à fait faux, mais il y avait une autre raison, plus complexe. C'était sa manière à lui de se rebeller, de faire un pied de nez à la maladie qui l'entourait de toutes parts.

Éric reprit une bouffée. La sonnerie s'interrompit, remplacée par un petit bip. Il allait tomber sur une messagerie. Une voix s'éleva. Une voix qui lui parut plus lasse et plus rauque que la dernière fois.

– Ici Ken. Je ne suis pas là. Laissez un message.

Éric ferma les yeux, voulut raccrocher, mais résista à cette première impulsion.

– Papa, dit-il. C'est Éric. Je suppose que tu es parti faire une livraison. Ou que tu es…

Ivre mort, faillit-il ajouter. Vautré au fond d'un canapé, dans la remorque pourrie qui devait lui servir de domicile. Ou bien affalé sur le comptoir d'un bar de merde, dans l'un des patelins de merde qui ponctuaient son itinéraire. Au lieu de cela, il choisit une expression générique : « quelque part ailleurs ».

– Écoute, j'ai engagé quelqu'un pour enquêter sur la disparition de Charlie. C'est maman qui l'a voulu. Je crois qu'elle n'a jamais compris ce qui s'était passé. En tout cas, ce type m'a demandé de te demander si tu savais quelque chose à ce sujet. Je lui ai dit que non, mais il…

Éric entendit un autre bip, plus fort, suivi d'un déclic. La communication s'interrompit. Il avait dépassé le temps imparti.

– Bordel !

Il recomposa le numéro, attendit que le répondeur se remette en marche et se contenta d'un : « Rappelle-moi. »

Éric laissa tomber sa cigarette, l'écrasa sous le talon de sa basket et rentra. Il posa le téléphone sur la table de la cuisine et resta planté là, à le fixer des yeux, pour tuer le temps plus qu'autre chose. Son père ne rappellerait sans doute pas. Ils se parlaient rarement en dehors des anniversaires, des fêtes. Et encore, même pas. Donc il n'espérait rien.

À supposer que son père se fende d'un appel, qu'en tirerait-il ? Éric était persuadé que Ken n'avait aucune idée sur la question. Comment aurait-il pu savoir que son ex-épouse s'interrogeait sur les véritables circonstances de la disparition de Charlie ? Pour autant qu'il le sache, depuis leur divorce, ils ne s'étaient plus guère adressé la parole. Maggie ne lui parlait jamais de son père. Pour elle, Ken Olmstead faisait partie d'un passé douloureux. Tout comme Charlie et sa chambre close.

La chambre.

Il faudrait se résoudre à l'ouvrir. La maison lui appartenait, à présent. Pour la mettre en vente, il allait devoir la débarrasser de tous ses meubles. En outre, la chambre de Charlie contenait peut-être des éléments utiles à l'enquête. Raison de plus pour la fouiller.

– C'est le présent qui compte, dit-il en s'adressant au téléphone qui lui répondit par un silence obstiné.

D'un pas lourd, Éric monta l'escalier et s'arrêta devant la chambre de Charlie. Les autres portes de la maison avaient été remplacées ; celle-ci était d'origine. Serrure à l'ancienne. Poignée en laiton. Éric essaya de la tourner, juste pour voir. Elle était bloquée. Pour ouvrir cette porte, il avait le choix entre deux objets : une clé ou un pied-de-biche. Éric opta pour la clé.

Mais où était-elle ?

Avant sa mort, Maggie n'avait rien planifié. En dehors de son testament, Éric ne disposait d'aucune instruction particulière sur la manière de régler les affaires familiales. Il n'en avait pas eu besoin pour payer les factures en souffrance. En revanche, certaines choses le laissaient perplexe. Par exemple, il ignorait où se trouvait la clé de la chambre de Charlie.

Il commença par fouiller la commode de sa mère et les étagères de la penderie avant de s'attaquer aux tiroirs de la cuisine dans lesquels il ne trouva que des ustensiles très courants, les menus objets qu'on rencontre dans toutes les maisons, plus des recettes découpées.

Ensuite, il décida de visiter le seul endroit qu'il savait recéler des preuves tangibles de l'existence de son frère : la cave.

Arrivé au bas de l'escalier grinçant, il constata que rien ou presque n'avait changé depuis son enfance. Le sous-sol était toujours encombré de diverses cochonneries incrustées de poussière. Il vit des boîtes posées sur des caisses, elles-mêmes posées sur des coffres. Une collection d'appareils électroménagers hors d'usage, couvrant plusieurs décennies. Et des livres. Des piles de livres, certaines aussi hautes qu'Éric.

Au milieu de ce capharnaüm, un étroit passage conduisait à la chaudière. Éric s'y faufila, puis tourna à gauche. Le dos contre le mur, il contourna les tas les plus récents avant d'atteindre un recoin jonché des plus anciens vestiges.

Repoussant quelques caisses, il se ménagea assez d'espace pour s'asseoir près d'un projecteur de films 8 mm dont il ignorait l'existence, et se mit en devoir d'inspecter le contenu de chaque boîte. Ce faisant, il exhuma des souvenirs presque oubliés – décorations d'Halloween, habits sentant la naphtaline, lanternes de Noël en forme de fuseau dont le verre argenté lui semblait autrefois aussi délicat qu'un vitrail. Après une heure de recherches, il se retrouva nez à nez avec son frère.

Il s'agissait d'une photo d'école. Éric reconnut le fond bleu sur lequel il avait posé lui aussi, lors des séances photo annuelles, à l'école élémentaire de Perry Hollow. Sur ce cliché, Charlie paraissait hésitant. Il souriait mais pas franchement, la bouche un peu tordue, comme pour cacher sa tristesse. La même tristesse voilait ses yeux. On aurait dit qu'il savait que cette photo de classe serait une des dernières.

Il y en avait d'autres en dessous, classées par ordre chronologique, mais à rebours. Si bien qu'en les feuilletant, Éric vit son frère rajeunir d'une année à chaque fois, comme Benjamin Button. Charlie lors d'une fête de Noël, Charlie soufflant les bougies d'un gâteau d'anniversaire, posant à Pâques dans un costume bleu pastel ridicule qu'Éric aurait déchiré si on l'en avait affublé.

Ensuite, il trouva un portrait de Charlie tenant un bébé sur ses genoux. Éric réalisa que c'était lui, âgé de quelques mois. Il était assis sur le canapé marron que sa mère avait conservé jusqu'en 1982. Charlie regardait l'objectif d'un air ravi pendant que le bébé s'agitait entre ses bras. Charlie semblait heureux. Le petit Éric aussi. Cette vision lui rappela qu'il avait eu un frère et qu'au lieu de grandir tout seul, il aurait pu partager son enfance avec lui. Quel dommage !

Il ne restait plus qu'une photo dans la boîte. Elle reposait à l'envers tout au fond, aplatie d'avoir passé tant d'années sous cette pile. Lorsqu'Éric la retourna, il y vit ses parents à la plage. Son père portait un T-shirt blanc bien repassé et un short noir, sa mère un maillot de bains deux pièces. Tous les deux regardaient l'appareil en souriant jusqu'aux oreilles.

Éric ne reconnut pas le couple qui posait à côté d'eux. L'homme était très bronzé, ses cheveux mouillés coiffés en arrière ; un sourire insouciant illuminait son visage. La femme portait une robe blanche évasée qui volait dans la brise. Des amis de ses parents, supposa-t-il. Impossible de déterminer l'année où cette photo avait été prise − avant la naissance de Charlie, sans doute −, mais la jeunesse de ses parents le frappa. Sa mère était si belle, avec ce sourire rayonnant qu'il ne lui avait jamais connu. Son père avait fière allure, lui aussi. Un gars solide, séduisant, arborant cette allure conquérante propre à ceux que la vie n'a pas encore accablés.

Éric rangea cette photo avec les autres. Puis il remit le tout à l'endroit où il l'avait trouvé. C'est alors qu'il remarqua quelque chose de bizarre, juste derrière les boîtes entassées. Une grande plaque de contreplaqué posée à la verticale semblait cacher un renfoncement sous les marches de la cave. Elle ne servait pas de cloison, car on apercevait sur son pourtour des espaces vides par lesquels on devinait la présence d'autre chose. Le dispositif servait plutôt à dissimuler ce qui se trouvait derrière, dans le renfoncement.

Peut-être d'autres objets ayant appartenu à Charlie, pensa Éric. Peut-être une clé.

Il délogea la plaque en la glissant sur le côté, mais ne trouva ni clé ni rien qui fût susceptible d'en contenir une. En revanche, il tomba effectivement sur un objet ayant appartenu à Charlie : son vélo.

Il était posé là, tout seul, au milieu, en équilibre sur sa béquille. Le pneu avant était à plat, la roue arrière voilée. Quatre décennies de toiles d'araignée festonnaient les rayons. La rouille avait envahi le cadre et on ne comptait pas les chocs et les éraflures. Pourtant, on distinguait encore des bouts de peinture bleue et des petites taches blanches. Sans doute des étoiles, se dit Éric.

Quand il passa la main dessus, il récupéra une tonne de poussière noire. Pourquoi sa mère ne lui avait-elle pas montré ce vélo de son vivant ? Il aurait tant aimé qu'elle lui ouvre la chambre de Charlie et le laisse regarder à loisir. Et surtout, il aurait tant aimé qu'elle lui fasse assez confiance pour lui parler des soupçons qu'elle nourrissait en secret. Mais hélas, il n'avait jamais rien su de ses espoirs, de sa frustration, de sa tristesse, de ses regrets.

Ses yeux s'emplirent de larmes. Il les essuya avec sa main propre. Gracey ne pleurait jamais, lui. Éric tiendrait le coup, comme son héros. Le moment était mal choisi pour se laisser aller. Il avait du pain sur la planche. Non seulement il n'avait pas trouvé la clé, mais ce séjour dans la cave n'avait abouti à rien, sinon à lui filer le bourdon.

Quand il s'extirpa du renfoncement, il heurta la feuille de contreplaqué qui bascula sur les boîtes entassées derrière. Éric sursauta et pivota sur lui-même. Il n'était pas au bout de ses surprises.

Au revers de la planche était clouée une carte de la Pennsylvanie. Un grand cercle rouge entourait Perry Hollow. Cinq autres villes étaient pareillement indiquées. Une punaise plantée sur le nom de chacune retenait un bout de ficelle rouge qui s'étirait assez loin pour sortir de la carte. D'autres punaises fixaient l'extrémité de chaque ficelle ainsi que des bouts de papier ressemblant à des coupures de presse.

Éric s'attarda sur l'étrange tableau. La ficelle désignant la ville de Perry Hollow attira son regard. Une photo de Charlie illustrait l'article correspondant. Il reconnut le portrait scolaire qu'il venait de trouver dans la boîte. Le gros titre lui fit l'effet d'un direct à l'estomac.

Un garçon de 10 ans a disparu à Perry Hollow

Ses yeux s'affolèrent. Il lut tous les articles, les uns après les autres. À chaque fois, ses battements de cœur gagnaient en intensité. À chaque fois, le nœud d'angoisse se resserrait au creux de ses entrailles.

– Maman, bredouilla-t-il. Mais qu'est-ce que tu trafiquais ?

6

PAS LA MOINDRE CHARMILLE, *À l'ombre des charmilles*. Et pas tellement d'ombre non plus, d'après ce que Nick en voyait. Avec un nom pareil, on aurait pu s'attendre à découvrir des jardins à l'anglaise, des tonnelles fleuries près d'une source cristalline. Que nenni. Kate et lui se tenaient devant un bâtiment couleur argile, à deux pas de l'autoroute. Malgré les arbustes encadrant la porte d'entrée et les quelques arbres disséminés sur la pelouse, cet endroit était tout sauf bucolique.

– Promets-moi un truc, dit Nick tandis qu'ils approchaient de l'entrée.

– Quoi ?

– Que tu me tireras une balle dans la tête avant que je finisse mes jours dans une taule pareille.

Kate accepta en ajoutant :

– À condition que tu fasses la même chose pour moi.

Vu de l'intérieur, *À l'ombre des charmilles* n'était guère plus réjouissant – le hall d'accueil ressemblait à la salle d'attente d'un dentiste. Murs gris. Moquette mauve. Quelques magazines jetés sur une méchante table basse. Près d'un faux palmier en pot, une matrone les regardait venir du coin de l'œil, à travers sa lucarne en Plexiglas.

– Vous êtes là pour une visite ?

Nick clopina jusqu'à l'hygiaphone.

– Nous voudrions parler à l'un de vos pensionnaires. Monsieur Owen Peale.

– Je crains qu'il soit un peu tôt. Les familles viennent le soir ou les week-ends.

Kate retrouva Nick devant la lucarne et produisit son insigne.

– Je suis le chef Campbell de la police de Perry Hollow. Il faut absolument que nous parlions à Monsieur Peale.

La réceptionniste écarquilla les yeux en posant la main sur sa poitrine.

– Il a des problèmes ?

– Non, rétorqua Kate. Il devrait ?

– Bien sûr que non.

La femme vérifia que des collègues ne traînaient pas dans le coin avant d'ajouter en confidence :

– Mais on a eu des plaintes.

– Qu'est-ce qu'il a fait ? demanda Nick.

La femme derrière la lucarne refusa d'en dire plus. C'était la meilleure manière d'apporter à ses racontars la touche de nocivité nécessaire à leur propagation. Nick préférait de loin les approches abruptes de Lou van Sickle.

– J'en ai déjà trop dit, déclara-t-elle. D'habitude, à cette heure-ci, on trouve Monsieur Peale dans la salle commune. Mais je vous préviens : surveillez vos portefeuilles.

Elle leur indiqua la direction de la salle avant de presser un bouton dans le mur. Après un léger bourdonnement suivi d'un déclic, la porte placée à la droite de Nick s'ouvrit.

– La sécurité, expliqua la réceptionniste.

Nick supposa que ce système avait pour but non pas d'empêcher les visiteurs d'entrer, mais les pensionnaires de sortir. C'était compréhensible. Si jamais il se retrouvait un jour dans un endroit pareil, il n'aurait de cesse que de se faire la belle. Toutefois, sur le chemin qui menait à la salle commune, il constata que la plupart des pensionnaires étaient sinon contents, du moins résignés à leur sort. Ils arpentaient interminablement les couloirs, appuyés à des engins de motricité divers et variés. Cannes orthopédiques. Déambulateurs. Fauteuils roulants. Agrippé au pit-bull de sa propre canne, Nick réalisa que tel serait son destin. Il se voyait déjà cheminer avec eux, comme une âme en peine. À l'entrée de la salle, une femme juchée sur une trottinette à moteur leur coupa la route. Cette vision insolite lui remonta un peu le moral.

La salle commune se révéla plus agréable que prévu, et bien différente du hall d'accueil. Ici, de vraies plantes profitaient du soleil dont les rayons se déversaient d'une rangée de fenêtres. Entre les fauteuils en velours disposés sur le pourtour, des étagères proposaient des livres et des jeux de société.

Au milieu de la pièce, un groupe d'anciens regardait les nouvelles à la télévision. Nick remarqua en passant qu'on y diffusait un reportage sur la mission spatiale chinoise. On en avait parlé tout l'été, ce qui avait permis à de soi-disant experts de pérorer interminablement sur les conséquences de cet événement sur l'avenir des États-Unis et du reste du monde.

Aujourd'hui, la fièvre médiatique atteignait des sommets puisque la fusée allait bientôt alunir. Chaque fois que Nick allumait la télé ou ouvrait un journal, il tombait là-dessus. Il s'agissait d'un événement majeur, certes, mais Nick ne parvenait pas à s'y intéresser vraiment. La lune n'avait pas bougé de son orbite depuis la nuit des temps et il n'y avait aucune raison pour que cela change. Il se fichait comme d'une guigne de savoir qui marchait dessus et quel drapeau on allait planter là-haut.

Lorsqu'il se détourna de l'écran, il avisa une vieille dame et lui demanda de lui indiquer Owen Peale. Ce qu'elle fit en désignant un homme en pantalon de jogging et veste d'intérieur écossaise, assis seul devant un jeu de cartes. Près de son coude, un carton à chaussures en piteux état.

– Monsieur Peale ? fit Nick en s'avançant.

L'homme loucha d'abord sur Nick, puis sur Kate.

– C'est moi.

– Auriez-vous une minute à nous consacrer ?

– J'ai des ennuis ?

Encore cette question. En l'entendant pour la deuxième fois, Nick se demanda si l'ancien adjoint Owen Peale n'avait pas viré délinquant, sur le tard.

– Bien sûr que non, répondit-il.

– C'était juste pour savoir, précisa Owen en penchant la tête vers Kate. Parce que la plupart des gens qui viennent me voir n'amènent pas un flic avec eux.

– Monsieur Peale, je suis Kate Campbell…, intervint Kate en lui tendant la main.

– La fille à Jim Campbell. Je sais. Vous ressemblez à votre père.

– Donc vous vous rappelez avoir travaillé avec lui ?

Owen se mit à battre les cartes en marmonnant :

– Pour sûr que je me rappelle. Je suis vieux, pas sénile.

– Alors dans ce cas, reprit Nick, vous devez vous souvenir d'un incident impliquant un jeune garçon nommé Charlie Olmstead.

– Je m'en souviens. C'est moi qui ai rédigé le rapport.

– Je sais. C'est la raison de notre présence ici. Nous voudrions vous poser des questions à ce sujet.

– C'est une vieille affaire, fiston. Ne réveillons pas le chat qui dort. C'est ma devise.

– Même si la mère du garçon croyait à un enlèvement ?

Ces dernières paroles semblèrent éveiller l'intérêt d'Owen. L'ancien flic regarda la canne de Nick.

– On dirait que vous avez besoin de vous asseoir, fiston. Vous êtes encore moins vaillant que moi.

Nick prit un siège. Kate resta debout. C'était une sage décision de sa part, car à peine Nick fut-il installé qu'Owen Peale se mit à distribuer les cartes.

– C'est quoi ça ? demanda Nick en fixant d'un air abasourdi le jeu qui s'étalait devant lui.

– Poker, répliqua Owen. *Five-card draw*. Rien de méchant.

– Je ne joue pas au poker.

– Si vous comptez rester, il faut jouer. Sinon je ne répondrai pas à vos questions. Maintenant, misez.

– Miser ? s'écria Nick. Vous plaisantez, j'espère ?

– Le poker ça rigole pas, mon gars. C'est un jeu d'argent. À présent, sortez l'oseille, autrement je vous conseille d'aller poser vos questions ailleurs, vous et votre copine flic.

– À combien s'élève la mise ? soupira Nick.

– Cinq dollars pour commencer.

Owen ouvrit la boîte à chaussures remplie de billets en vrac et de menue monnaie. Il posa une coupure de cinq au centre de la table.

– On peut pousser plus haut si vous pensez tenir le choc face à moi.

– Cinq dollars ? C'est du racket !

– Et si jamais j'avais une info de première bourre sur le fils Olmstead ? Si vous ne jouez pas, vous ne le saurez jamais.

Le portefeuille de Nick contenait trois malheureux billets d'un dollar. Il songea aux quatre dollars qu'il avait dépensés pour un simple café chez *Big Joe's*. Sans cela, il aurait pu disputer au moins une partie. À condition que le vieux schnock ne renchérisse pas.

Il se tourna vers Kate.

– Tu peux me dépanner ?

– C'est ridicule, déclara-t-elle en pêchant son portefeuille au fond de sa poche. Ridicule ou pas, elle trouva un billet de cinq qu'elle posa à plat sur la table.

Dès qu'Owen vit l'argent, un grand sourire s'étira sur son visage.

– Regardons nos cartes.

Nick baissa les yeux. Sa main n'avait rien de terrible – une paire de deux, un quatre, un sept et un roi.

– Vous les posez, vos questions ? râla Owen derrière son jeu disposé en éventail.

– Le rapport établit que vous étiez avec le chef Campbell et Maggie Olmstead, la nuit où Charlie a disparu, commença Nick.

– Ce n'est pas une question, répliqua Owen. Mais je vais quand même y répondre. Oui, j'étais là.

– Qui est arrivé en premier sur les lieux ?

– Le chef. Normalement, c'était moi qui faisais le service de nuit, mais ce jour-là, le chef a pensé qu'avec toutes ces histoires de lune, il valait mieux être deux à patrouiller, au cas où. Toute la ville ne parlait que de cela. Les gens faisaient la fête, dansaient dans les rues et s'inquiétaient de ce qui se passait là-haut.

– Qu'est-ce que la lune vient faire dans cette histoire ?

Owen baissa ses cartes et lui décocha un regard dont seuls sont capables les grands-mères, les profs et autres figures de l'autorité.

– Vous ne connaissez pas l'histoire de votre pays, fiston ? *Apollo 11*. L'homme sur la lune.

– Je connais *Apollo 11*, répondit Nick, agacé. C'est cette nuit-là que Charlie Olmstead a disparu ?

– Je veux ! Le 20 juillet 1969.

Owen tourna vivement la tête en direction du poste de télévision.

– Il se passait chez nous ce qui se passe en Chine aujourd'hui. Je relance de cinq.

Une relance. Nick aurait dû la voir venir. Apparemment, Kate l'avait anticipée, car elle brandissait déjà un billet de cinq qu'elle jeta sur la table en grommelant.

– Donc mon père est arrivé le premier, dit-elle. Savez-vous combien de temps avant vous ?

– Quelques minutes, je suppose. Il était dans les onze heures moins le quart. Je l'ai retrouvé au bout de l'impasse. Il m'a dit que Ken Olmstead venait de signaler la disparition de son fils et qu'on devrait aller jeter un œil du côté de la rivière et du pont.

– Pourquoi là ? demanda Nick.

– Parce que c'était là que Charlie était allé, d'après son père. Combien de cartes vous voulez ?

Nick se débarrassa du quatre et du sept. Un six et un dix les remplacèrent. Encore une main de merde, surtout qu'Owen, de son côté, se contentait d'une seule carte.

– Je relance encore de cinq, déclara le vieillard.

Nick jeta ses cartes.

– Je me couche.

Ayant retrouvé son sourire, Owen Peale fondit sur l'argent et le rabattit vers lui.

– Allez-y, vous pouvez me poser une autre question.

– Ken Olmstead était-il là, lui aussi, quand vous êtes arrivé ?

– Oui. Et aussi un voisin. Stan Clark. Ils ont inspecté le secteur avec nous pendant un moment puis ils sont rentrés annoncer la mauvaise nouvelle à Madame Olmstead. Le chef et moi, on a continué les recherches.

Ce fut au tour de Kate d'intervenir.

– Avez-vous remarqué quelque chose d'inhabituel ?

– Rien à part le fait que Madame Olmstead tenait son bébé serré contre elle sous la pluie et qu'elle devenait hystérique.

– C'était quand ?

– Environ quinze minutes plus tard. Juste après que j'ai remarqué le vélo du gosse dans l'eau. Elle a surgi de nulle part et s'est mise à courir sur le pont.

– A-t-elle vu le vélo ?

Ayant ramassé les cartes, Owen les battait de nouveau. Pour

un homme de soixante-quinze ans, il montrait une dextérité incroyable. Entre ses doigts agiles, les cartes semblaient danser dans un brouillard rouge et noir.

– Je lui ai dit de ne pas regarder. Juste au cas où le gosse serait mort à côté. Mais elle a quand même vu le vélo. Ensuite, il s'est détaché et il a basculé par-dessus les chutes. À ce moment-là, on a compris qu'il était probablement arrivé la même chose au garçon.

Nick releva l'adverbe choisi :

– Probablement ?

– On n'en était pas sûr, précisa Owen. On ne l'est toujours pas, d'ailleurs.

– Que s'est-il réellement passé, d'après vous ?

– On mise.

Kate puisa dans son portefeuille en maugréant.

– J'ai plus de billets de cinq, juste trois de un. Après ça, il ne me reste que des coupures de vingt.

– Pas de soucis, chef, dit Owen, la mine réjouie. Je peux vous faire la monnaie.

Kate lui passa vingt dollars par-dessus la table, récupéra quatre billets de cinq et en posa un sur la table.

– Le vélo est tombé dans les chutes, poursuivit Owen en distribuant cinq cartes. Je l'ai vu de mes propres yeux. Et les autres aussi. Je pense que tout le monde est arrivé à la même conclusion mais sans se poser la question basique : Qu'est-ce que le vélo fichait là ?

– Charlie Olmstead est allé avec jusqu'à la rivière, répondit Nick. C'était la version officielle, non ?

– Oui. Mais depuis quand les gens font du vélo dans l'eau ?

– Il faisait noir…, esquissa Nick.

– C'est sûr. Owen le scrutait d'un air impatient. Vous renchérissez ou vous voulez voir ?

Nick regarda sa main. Il y avait du progrès – un neuf, un dix, un valet et une reine. La seule carte qui n'allait pas était un cinq de trèfle dont il avait l'intention de se séparer au plus vite.

– Je relance de cinq.

Cette fois, Kate secoua la tête avant de poser l'argent sur la table.

– Je note tout ce que tu me dois.

– Tu n'as qu'à déduire ce don de ta déclaration d'impôts, lui proposa Nick.

– Mon cul !

À son tour, Owen posa de l'argent et reprit :

– En plus, il pleuvait cette nuit-là. La terre était molle.

– Cela ne fait que renforcer l'hypothèse selon laquelle Charlie a perdu le contrôle de son vélo.

Nick posa le cinq de trèfle face contre la table. Owen lui tendit une nouvelle carte. C'était un roi. Nick tenait une suite.

– On dirait que vous penchez pour la thèse de l'accident, lança Owen.

– Je ne penche pour rien, répliqua Nick. Je m'en tiens à ce qu'on m'a dit.

– Et si moi je vous dis que dans la terre molle dont je vous ai parlé, eh bien, il n'y avait pas de traces de pneus, que ce soit de vélo ou d'autre chose. Si on veut absolument que Charlie Olmstead soit tombé à l'eau avec son vélo, alors il faut admettre qu'il lévitait.

– Dans ce cas, comment le vélo a-t-il pu se retrouver dans la rivière ?

– Quelqu'un l'a balancé à la flotte, dit Owen. Après avoir chopé le gosse.

L'esprit de Nick tournait si rapidement qu'il en avait des vertiges. Au fil des heures, il avait commencé à accepter la version officielle de la disparition. D'autant plus qu'aucune preuve n'était venue la réfuter. Jusqu'à maintenant.

– En avez-vous parlé à quelqu'un ? demanda Kate. Elle prit la chaise à côté de Nick et se pencha vers Owen.

– Je l'ai dit à votre père, fit l'ancien adjoint de police. Mais il le savait déjà. Lui aussi avait remarqué l'absence de traces.

– Mais alors, pourquoi cela n'apparaît-il pas dans le rapport ? Vous auriez dû pousser l'enquête plus loin.

– C'est ce qu'on a fait. On a interrogé tous les voisins. Même l'autre cinglé, sauf qu'il a refusé de nous laisser entrer. On a dû lui causer à travers la moustiquaire.

– Le rapport dit que Monsieur Stewart prétendait être endormi au moment des faits, intervint Nick. Vous l'avez cru ?

– Il a bien fallu puisque personne ne pouvait dire le contraire, répondit Owen. En plus, pour attraper le gosse des Olmstead, il aurait dû mettre le nez dehors. Et on aurait plus de chance de voir Howard Hughes se lever d'entre les morts pour faire la danse du ventre que d'apercevoir Glenn Stewart dans la rue.

Nick avait l'habitude de ranger les enquêtes, les crimes, les suspects dans des sortes de dossiers mentaux. Cela l'aidait à sérier ses idées, ses raisonnements. La comparaison avec Howard Hughes se glissa d'elle-même dans l'un de ces dossiers. Pas à cause de sa relation avec l'affaire Olmstead. Juste parce qu'il comptait s'en servir un jour.

– Et en ce qui concerne les Santangelo ? demanda-t-il. Le rapport mentionne une contradiction dans les témoignages. On n'arrive pas à déterminer si Becky Santangelo était chez elle ou pas.

Owen écarta cette remarque comme on chasse une mouche.

– C'est juste un malentendu. Maggie a dit qu'elle avait vu Becky à une fenêtre du premier. Je pense qu'elle a aperçu quelqu'un mais pas Madame Santangelo, si vous voyez ce que je veux dire.

Nick voyait parfaitement.

– Lee avait une liaison ?

– Ce n'est qu'une supposition. Voilà pourquoi je ne l'ai pas mentionné dans le rapport. Encore que je n'arrive pas à comprendre qu'il ait pu tromper une femme aussi chouette que Becky. Je me serais bien changé en chien de chasse pour pouvoir renifler sous sa jupe.

– Vous devriez changer de sujet, lui dit Kate, sinon je vous fais vacciner contre la rage.

Owen haussa les épaules. Nick sourit. Décidemment, arnaqueur ou pas, ce type lui plaisait.

– Qu'est-ce qu'ont dit les Clark ?

– Pas grand-chose, fit Owen. Ils dormaient. Ken Olmstead les a réveillés pour leur annoncer que Charlie avait disparu. Stan Clark a participé aux recherches. Ruth est allée surveiller le bébé. Même si leur maison était la plus proche de la rivière, ils n'ont rien entendu. Pas même un plouf.

– Il ne reste donc que les Olmstead, repartit Nick. Les avez-vous interrogés seuls ou ensemble ?

– Ensemble. On aurait dit qu'il y avait de la tension entre eux.

– Comment cela ?

– Ils se regardaient de travers, les bras croisés, expliqua Owen. Raides comme la justice. Leur langage corporel en disait long.

– Pensez-vous que c'était à cause du stress ? demanda Kate.

– Oui. Mais pas seulement. Ils se rejetaient la faute. Je crois que Maggie dormait quand Charlie est sorti. Du coup, Ken Olmstead aurait dû faire attention à son fils.

– Que faisait-il ?

– Il a dit qu'il se reposait, lui aussi. Sur le canapé. Il ne dormait pas mais il avait les yeux fermés. D'après lui, il était environ neuf heures trente quand Charlie lui a demandé s'il pouvait sortir avec son vélo. Monsieur Olmstead lui a dit que oui, mais de ne pas traîner. Tout ça les yeux fermés.

– Donc il n'a pas vu Charlie partir ? dit Nick.

– Non.

Owen continua de rapporter ce qu'il avait entendu ce soir-là chez les Olmstead. Pour lui, cette famille n'était pas heureuse. Maggie reprochait à son mari de n'avoir pas accompagné Charlie. Ken répondait qu'il n'avait pas eu le choix puisque Maggie dormait à l'étage et qu'il ne voulait pas laisser le petit Éric sans surveillance. Quand Maggie a fait remarquer qu'il aurait pu la réveiller pour qu'elle s'en charge, Ken a répliqué que c'était hors de question et qu'elle savait bien pourquoi.

– J'ignore à quoi il faisait allusion, dit Owen. Quand sa femme a contre-attaqué, Ken lui a lâché un mot, un seul : baignoire.

Ce mot inoffensif devait revêtir une grande importance pour Ken et Maggie Olmstead. Nick ouvrit un nouveau fichier dans sa tête et le classa dedans, au cas où il resurgirait plus tard.

– Avez-vous parlé de l'absence de traces de pneus aux Olmstead ?

– Nous en avons parlé à Monsieur Olmstead le lendemain, dit Owen. Il préférait qu'on n'en dise rien à Maggie, pour ne pas la bouleverser davantage.

– Avait-il une explication ?

– Selon lui, la pluie les avait effacées. Le chef Campbell s'est rangé à son avis. Et comme on avait récupéré le vélo au pied des chutes, on est tous arrivés à la même conclusion. Alors quand

Ken nous a suppliés de retrouver le corps de son fils, l'enquête en elle-même s'est arrêtée. J'ai rédigé mon rapport. La battue a continué pendant quelques jours. À l'heure qu'il est, le corps de Charlie pourrait très bien se trouver encore quelque part là-bas.

Le père de Kate et l'adjoint Peale avaient fait ce qu'ils pouvaient. En dehors de cette absence de traces, rien ne laissait soupçonner un acte criminel. Et la requête des Olmstead n'avait rien d'extraordinaire. Ils étaient tristes. Ils pleuraient leur fils. Ils essayaient de donner du sens à une situation insensée.

La famille de Nick était passée par là, après la disparition de sa sœur. Ils avaient vécu des mois entre espoir et désespoir. Si la police leur avait déclaré officiellement que Sarah Donnelly était morte dans un tragique accident, ils auraient cessé de se torturer. Nick supposait que les Olmstead avaient seulement voulu échapper aux affres de l'incertitude.

Sauf que l'un des deux membres du couple n'avait jamais cessé de s'interroger.

— Maggie Olmstead, rebondit Nick. Vous lui avez parlé de l'absence de traces, n'est-ce pas ?

— Oui. Des années plus tard, avoua Owen non sans réticence. Longtemps après la clôture du dossier.

— Combien de temps ? demanda Kate.

— Au début des années soixante-dix. 1973 peut-être. Je n'étais plus dans la police, à l'époque. Elle est venue chez moi, un soir tard, avec son fils Éric. Il était endormi et Madame Olmstead le portait dans ses bras. Le gosse avait grandi, mais ça m'a rappelé la nuit de la disparition. Elle m'a demandé si je pensais vraiment que Charlie était tombé dans les chutes ou s'il avait été kidnappé.

— Comment a-t-elle pu songer à vous poser cette question ?

— J'en sais rien, dit Owen en haussant les épaules. Quelque chose a dû lui passer par la tête.

— Et vous lui avez dit ce que vous venez de nous expliquer ? s'enquit Nick.

— En gros oui.

— Comment a-t-elle réagi ?

— Elle est restée de marbre, fit Owen. J'avais l'impression qu'elle s'y attendait. Et elle était déçue, comme si je l'avais laissée tomber. En fait, c'était pas faux. Chaque fois que j'entends parler d'une disparition d'enfant, aux infos, je peux pas m'empêcher de penser au fils Olmstead et je me dis que j'ai peut-être été un peu léger.

Nick n'éprouvait pas le besoin de l'interroger davantage. Même si Owen Peale ne lui avait pas dit exactement ce qu'il voulait entendre, c'était suffisant. Nick savait que l'affaire Olmstead était tout sauf élucidée. Il se leva, étira sa jambe raide et remercia Owen pour le temps qu'il leur avait consacré.

– Eh, attendez un peu, s'écria l'ancien adjoint. Vous pouvez pas vous tirer comme ça, en pleine partie.

– Le jeu est terminé, Monsieur Peale. Gardez l'argent.

– Je ne veux pas le garder si je ne l'ai pas gagné.

– D'accord, marmonna Nick en revenant à la table pour exhiber la suite qu'il avait retournée.

Owen montra ses propres cartes – un trois de cœur, suivi d'un carré d'as. Se servant de ses mains comme d'un râteau, il ramassa les sous et gratifia Nick d'un sourire de triomphe faussement modeste.

– Finalement je crois que je l'ai gagné, ce fric, lança-t-il.

Contrairement à l'aller, leur trajet de retour fut silencieux. L'un comme l'autre ruminaient les informations qu'Owen Peale venait de leur servir. Nick passait en revue ses notes mentales en se concentrant sur des mots qui ne faisaient pas sens à première vue. *Chutes. Vélo. Baignoire.* Pourtant, il les savait liés, tout comme il savait que la disparition de Charlie Olmstead n'avait rien d'un accident.

Kate le savait aussi. Nick le devinait à la manière dont elle agrippait le volant en jouant des mâchoires, perdue dans ses pensées.

– Je ne comprends pas, finit-elle par dire, pourquoi mon père...

Elle laissa les derniers mots en suspens, mais Nick compléta sans peine. Elle se demandait pourquoi son père n'avait pas creusé cette histoire d'absence de traces de pneus.

Si Nick avait été chargé de ce dossier, il n'aurait certainement pas clos si vite l'enquête. Dans un cas comme celui-là, on étudiait à la loupe les moindres éléments, sans s'occuper des *desiderata* de la famille. D'un autre côté, il comprenait la décision du père de Kate. Mieux encore, il devinait son état d'esprit.

– Tu ne devrais pas lui en vouloir, dit Nick. Je suis sûr que ton père a agi de bonne foi. Il était sans doute persuadé qu'il s'agissait d'un accident. Le contraire aurait été inconcevable pour lui.

Il se souvenait du jour où Kate avait découvert la première victime de l'Ange de la mort. Elle était littéralement assommée, malgré sa solidité et son intelligence – en cela, elle dépassait la plupart des flics de province. Nick n'oublierait jamais son regard perdu, sa voix incrédule. Elle n'arrivait pas à concevoir qu'une chose aussi horrible ait pu se passer dans sa petite ville bien tranquille.

– Un flic n'écarte pas un élément d'enquête juste parce qu'il le dérange, renchérit Kate. Le fait est qu'il aurait dû y avoir des traces de pneus menant vers la rivière.

– Mais il n'y en avait pas, répliqua Nick. Et il n'y avait pas d'enfant non plus. Juste un vélo au pied des chutes. À sa place, confrontée à deux hypothèses et connaissant les statistiques de la ville en matière de criminalité, laquelle des deux aurais-tu choisie ? Aurais-tu conclu que l'enfant avait été enlevé ou qu'il avait glissé dans l'eau avec son vélo avant d'être emporté par le courant ?

Kate fixait la route d'un regard atone.

– Je déteste quand tu as raison.

– Alors tu dois beaucoup me détester.

– N'en rajoute pas, Donnelly.

Ils venaient d'arriver sur la rue principale de Perry Hollow, cette ville que Kate considérait comme sienne depuis qu'elle était toute petite. Nick n'avait pas revu la ville de son enfance, dans l'Ohio, depuis des siècles. Il craignait qu'en y retournant, les fantômes de son passé ressurgissent pour venir le hanter. Souvent, il se demandait comment faisait Kate pour se faufiler chaque jour entre ses souvenirs.

– Dis-moi, se lança-t-il. Si tu me parlais un peu de toi et d'Éric Olmstead ?

Il crut qu'elle se mettrait en colère mais il se trompait. Depuis qu'elle avait revu Éric, elle semblait moins chatouilleuse sur ce sujet. Nick espérait que c'était bon signe.

– Je pense que tu as déjà ta petite idée, répondit-elle.

– Certes. Copain, copine. Deux tourtereaux s'aimant d'amour tendre. À toi pour la vie. Et tout le bazar.

– Oui, on est sortis ensemble, dit Kate. Il était en terminale et moi en seconde.

– Combien de temps ça a duré ?

Kate soupira. Il l'ennuyait à présent. Fini d'être accommodante.

– Quatre mois.

– Comment ça s'est terminé ?

– Mal.

Elle tourna à gauche et s'engagea dans l'impasse où Charlie avait disparu. Comme ce matin, il y régnait un air d'abandon. Toutes les maisons semblaient vides, sauf celle d'Éric. Elle l'aperçut assis sous la véranda, une cigarette à la main, une bouteille de bière posée par terre. En voyant la voiture de Kate, il se leva et courut vers eux.

– Je sais pourquoi ma mère pensait que Charlie avait été kidnappé, dit-il.

Nick s'extirpa de la voiture aussi vite qu'il le put ; c'est-à-dire bien moins qu'il n'espérât. Certains jours, il détestait sa jambe, sa canne. C'était un de ces jours-là.

– Je vous écoute.

Éric les poussa à l'intérieur de la maison. Ce faisant, il renversa la bouteille de bière. De la mousse jaillit du goulot et s'étala sur ses baskets. Il ne sembla pas le remarquer.

– Il n'était pas la seule victime, dit-il. Il y en avait d'autres.

LE TABLEAU MESURANT UN MÈTRE VINGT SUR QUATRE-VINGT-DIX CENTIMÈTRES recouvrait presque toute la table de la salle à manger. Kate en fit le tour comme si elle s'en méfiait. La taille de l'ouvrage la déconcertait autant que les objets épinglés dessus. Une carte. Des bouts de ficelle. Des coupures de presse. Des photos. Kate ignorait par où commencer. Elle choisit la carte, simplement parce qu'elle occupait plus de place que le reste.

Impossible de compter les cercles rouges tant ils étaient nombreux. Certains étaient tracés au crayon, d'autres au marqueur, la plupart barrés d'un gros X à l'encre noire. Ne restaient que six ronds rouges non barrés. Le premier au sud-est de la carte, à l'emplacement de Perry Hollow. Près du cercle, un chiffre était inscrit, en rouge lui aussi : un.

– Tu crois que c'est ta mère qui a noté tout cela ? demanda Kate à Éric qui se tenait le dos au mur, bras croisés. Il semblait avoir du mal à retrouver l'équilibre, comme après un choc. Dans sa main, une autre canette de bière remplaçait celle qu'il avait renversée sur la terrasse.

– Je suppose que oui. C'est son écriture.

Kate regarda de plus près le chiffre inscrit près de sa ville. Belle calligraphie, ferme et déliée. Elle s'était appliquée.

La punaise enfoncée dans Perry Hollow se prolongeait par une ficelle tendue dont l'extrémité pointait la coupure de presse dont Nick lui avait montré un autre exemplaire, tout à l'heure.

Elle n'eut donc pas besoin de la lire. Elle savait précisément ce qu'elle disait.

D'autres articles entouraient la carte. Comme pour les cercles rouges, il n'en restait que six.

— Cherchons le numéro deux, dit-elle.

Nick, qui se tenait de l'autre côté, se pencha, glissa son index sur la carte et s'arrêta au nord de la Pennsylvanie, à quelque trente kilomètres de la frontière avec l'État de New York.

— Numéro deux, dit-il. Fairmount. Vous connaissez ?

Kate fit non de la tête pendant que Nick suivait du doigt la ficelle reliée à Fairmount. Le gros titre sur la coupure de presse associée à cette ville rappelait le premier :

UN JEUNE GARÇON DISPARAÎT À FAIRMOUNT

— Tu vois une date ?

— Ça s'est passé le 19 novembre 1969. Quatre mois après Charlie.

Nick lut l'article à haute voix.

— La police recherche un enfant de dix ans habitant Fairmount. Les parents de Dennis Kepner ont signalé sa disparition hier soir, après avoir attendu en vain son retour. La dernière fois qu'on l'a vu, il jouait dans le jardin public situé en face de chez lui. Les autorités ont ratissé le secteur sans réussir à rassembler des indices permettant de localiser le jeune garçon.

Tout comme pour l'article consacré à Charlie Olmstead, un portrait de la victime illustrait ce papier, à ceci près qu'au lieu d'une photo de classe, il s'agissait d'un cliché fourni par la famille. On y voyait un petit blondinet joufflu à côté d'un homme, sans doute un parent dont il ne voyait que la main près du coude de Dennis, le reste du personnage ayant été découpé.

— Le numéro trois n'est pas loin, dit Nick en désignant le rond rouge tracé à deux centimètres de Fairmount. Il n'y a pas de ville à cet endroit. Je ne vois rien du tout.

Kate se dépêcha de le rejoindre de l'autre côté de la carte. En effet, il n'y avait que du papier jauni, tout autour de la punaise. Son regard suivit la ligne rouge de la ficelle. Le titre de l'article donnait ceci :

Un garçon de 9 ans disparaît dans un parc national

D'après la légende sous la photo, le garçonnet s'appelait Noah Pierce. Il regardait le photographe avec un sourire bénêt, découvrant un espace vide au milieu de la mâchoire supérieure. Il lui manquait les deux dents de devant. Kate ressentit un pincement au cœur.

Elle survola l'article avant d'en faire la lecture à haute voix.

– Un jeune garçon habitant Winter Haven, Floride, a disparu hier dans le parc national de Lasher Mill. Noah Pierce, neuf ans, rendait visite à ses grands-parents à Fairmount. Selon la grand-mère, ils étaient allés au parc à la demande de Noah qui voulait jouer dans la neige.

– La neige ? s'étonna Nick. Ça s'est passé quand ?

Kate chercha une date sur l'article et comme elle n'en trouvait pas, souleva délicatement le papier journal pour regarder au verso. Une date y figurait, légèrement amputée par un coup de ciseau donné par Maggie Olmstead plusieurs dizaines d'années plus tôt. Kate réussit à reconstituer le jour, le mois, l'année.

– 6 février 1971, annonça-t-elle. Comme ce journal a paru le lendemain, on peut dire que Noah Pierce a disparu le 5.

– Ça fait beaucoup de temps entre les deux victimes.

C'était Éric qui avait parlé, toujours appuyé au mur.

– Allons, reprit-il. Nous pensons tous la même chose que ma mère. Tous ces gosses, y compris mon frère, ont été enlevés par la même personne.

Éric accusait le coup. Kate le vit à ses yeux hagards dans son visage blême. En tant qu'écrivain, il naviguait dans des mondes imaginaires où les crimes relevaient de la fiction. Non seulement ceux-là étaient bien réels, mais l'une des victimes était le frère aîné qu'il n'avait jamais connu. L'esprit le plus trempé ne pouvait qu'être ébranlé.

– Cela n'a rien de certain, repartit Kate sans grande conviction.

Éric s'approcha du tableau pour découvrir le sort du quatrième enfant. De nouveau, la punaise ne perçait pas une ville mais une zone vide sur la carte. La couleur verte indiquait une forêt. Il lut :

– Un jeune garçon disparaît d'un camp de vacances. Le propriétaire du *camp du Croissant*, une colonie pour les enfants défavorisés et les jeunes délinquants, a signalé la disparition de l'un de ses pensionnaires durant la nuit. Dwight Halsey, âgé de treize ans, est domicilié dans le nord de l'État de New York. La police passe les bois au peigne fin. On suppose que l'enfant a fait une fugue. L'article est daté du 31 juillet 1971. Ce qui signifie qu'il a disparu la veille au soir.

Tous trois se regroupèrent autour de l'article dont la photo montrait un grand garçon efflanqué aux cheveux bruns bouclés. Comme il se tenait devant une sorte de cabane en rondins, Kate en déduisit qu'on l'avait photographié à l'intérieur même du camp. Contrairement aux autres victimes, Dwight Halsey n'avait pas l'air d'un enfant de chœur. Son sourire tenait du rictus et son regard luisait de malice. Tout à fait le genre de fréquentation que Kate redoutait pour James.

Elle contourna le tableau et s'arrêta devant l'emplacement marquant la cinquième disparition. Centralia, Pennsylvanie. Cette ville-là était entourée de deux cercles concentriques, comme une cible de tir. Au centre, elle vit deux punaises et deux bouts de ficelle partant dans des directions différentes. Kate suivit la première avec son doigt. La photo sur la coupure de presse montrait un petit garçon obèse en chemise et cravate, assis devant un mur uni. Encore une photo d'école.

Au-dessus, le titre tragique s'étalait en gros caractères : UN GARÇON DE 11 ANS PORTÉ DISPARU À CENTRALIA. Le chapeau en dessous offrait un complément d'information : la police pense qu'il est tombé dans un puits de mine abandonné.

Kate parcourut l'article. L'enfant s'appelait Frankie Pulaski. Le 21 avril 1972, il était sorti jouer et n'était jamais rentré chez lui. Comme il vivait au cœur du pays minier, la police avait aussitôt conclu qu'il avait glissé au fond d'un puits. C'était déjà arrivé et, d'après l'article concernant la sixième et dernière victime, l'incident s'était reproduit le 11 décembre de la même année.

UN AUTRE ENFANT DISPARAÎT À CENTRALIA

Kate déchiffra l'article correspondant :

– La police vient de nous apprendre la disparition d'un jeune garçon de Centralia. Hier, William Mason, dix ans, n'est pas rentré de l'école. Après avoir cherché activement l'enfant surnommé « Bucky », la police forme l'hypothèse d'une chute dans l'un des nombreux puits qui parsèment la région. En avril dernier, un autre enfant de Centralia, le jeune Frankie Pulaski, onze ans, avait lui aussi disparu au fond d'un puits de mine, d'après la police. Son corps n'a pas été retrouvé.

Ayant terminé sa lecture, Kate examina la photo de Bucky Mason. Il avait la tête de son surnom : coupe au bol, joues rondes, dents de lapin dépassant légèrement sur la lèvre inférieure.

Elle recula d'un pas, de manière à voir le tableau dans son ensemble. Les enfants la regardaient chacun à sa manière, les uns heureux, les autres tristes. Des frimousses de petits garçons candides. Sauf Dwight Halsey et son sourire mauvais.

Ils avaient tous disparu sans laisser de traces.

– Tu avais raison, Éric. Ils sont liés.

Pour Kate, c'était une évidence. Elle comprenait à présent la certitude qui avait possédé Maggie Olmstead lorsqu'elle avait assemblé ce collage morbide. Les cercles rouges raturés démontraient que Maggie avait passé beaucoup de temps à explorer les différentes pistes, éliminant les mauvaises avant de finir par cibler ces six faits divers. Autrefois, il y avait peut-être eu d'autres enfants disparus, sur ce tableau. Mais elle ne s'intéressait qu'à ces six-là. La question qui se posait à présent était la suivante : Pourquoi ?

– Nick, c'est toi le spécialiste, dit-elle. Que penses-tu de tout cela ?

À l'époque où il travaillait pour la police d'État, Nick était expert en psychologie criminelle. Sans toutefois posséder le statut de profileur, il avait assez bûché la question pour comprendre les motivations les plus tordues des grands délinquants. Quand l'un d'eux s'était attaqué aux citoyens de Perry Hollow, Kate avait bénéficié de ses conseils. Elle espérait qu'il ferait de même aujourd'hui.

– Nous avons affaire à un tueur en série, déclara Nick.

Éric s'éclaircit la gorge.

– Tueur ?

– Il existe trois types d'enlèvements, commenta Nick. Les plus communs sont perpétrés par des membres de la famille. Des parents désespérés, suite à une querelle pour la garde d'un enfant. La plupart du temps, on identifie très vite le coupable.

– Je sais, dit Éric. J'ai évoqué ce genre de cas dans une aventure de Mitch Gracey.

– Le deuxième type comprend les kidnappings commis par une connaissance. Les victimes sont souvent des jeunes, surtout des filles, et les auteurs d'autres jeunes, des voisins pervers ou des types qui prennent leur pied en maltraitant les ados.

Nick s'approcha du tableau avec ce regard perçant que Kate lui connaissait bien. Il avait le don de repérer le détail qui faisait sens et qu'elle avait négligé. Ses yeux verts passèrent d'une photo à l'autre, d'une ville à l'autre, englobant l'ensemble du schéma.

– Les enlèvements du troisième type, reprit-il, sont les plus complexes car ils ne s'expliquent pas facilement.

Kate connaissait bien cette dernière catégorie. Elle recevait régulièrement des avis de recherche, des alertes orange concernant des kidnappings dans des supermarchés, par exemple. Les gosses suivaient un individu qui leur offrait des bonbons, montaient dans sa camionnette ou, comme Charlie Olmstead, partaient se balader à vélo et ne revenaient jamais.

– Si je comprends bien, articula Éric, la gorge serrée, vous pensez qu'on les a tous enlevés et tués ?

Nick hocha la tête d'un air grave.

– Si l'un de ces gamins était encore en vie, on en aurait entendu parler.

De l'autre côté de la pièce, Kate observait Éric Olmstead. Ce dernier inspira profondément, hocha la tête, leva sa canette et prit une bonne rasade. Puis il s'excusa, sortit en courant de la salle à manger, traversa la cuisine et passa sur la véranda, derrière la maison. Elle se prit à l'envier. Lui au moins, il pouvait s'enfuir, tourner le dos à toute cette horreur. Elle aurait aimé faire de même, ne plus regarder tous ces malheureux gosses. Mais elle devait tenir le coup. Cette affaire ne relevait plus seulement de la fondation Sarah Donnelly. Elle venait de tomber dans son escarcelle. C'était désormais une enquête criminelle.

– Quel est le lien, à ton avis ? demanda-t-elle. Il y en a forcément un. C'est toi qui me l'as appris.

– D'abord il y a les âges, répondit Nick. Qui était le plus jeune ?

Kate désigna la photo de Noah Pierce.

– Il avait neuf ans.

– Et le plus vieux douze, compléta Nick en montrant Dwight Halsey. C'est révélateur. En règle générale, les tueurs d'enfants se fixent sur une classe d'âge.

– Le nôtre recherchait aussi un certain type d'environnement, ajouta Kate. Les six kidnappings ont eu lieu dans des petites villes ou des zones rurales. Charlie a disparu du côté de Sunset Falls. Dennis Kepner et Noah Pierce dans des parcs. Dwight Halsey en forêt. Et Frankie Pulaski et Bucky Mason à Centralia.

– Nous avons donc le profil qui l'intéressait et le genre d'endroit où il sévissait.

Kate se remit à observer les cercles rouges. Elle s'attarda sur les deux endroits où deux crimes avaient été commis. Le deuxième et le troisième enlèvements avaient eu lieu à Fairmount et dans ses environs. Le cinquième et le sixième à Centralia. Soit le tueur aimait tellement Fairmount et Centralia qu'il y était retourné, soit…

– Il vivait sur place, s'écria-t-elle. Il vivait à Fairmount ou à Centralia.

Malgré la gravité de leur conversation, Nick se permit un sourire d'orgueil. Kate était sa meilleure élève.

– Et qu'est-ce qui te fait dire ça ? demanda-t-il.

– Fairmount. J'ai passé toute ma vie en Pennsylvanie, mais je n'en ai jamais entendu parler. J'en déduis que des tas d'autres gens sont dans mon cas. À moins d'y vivre. Même chose pour Centralia. Un tueur ne revient pas sur la scène d'un crime…

– Sauf s'il n'en est jamais parti, la coupa Nick. Notre malfaiteur devait vivre à Centralia en 1972. De quand datent les événements de Fairmount ?

– Dennis Kepner a disparu en 1969.

Kate se pencha sur le tableau et l'article sur Noah Pierce. De nouveau, elle dut soulever le fin papier journal pour lire la date imprimée de l'autre côté.

– 5 février 1971.

D'après la taille des caractères et leur disposition, il s'agissait de la première page. Juste en dessous, un gros titre s'étalait :

Troisième visite de l'homme sur la lune

Un petit frisson prit naissance dans ses bras et fila directement vers son cœur qui se mit à cogner. Les paroles d'Owen Peale lui revinrent en mémoire. Le vieil ours leur avait bien dit que Charlie avait disparu dans la nuit du 20 juillet 1969.

– La lune, murmura-t-elle. Comme pour Charlie.

En voyant Nick grimacer, elle comprit qu'il ne suivait pas son raisonnement.

– Mais de quoi tu parles ?

– Charlie Olmstead, la première victime, a disparu la nuit où le premier homme a posé le pied sur la lune. Noah Pierce, la troisième victime, a été enlevée le jour du troisième alunissage.

Depuis la salle à manger, Kate avait une vue directe sur la cuisine et l'ordinateur portable d'Éric, posé sur le comptoir. Elle se précipita et tapa une recherche sur Google. Quelques clics plus tard, elle accédait au site officiel de la NASA. Elle fit monter la liste détaillée des missions Apollo.

Le premier alunissage remontait bien au 20 juillet 1969, date de la disparition de Charlie.

– Rappelle-moi quand Dennis Kepner a disparu, cria-t-elle à Nick resté dans la salle à manger.

Nick vérifia sur le tableau.

– Le 19 novembre 1969.

Kate trouva la date sur le site web. *Apollo 12* avait aluni le 19 novembre 1969. *Apollo 14*, le 5 février 1971, date à laquelle Noah Pierce avait été enlevé.

– Ce qui explique le décalage, dit Kate.

Nick passa la tête dans la cuisine.

– Quoi ?

– Il y a presque un an et demi entre le deuxième et le troisième enlèvements, expliqua-t-elle. La raison, c'est *Apollo 13*.

L'équipage d'*Apollo 13* ne s'était jamais posé sur la lune. Et sur la carte de Maggie Olmstead, aucun enfant n'avait disparu en Pennsylvanie cette année-là. Ce n'était forcément pas une coïncidence.

Nick retourna dans la salle et lut les trois dates suivantes à haute voix – 30 juillet 1971, 21 avril 1972, 11 décembre 1972. *Apollo 15, Apollo 16, Apollo 17.* Dwight Halsey, Frankie Pulaski et Bucky Mason.

Quand Kate le rejoignit, elle considéra le tableau d'un œil neuf. Six alunissages réussis. Six enlèvements. Et un sinistre individu respectant à la lettre un programme dément s'étalant sur plusieurs années.

– Il faut qu'on en parle à Éric, dit-elle.

Elle le trouva sous la véranda, avachi dans un fauteuil de jardin aussi mal en point que lui. Sa canette de bière reposait vide à ses pieds. Il tirait sur sa cigarette en fixant la pelouse d'un œil torve. Kate s'assit dans le fauteuil d'à-côté.

– On a un truc à te dire.

–Je sais. Je vous ai entendus, répondit Éric d'une voix dépourvue d'émotion.

– Qu'en penses-tu ?

–J'en pense que si Neil Armstrong n'avait pas posé le pied sur la lune ce jour-là, mon frère serait encore vivant. À part ça, rien.

– Je suis désolée.

– Quand j'ai appris la dernière volonté de ma mère, j'étais à mille lieues d'imaginer que ça me mènerait si loin, reprit-il. Je me disais que j'engagerais Nick, que je lui donnerais un peu d'argent pour qu'il se penche sur la question pendant quelques jours. Jamais je n'aurais cru tomber sur un truc pareil.

Des larmes roulèrent sur ses joues. L'une d'elle s'écrasa sur son bras. Kate l'essuya d'un doigt songeur et ne retira pas sa main ensuite.

–Je sais que c'est dur, dit-elle. Mais je te promets que nous allons trouver le coupable.

Kate n'alla pas plus loin. Elle avait parlé trop vite. Rien ne disait que Nick et elle connaîtraient un jour la vérité. Ces événements s'étaient déroulés voilà des siècles. Les preuves, les témoins, s'il en restait, étaient sans doute éparpillés à droite et à gauche.

Mais elle devait tenter le coup, c'était le moins qu'elle puisse faire. Pour Charlie et les autres enfants. Pour Maggie Olmstead aussi, dont la persévérance les avait conduits jusqu'ici. Et pour Éric qui se débattait aujourd'hui avec des sentiments qu'il n'avait jamais éprouvés à l'égard d'un frère qu'il avait à peine connu.

Assise sur le perron, Kate contemplait la pelouse jaunie par le soleil d'été. Elle se pencha et passa son bras autour d'Éric. D'un geste tendre, elle guida sa tête jusqu'à son épaule. Puis, dans le calme du jardin, elle l'écouta pleurer.

8

Mais bon Dieu, pourquoi personne n'a rien remarqué ? s'écria Kate.

Nick n'avait pas de réponse à fournir. Comment expliquer que personne, à l'époque, n'ait assemblé les pièces du puzzle et fait coïncider la disparition des six garçons avec les six missions Apollo ? Il mettait cela sur le compte de la distance, de l'apathie des policiers ou simplement de la médiocrité des rapports d'enquête. Aucun flic, municipal ou autre, n'avait dû s'attarder sur la question. Après tout, les faits ressemblaient fort à des accidents et, en général, les accidents, on les classe et on les oublie.

– Si, quelqu'un l'a remarqué. Maggie Olmstead, répondit-il.

– Alors pourquoi n'en a-t-elle jamais parlé ?

Encore une question sans réponse. Peut-être n'osait-elle pas le faire. Ou alors, personne ne la croyait. Nick était bien placé pour savoir comment fonctionnaient les flics. Ils n'appréciaient guère qu'une modeste ménagère leur démontre qu'ils avaient mal fait leur boulot. C'était valable de nos jours mais encore plus il y a quarante ans, quand les meilleurs d'entre eux souffraient de misogynie chronique.

Nick voyait surtout que son affaire – celle que la fondation Sarah Donnelly était censée résoudre – allait lui passer sous le nez. Quand il avait aidé Kate à transporter la planche de contreplaqué de la salle à manger des Olmstead vers le coffre de sa voiture de patrouille, le doute était encore permis. Plus maintenant.

– Tu sais que cette enquête concerne la police désormais, insista-t-elle.

– Oui, répondit Nick. Et pour ta gouverne, sache que je ne jetterai pas l'éponge pour autant.

– Le contraire me décevrait.

Garés devant l'école primaire, ils attendaient la sortie des classes dans la Crown Vic de Kate. Les autres véhicules le long du trottoir étaient soit des monospaces, soit des 4x4. De couleur grise, pour la plupart. Nick se demanda ce que James ressentait en montant tous les jours dans une voiture de police. Il essaya de penser comme un gosse d'aujourd'hui. Les uns devaient trouver cela trop top, les autres hyper gênant. L'essentiel était que James appartienne à la première catégorie.

– J'ai réfléchi à ta théorie. Tu sais, quand tu disais que l'individu habitait Fairmount ou Centralia. Ça tombe sous le sens.

– Mais c'est faux, c'est ça ? renchérit Kate. Je te vois venir.

C'était précisément ce que Nick s'apprêtait à dire. Il était ravi que Kate l'ait compris d'elle-même. Lors de leur première rencontre, Nick lui avait donné un cours très condensé sur les ressorts psychologiques du tueur en série de base. Depuis, elle avait acquis assez d'expérience pour deviner toute seule que sa première théorie n'était pas forcément la bonne.

– Tout repose sur la première victime, reprit Nick. Dans le cas qui nous occupe, Charlie Olmstead.

Neuf fois sur dix, la victime numéro un n'était pas tuée par hasard. La plupart des tueurs en série évoluaient dans un environnement qui leur était familier. Puis un déclic se produisait et ils passaient à l'acte. Voilà pourquoi la première victime avait une telle importance. Souvent, le criminel n'en était pas à son premier contact avec elle. Pour obtenir une clé, il suffisait parfois de savoir où et quand avait eu lieu ce contact. Dans le cas de Charlie Olmstead, cela signifiait…

– Le tueur a séjourné à Perry Hollow, dit Kate en tambourinant sur le volant, perdue dans ses pensées.

– Ça me paraît envisageable, répondit Nick. Peut-être qu'il n'y vivait pas. Peut-être ne faisait-il que passer. Mais il a très certainement vu Charlie avant cette nuit-là. Il savait où il habitait. Il savait où il faisait du vélo.

– Et s'il s'agissait d'un voisin des Olmstead ? Qu'en penses-tu ? proposa Kate.

– Je n'en sais rien mais, bien sûr, cela réduirait la liste des suspects.

– Je vais aller leur parler, renchérit Kate. Les Santangelo. Glenn Stewart. Et je chercherai des infos sur Stan et Ruth Clark.

– Et moi, pendant ce temps, je saute dans ma bagnole et je vais interroger les familles des victimes.

Puis ils se turent. Ils venaient de mesurer la tâche monumentale qui les attendait. Quatre décennies avaient passé depuis ces disparus. Même si Nick retrouvait la trace des parents des disparus, se souviendraient-ils de quoi que ce soit ? Il tomberait sans doute sur des rapports de police laconiques, des scènes de crime enfouies sous quarante-deux années de progrès. Pourtant la simple perspective de dénicher ne serait-ce qu'une parcelle de vérité l'excitait au plus haut point.

Kate se mit en devoir de le ramener sur terre.

– Ça te dépasse, Nick. Et ça me dépasse aussi. J'ai l'impression de tenir une bombe à retardement entre les mains.

Elle voulait parler de la Chine et des trois astronautes qui filaient vers la lune en ce moment même. Ils aluniraient dans deux jours, ce qui était une bonne chose pour la Chine, mais peut-être pas pour les habitants de Pennsylvanie.

– Tu crois que ça pourrait recommencer ? demanda Nick. Après toutes ces années ?

– Je n'en sais pas plus que toi, dit Kate. L'auteur des enlèvements est peut-être mort. Ou loin d'ici.

– Ou en train d'attendre vendredi.

– Exact. Donc tu vois ce qu'il nous reste à faire.

Nick voyait très bien. Et il n'en avait franchement pas envie. Rien que d'y penser, il sentait monter une migraine.

– Si tu préfères, je peux m'en charger, proposa Kate. J'ai encore ses coordonnées quelque part.

Ce numéro de téléphone était gravé à jamais dans l'esprit de Nick. Kate ne le savait que trop. Cela faisait de lui la personne la mieux désignée pour appeler. En plus de cela, c'était de l'ancienne supérieure de Nick dont ils étaient en train de parler.

– Je m'en chargerai, dit-il.

– Ce soir ?

– Mais oui, pour l'amour du ciel. Ce soir.

Quand il se trémoussa sur son siège, son genou droit se rappela à lui. Fichu temps. À travers le pare-brise, il vit que des nuages noirs avaient remplacé le soleil de fin d'été. Une seconde plus tard, les premières gouttes s'écrasaient sur le verre. L'orage venait d'éclater.

La première vague d'élèves surgit en courant du portail de l'école. Ils traversèrent le trottoir sous la pluie battante, vite avalés par la légion de monospaces et de 4x4. James faisait partie de la seconde vague. Il cavala vers la Crown Vic son sac à dos sur la tête, comme un parapluie. Quand il sauta sur la banquette arrière, Nick voulut lui frapper dans la main, comme ils le faisaient d'habitude. Sans grand enthousiasme, James se prêta au cérémonial tout en marmonnant « Salut Nick ».

Nick n'aimait pas beaucoup les gosses. En règle générale, il les trouvait gâtés, turbulents, casse-pieds, pour tout dire. James faisait exception. C'était un enfant poli, curieux, ouvert et intelligent.

Encore que ces qualités ne fussent pas évidentes, cet après-midi.

– Ta première journée s'est passée comment ? demanda Nick pour tenter de le dérider.

James répondit avec un soupir maussade.

– Pas mal.

– Tu as appris des trucs sympas ?

– Non.

– Où est ta boîte-repas ?

Cette question-là venait de Kate qui observait son fils dans le rétroviseur. La réponse de James – un vague « je l'ai perdue » – ne la satisfit pas.

– Tu l'as fait exprès ? demanda-t-elle.

James ne dit rien. Nick en conclut qu'il n'avait nullement perdu la boîte en question. Il s'en était débarrassé, purement et simplement. Kate s'en doutait, elle aussi. Agacée, elle secoua la tête en s'éloignant du trottoir.

L'orage venait d'atteindre sa force maximale. On aurait dit une giboulée printanière cherchant à se colleter avec un été indien plutôt placide. Très vite, des mares se formèrent sur les pelouses. Les caniveaux débordèrent.

– Quand tu rentres chez toi, tu l'appelles, hein ? insista Kate tandis que ses essuie-glaces passaient à la vitesse supérieure.

Apparemment, le sujet qui fâche revenait sur le tapis.

– À la minute où j'aurai passé le seuil.

– Tu as intérêt, fit Kate en brandissant un doigt menaçant. De toute façon, je vérifierai.

Nick regarda James par-dessus son épaule. D'un signe de tête, le petit garçon lui fit comprendre qu'il compatissait. Grâce à ce geste de connivence, Nick retrouva l'espace d'un instant le James qu'il appréciait. C'était une manière pour l'enfant de lui signifier que, malgré la différence d'âge, ils étaient les deux hommes les plus importants dans la vie de Kate Campbell. Et l'un comme l'autre savaient par expérience qu'il valait mieux ne pas la contrarier.

Fidèle à sa promesse, Nick passa le fameux coup de fil dès son retour à Philadelphie, dans son appartement de Chestnut Street qui servait aussi de siège à la fondation Sarah Donnelly. Il souleva le combiné et composa le numéro qu'il connaissait par cœur.

Elle répondit à la quatrième sonnerie. Un record de longueur pour elle.

– Allô ? articula la voix familière sur un ton sec et officiel.

– Salut Gloria, fit Nick.

– Nick. Quelle surprise ! Que me vaut le plaisir ?

Il avait servi sous les ordres du capitaine Gloria Ambrose pendant près de dix ans, quand il appartenait au Bureau d'enquêtes criminelles de la police d'État de Pennsylvanie. Ils n'avaient jamais été amis, ni même copains, mais chacun admirait la conscience professionnelle de l'autre. Voilà pourquoi Nick avait cru pouvoir compter sur Gloria dans les moments difficiles.

Il s'était fait des idées. Aujourd'hui, Nick n'était plus flic et il ne le redeviendrait jamais, du moins pas en Pennsylvanie et surtout pas dans la police d'État. C'était foncièrement injuste, si bien qu'en entendant la voix monocorde de Gloria, l'amertume et la colère ressenties lors de son licenciement lui revinrent d'un coup.

Nick essaya de juguler ses émotions.

– J'enquêtais sur un truc dans le cadre de la fondation…, commença-t-il après avoir dégluti.

Gloria l'arrêta. Interrompre les gens était l'une de ses spécialités.

– Au fait, comment ça marche ?

– Bien.

– J'en suis ravie, répondit-elle d'une voix qui démentait ses paroles.

– Au cours de cette enquête, je suis tombé sur une info qui risque de vous intéresser.

Cette fois, Gloria parut accrochée.

– À quel sujet ?

Pendant presque dix minutes, elle le laissa exposer ce que Kate et lui avaient découvert durant la journée. Il lui donna un maximum de détails – noms, dates, lieux. Il alla même jusqu'à préciser que Kate tenait à sa disposition la carte et les coupures de presse rassemblées par Maggie Olmstead. Quand il eut terminé, Gloria fit une chose qui étonna beaucoup Nick, étant donné les circonstances : elle lui demanda son opinion.

– Je penche pour un tueur en série, dit-il. Ces divers incidents se ressemblent trop pour n'être que des coïncidences. En outre, ils correspondent à des alunissages.

– Qui est au courant ?

– Juste le chef Campbell, Éric Olmstead et moi-même.

Le dernier nom la fit réagir.

– Éric Olmstead, l'écrivain ?

– Oui, c'est lui mon client.

– Je suis impressionnée.

Nick n'en était pas tout à fait certain bien que, sur l'instant, la voix de son ex-capitaine ait légèrement grimpé dans les aigus en se modulant d'une nuance plus suave que Nick identifia comme du respect. Une fraction de seconde plus tard, le ton heurté dont elle était coutumière.

– Merci de me l'avoir signalé. Vous avez bien fait.

– Vous allez vous pencher sur la question ?

Nick aurait dû tenir sa langue, mais les vieilles habitudes avaient la peau dure. Gloria s'empressa de le lui faire remarquer.

– Je n'ai pas le droit d'en parler. C'est tout ?

Nick aurait voulu répondre que non, ce n'était pas tout. Pour bien marquer le coup, il aurait ajouté que sa fondation allait résoudre toutes les affaires trop vite classées par la police d'État. Et après, il l'aurait traitée de tous les noms d'oiseau dont il l'avait affublée depuis son licenciement, onze mois auparavant. Mais sa dignité – le peu qu'il en restait – reprit le dessus.

– Je crois que oui, lâcha-t-il.

Voilà, c'était fait. Il avait réussi à téléphoner à Gloria Ambrose sans faire de vagues. Il s'en était bien sorti. Kate serait fière de lui. Après une telle démarche, les deux femmes penseraient qu'il renonçait à poursuivre l'affaire.

Ce qui n'était pas le cas.

Éric Olmstead l'avait engagé pour qu'il découvre la vérité sur la disparition de son frère. S'il ne les avait pas tuyautées, Kate et Gloria ne seraient au courant de rien. Pour sa part, il considérait cette enquête comme sienne et comptait bien la poursuivre jusqu'au bout.

Il reprit le combiné et composa un autre numéro qu'il connaissait par cœur. Celui de Vincent Russo, *alias* Vinnie, un flic exerçant dans les quartiers sud de Philadelphie. Quinze ans auparavant, Vinnie avait perdu sa femme dans un accident avec délit de fuite. On n'avait jamais attrapé le coupable. Leurs deuils respectifs – et la vocation de la fondation Sarah Donnelly – les avaient rapprochés. Vinnie lui avait maintes fois offert son aide. Si Nick l'appelait ce soir, c'était pour lui demander un énorme service.

– Nick Donnelly ? dit Vinnie en décrochant. Comment tu vas, mon vieux ?

– Tu savais que c'était moi ?

– Identification de l'appelant, rétorqua Vinnie. En plus, je crois savoir pourquoi tu me téléphones.

– Ouais, fit Nick. J'ai besoin d'infos.

– Pas de problème. Tu veux quoi ? Des noms ? Des adresses ?

– Un peu des deux. Tu as de quoi écrire ? Il y en a cinq.

Vincent siffla entre ses dents.

– J'ai l'impression que tu as ferré un gros poisson.

– C'est peu de le dire.

– OK, fit Vinnie. Annonce.

Nick inspira profondément.

– Le premier habite Fairmount. Il s'appelle Kepner.

9

KATE ATTENDIT QUE JAMES soit au lit pour sortir discrètement la carte et les coupures de presse de sa voiture.
Son fils n'avait pas besoin de voir les gros titres déprimants et les
visages de gamins de son âge disparus depuis si longtemps. La
feuille de contreplaqué était si encombrante que Kate se cogna
les genoux dessus. En la descendant à la cave, elle songeait à
Maggie Olmstead. Elles avaient un point commun toutes les
deux : elles voulaient épargner leurs enfants en leur cachant la
vérité.

Une fois le tableau posé contre le mur en ciment, Kate
remonta récupérer son ordinateur et se versa un verre de vin.
Elle en aurait besoin. Assise en tailleur sur le sol glacial, elle
alluma le portable et plongea dans le vortex vertigineux connu
sous le nom d'Internet.

En tout premier lieu, elle prévoyait de visiter les bases de don-
nées des enfants disparus, au cas où l'un des petits garçons identi-
fiés par Maggie aurait refait surface depuis. Ce n'était pas le cas.
Ensuite, elle rechercha les éventuels enlèvements ayant échappé
à la vigilance de Maggie. Le fait que les six enfants aient disparu
au cours d'un alunissage ne signifiait pas forcément que le coupable n'avait pas récidivé dans des circonstances similaires sans
être tout à fait semblables. Elle passa donc une heure éprouvante
à fouiller parmi des milliers de noms. La plupart de ces gosses
avaient été retrouvés peu après leur enlèvement, en compagnie d'un de leurs parents divorcés ou séparés. Certains avaient

définitivement disparu. Mais à première vue, aucun cas n'avait de lien avec les six petites victimes du tableau. Les âges différaient ainsi que les secteurs géographiques. Aucun ne ressemblait à un accident et la lune ne jouait aucun rôle dans le déroulement des faits.

Kate respira à fond avant de passer sur la liste des pédophiles répertoriés dans l'État de Pennsylvanie. Elle affina sa recherche en se focalisant sur les individus reconnus coupables de crimes sexuels sur des jeunes garçons entre 1969 et 1972. Il y en avait pléthore, hélas, mais aucun meurtrier parmi eux.

Après cela, elle orienta ses recherches sur les motifs des enlèvements. On ne décide pas de kidnapper un gosse pendant un alunissage juste pour le plaisir. Il y avait quelque chose dans ces missions lunaires qui poussait de manière irrésistible l'individu à passer à l'acte.

Dès le début, Kate s'était interrogée sur l'influence exercée par la société américaine de la fin des années 1960 et du début des années 1970. C'était une période très perturbée ayant connu de profonds bouleversements. Quelques semaines après la disparition de Charlie, des membres de la famille Manson avaient fait un carnage en Californie. Quelques jours plus tard, à Woodstock, des milliers de jeunes Américains lançaient au monde un message de paix et d'amour, sur fond de substances psychédéliques.

Les années 1960 s'étaient terminées avec le concert des Rolling Stones à Altamont, au cours duquel le mouvement hippie avait montré ses limites. Le mois de mai suivant fut marqué par la fusillade de Kent State et, en 1972, année de la disparition de Bucky Mason, le scandale du Watergate ébranlait la présidence de Richard Nixon. En arrière-fond, bourdonnant comme les parasites d'un écran de télé, il y avait la guerre du Vietnam avec son défilé ininterrompu de défaites et de soldats morts qu'on extrayait des jungles embrumées de ce pays perdu au bout du monde.

Kate fit une pause, remplit son verre de vin et replongea dans Internet. Elle y découvrit les diverses réactions aux alunissages consécutifs. Quand *Apollo 11* s'était posé sur la mer de la Tranquillité, les Américains avaient explosé de joie. Lorsqu'au mois de novembre suivant, *Apollo 12* avait aluni, leur enthousiasme demeurait vivace, bien qu'un peu moins délirant. Mais en 1972, après quatre missions en moins de deux ans, le public ne s'intéressait plus guère à la lune. Quand la NASA suspendit son programme, après *Apollo 17*, c'est à peine si on le remarqua.

À une exception près, songea Kate. La personne ayant enlevé les enfants en Pennsylvanie avait perdu toute raison d'agir. Mais quel rapport y avait-il entre la lune et ces crimes ?

Internet offrait des tas de pistes. À sa grande stupeur, Kate apprit qu'une bonne partie des Américains croyait que les missions lunaires de la NASA comme un canular particulièrement bien monté. À l'opposé, certains semblaient persuadés que les astronautes avaient non seulement marché sur la lune, mais qu'ils en avaient ramené un extraterrestre. Pour elle, ces deux positions relevaient de la folie pure. L'un de ces dingues aurait-il pu s'attaquer à des enfants ?

Puis elle tomba sur un autre genre d'illuminés. Ceux-là croyaient en l'apocalypse et redoutaient que les incursions de l'homme dans l'espace ne la précipitent. Un article en particulier parlait d'un groupe de fanatiques religieux au Texas qui, pour se préparer au premier alunissage, avaient construit des abris souterrains dans leurs jardins. La nuit où Neil Armstrong avait marqué l'histoire en foulant le sol lunaire, des hommes armés de fusils avaient monté la garde devant ces bunkers abritant des femmes et des enfants. Certains parmi ces enfants n'appartenaient même pas aux membres du groupe. Les adeptes les avaient enlevés à leurs parents. « Pour leur bien », avait déclaré l'un d'entre eux à la police. Ceux-là avaient retrouvé leurs familles quelques heures plus tard. Ce qui n'était pas le cas des malheureux gosses figurant sur le collage de Maggie Olmstead.

Ce type de scénario avait dû se reproduire des centaines de fois. Kate savait par expérience que des êtres abominables commettaient chaque jour des actes abominables dont ils étaient parfois les seuls à connaître la raison. Suivant le fil de ses pensées, Kate se dit qu'elle ferait mieux de procéder par ordre. À quoi bon s'escrimer à découvrir ces raisons si elle ne connaissait pas d'abord le sort des enfants et l'auteur des crimes ?

Elle éteignit l'ordinateur, finit les dernières gouttes de vin et retourna le tableau contre le mur. Une fois remontée, elle s'assura que les portes et les fenêtres étaient hermétiquement closes. Ensuite, elle ferait de même à l'étage avant d'aller vérifier si James dormait et de s'effondrer sur son lit.

Dans l'escalier, elle s'arrêta devant la photo de ses parents accrochée au mur. Ils posaient devant la maison qu'elle occupait actuellement. Sa mère souriante portait un tablier de ménagère, son père un uniforme. Kate avait hérité de la maison familiale et du métier paternel.

En contemplant la photo, Kate réalisa que son père lui avait légué encore autre chose : l'affaire Charlie Olmstead, et celle des autres enfants kidnappés, pour faire bonne mesure.

– Je te remercie beaucoup, papa, marmonna-t-elle. Mais j'aurais préféré des sous.

Éric passa le reste de la journée dans un état d'hébétude. Après que Kate et Nick eurent emporté le lugubre tableau, il avait voulu vaquer à ses occupations. Il essaya d'écrire, prépara le dîner, rappela son père. Tout cela sans émerger du brouillard. Il se sentait triste et impuissant. Du coup, l'écran de l'ordinateur resta blanc, le repas n'avait aucun goût et il ne laissa pas de message sur le répondeur de son père, l'éternel absent.

Pour ajouter à sa torpeur, la pluie ne cessait de tomber depuis qu'il était seul. Dès les premières gouttes, une grisaille tenace avait bouché le ciel au-dessus de la ville, comme une couverture imbibée d'eau. Il faisait tellement sombre qu'Éric ne vit pas le soir tomber. La pluie martelait le toit en continu.

À l'approche de minuit, Éric décida qu'il était temps d'aller dormir. Il n'y croyait pas trop. Après une journée si étrange, le sommeil risquait de le fuir. Même s'il s'assoupissait, il redoutait de retrouver en rêve le visage des enfants disparus.

D'un pas lourd, il gravit les marches qui menaient à son ancienne chambre en se demandant comment sa mère avait pu vivre si longtemps seule avec ses soupçons, ses théories et cette carte hallucinante, sillonnée de ficelles rouges. Combien de temps avait-elle joué au détective amateur ? Où avait-elle déniché ces coupures de presse ? Il se traîna jusqu'à son lit, ferma les yeux et l'imagina visitant des bibliothèques pendant qu'il était à l'école. Il la vit entrer dans des salles de lecture, s'asseoir devant des lecteurs de microfiches après avoir lancé des regards furtifs autour d'elle, comme une épouse adultère craignant qu'on la suive. Il se demanda ce qu'elle avait ressenti en découvrant chaque nouvelle victime. S'était-elle confiée à quelqu'un ?

Oscillant entre veille et sommeil, tenaillé par un sentiment de culpabilité, il regrettait amèrement de ne pas avoir été à la hauteur. Sinon, elle se serait confiée à lui. Elle devait le trouver trop fragile, trop peu fiable. Et comme pour lui donner raison, il s'était enfui de la maison, à l'âge de dix-huit ans, en pleine nuit comme un voleur, laissant derrière lui un mot sur le comptoir de la cuisine et deux cœurs brisés.

Je suis désolé, maman, répétait-il inlassablement. *Je ne savais pas. Je suis vraiment désolé.*

Un bruit bizarre interrompit le fil de ses pensées. C'était un choc sourd, suivi d'un faible grattement. D'abord, Éric crut avoir rêvé. Puis il l'entendit une deuxième fois. Une troisième. Une quatrième.

Il ouvrit les yeux. Quand le bruit retentit une cinquième fois, Éric réalisa qu'il venait de l'extérieur. Il s'avança vers la fenêtre à pas de loup. Les gouttes de pluie qui criblaient la vitre lui donnaient l'aspect d'un miroir brisé en menus morceaux. Il dut plisser les yeux pour accommoder. Au-delà des gouttes, il aperçut la maison de Glenn Stewart et une partie du jardin de derrière.

Rien n'était allumé chez Monsieur Stewart, mais Éric savait qu'il ne dormait pas. En fait, il était dehors, sous la pluie. Malgré l'obscurité, Éric le vit debout, près de la haie bordant son jardin. À ses pieds, une petite boîte en carton. Dans sa main, une pelle. Quand il la leva et la ficha en terre, elle reproduisit le bruit qui l'avait intrigué, un peu plus tôt.

La pelle s'élevait et retombait en rythme, s'enfonçant chaque fois un peu plus. Au bout de quelques minutes, Glenn la laissa tomber, ramassa la boîte et la déposa dans le trou qu'il venait de creuser. Puis il resta un moment la tête penchée, comme s'il priait. Éric compta. Son voisin garda cette position environ quinze secondes. Vingt maxi.

Puis, sans transition, Glenn Stewart reprit la pelle pour recouvrir de terre la boîte et son mystérieux contenu.

Jeudi

10

L'AVERSE S'ÉTAIT ARRÊTÉE AU COURS DE LA NUIT, mais le crachin qui tombait ce matin-là nécessitait l'usage d'un parapluie. En sortant de la Crown Vic, Kate se battit avec le sien, un vieux pépin de golf ayant appartenu à sa mère. Quand enfin il s'ouvrit, Kate s'aperçut qu'une des baleines était cassée. L'objet avait un air penché qui lui rappela les oreilles de Scooby quand il était fatigué. Tordu ou pas, elle s'en contenterait. De toute façon, elle ne comptait pas s'éterniser ici.

Elle slaloma entre les grosses flaques qui ponctuaient le parking et se dirigea vers la grille en fer forgé, l'unique entrée du cimetière. En passant sous l'arche, elle leva la tête et lut les trois mots soudés dans le métal une bonne centaine d'années plus tôt – Cimetière d'Oak Knoll.

Quand on mourait à Perry Hollow, on n'avait guère le choix de sa dernière demeure. La plupart des défunts se retrouvaient dans ce cimetière qui comptait encore assez d'espace pour accueillir les vivants actuels, quand leur heure sonnerait. Kate s'y rendait deux fois par an, pour la Fête des Mères et la Fête des Pères. Ce matin-là, trois jours après le *Labour Day*, mue par un besoin irrésistible, elle dérogea à ses habitudes. Kate avait quelque chose sur le cœur et comptait bien s'en débarrasser.

Avec ses deux bouquets de fleurs sous le bras, elle marcha jusqu'au carré planté de vieux érables, un peu à l'écart du reste des sépultures. Les six arbres aux branches entremêlées déployaient leur canopée sur les tombes de ses parents. Grâce à leur feuillage dense, Kate put fermer son parapluie et avoir les mains libres pour faire ce qu'elle était venue faire.

Elle déposa le premier bouquet sur la tombe de sa mère, suivi d'un baiser qui passa de sa paume aux lettres dorées formant le nom de la chère disparue. Après un instant de recueillement et un « Je t'aime » chuchoté, elle passa à la tombe suivante.

Kate répéta le rituel des fleurs, du baiser et de la main. Mais au lieu de murmurer, elle parla à haute voix. D'abord, elle donna à son père des nouvelles de Lou van Sickle puis elle lui parla de son boulot en général. À la suite de quoi, elle aborda le sujet de James, lequel portait le prénom de son grand-père.

Le matin même, elle avait empaqueté le déjeuner de son fils dans un sac en papier kraft, comme il l'avait demandé. Elle avait cru que ce geste le dériderait. Mais non. James faisait la même tête de six pieds de long que la veille, quand ils s'étaient accrochés à cause de la boîte-repas.

Pire encore, au moment où elle l'avait déposé devant l'école, au lieu de franchir tout de suite le portail, James avait ralenti l'allure comme pour retarder au maximum son entrée. Pensant qu'il était gêné d'arriver à bord d'une voiture de police franchement pas cool, Kate avait vite démarré. Si son fils avait besoin d'espace, elle lui en donnerait. Elle n'était pas comme ces mères possessives qui humiliaient leurs enfants sans même le remarquer. Mais tandis qu'elle s'éloignait, elle avait vu dans son rétroviseur James s'approcher de la poubelle près de la porte d'entrée, soulever le sac en papier et le laisser choir à l'intérieur.

Kate ignorait pourquoi il avait jeté son déjeuner. Même chose pour la soi-disant perte de la boîte-repas, la veille. En tout cas, c'était préoccupant. Sur le chemin du cimetière, Kate avait tourné le problème en tous sens dans sa tête.

– Je suis inquiète, papa, dit-elle. Je pense qu'il en bave à l'école. Ses camarades doivent l'embêter et il n'est pas capable de se défendre. Je ne sais pas quoi faire. Toi tu saurais. Tu gérais bien ce genre de choses.

Son père avait même tendance à trop en faire. Quand elle était petite, il la protégeait avec tant d'insistance que les autres gosses finissaient par l'éviter. Elle avait peu d'amis et encore moins de petits amis. Le meilleur moyen de rester célibataire, c'était d'être la fille du chef de la police municipale.

Quand elle eut fini d'exposer son problème avec James, elle en vint au véritable but de sa visite.

– Tu ne vas jamais croire ce qui m'est tombé dessus, dit-elle. Charlie Olmstead. Dingue, non ? On dirait qu'il ne s'est pas noyé dans la rivière, tout compte fait. En plus, d'autres gosses ont disparu comme lui.

Plus elle parlait, plus la colère montait en elle. Une colère dont la virulence la surprit elle-même. Certes, Nick avait raison de dire que c'était une autre époque, qu'on ne pouvait pas reprocher à son père et à l'adjoint Peale de n'avoir pas pensé que la disparition de Charlie faisait partie d'une affaire criminelle plus large. Mais pour autant, elle n'arrivait pas à lui pardonner tout à fait. Sa conscience le lui interdisait.

– Pourquoi tu n'as pas creusé ? demanda-t-elle à la dalle de granit gravée au nom de son père. Tu aurais pu attraper le coupable. Ça n'aurait peut-être pas sauvé Charlie mais les cinq autres garçons, si.

Kate savait qu'elle cherchait en vain la vraie réponse. Il ne lui restait qu'à poursuivre elle-même l'enquête prématurément interrompue quarante ans auparavant. Et elle avait l'intention de s'y consacrer sans relâche.

La bruine s'était transformée en brume. Sans rouvrir son parapluie, elle sortit de l'abri formé par les érables.

À quelque cent mètres du parking, une autre tombe attira son attention. Elle semblait récente, car le monticule de terre dépourvu de gazon n'avait eu le temps de se tasser. La stèle gris ardoise venait de sortir de l'atelier du tailleur de pierre. Kate s'arrêta en voyant le nom fraîchement gravé dessus.

Maggie Olmstead.

Kate s'approcha. Elle aurait dû penser à emporter un autre bouquet. Faute de fleurs, elle se présenta munie d'une simple promesse.

– Je vais faire la lumière sur cette affaire. Je le jure devant Dieu.

Elle qui avait l'habitude de parler tout haut à ses parents se sentit soudain ridicule devant la tombe de cette femme presque inconnue. Aussi détourna-t-elle les yeux pour se focaliser sur un carré d'herbe, sur la droite. Comme le reste du cimetière, ce lopin avait grand besoin d'un coup de tondeuse. Le chiendent lui montait jusqu'aux chevilles. D'abord, elle ne vit pas la stèle en marbre qui dépassait à peine des herbes folles puis quand elle la remarqua, elle crut qu'il s'agissait d'un emplacement réservé.

Elle se pencha pour arracher quelques poignées d'herbes humides et dégager la plaque. Des tiges récalcitrantes lui bouchaient la vue. Quand elle les écarta, ses doigts effleurèrent une inscription. Elle lut un nom et une date gravés dans le marbre quelques années auparavant.

Charles Olmstead, 1959-1969

Kate ne s'y attendait franchement pas. Elle ignorait ce que faisaient les gens dont les proches disparaissaient sans laisser de traces. Il n'y avait pas de corps à enterrer. Pas de certitude que la personne était réellement morte. De temps à autre, Kate avait eu envie de demander à Nick comment avaient procédé ses parents, pour sa sœur Sarah. Mais elle ne s'était jamais lancée. Certaines choses doivent rester dans l'ombre.

Maggie Olmstead, quant à elle, avait choisi de consacrer une pseudo-tombe à son fils disparu. Kate ignorait de quand elle datait. Éric n'en savait sans doute pas plus qu'elle. Mais la présence de cette stèle dans le cimetière d'Oak Knoll soulevait une question qu'elle tourna dans sa tête le temps de regagner son véhicule, de balancer le parapluie cassé dans le coffre et de rouler vers la résidence Olmstead. Comme encombrée d'un fardeau dont elle était impatiente de se décharger, elle poussa la porte, franchit le seuil et, au même instant, s'écria :

– Qu'est-ce que ta mère a enterré à la place du corps de ton frère ?

Éric était nu.

En fait, il avait une serviette sur lui, mais comme elle drapait seulement son épaule gauche, Kate estima qu'elle comptait pour du beurre. Surtout qu'Éric se tenait juste devant elle, au pied des escaliers.

Pendant une fraction de seconde, aucun des deux ne réagit. Ils étaient trop stupéfaits – Éric de s'être laissé surprendre dans

cette tenue, Kate de découvrir sa nudité. Quand enfin ils récupé-
rèrent leurs réflexes vitaux, Éric fit glisser la serviette devant lui
pour s'en ceindre les reins ; Kate tourna la tête et se colla la main
devant les yeux pour faire bonne mesure.

— Je ne sais pas si tu as entendu parler de la super invention
qui consiste à frapper avant d'entrer, s'écria Éric en nouant la
serviette sur sa hanche.

— Je ne m'attendais pas à ce que tu sois... Kate était trop
gênée pour prononcer le mot.

— À poil au pied de l'escalier ? proposa Éric. Juste au cas où
tu t'interrogerais, je précise que je ne pratique pas le nudisme.
Je sortais de la douche et j'allais chercher des sous-vêtements
propres dans le sèche-linge. Maintenant tu peux regarder. Je suis
décent.

Quand Kate retira sa main, elle trouva que le mot décent
n'était pas le plus approprié pour décrire Éric Olmstead en ce
moment même. Étonnamment sexy eût été plus juste. La serviette laissait peu de place à l'imagination. Rouge de confusion,
Kate n'arrivait plus à détourner les yeux.

— Je... je m'excuse, balbutia-t-elle. Tu as raison, j'aurais dû
m'annoncer.

Pourtant, elle ne l'avait pas fait. La vision en elle-même ne
la dérangeait pas. C'était plutôt la situation qui lui coupait les
jambes.

— Je vais attendre dehors, le temps que tu t'habilles, dit-elle
sur un ton décidé. Et j'en profiterai pour mourir de honte.

Kate se laissa tomber sur la première marche du perron. Elle
espérait que ses vertiges étaient dus à l'humiliation et pas à la
résurgence inopinée de pulsions sexuelles trop longtemps refou-
lées. Pourtant la deuxième solution était sûrement la bonne. En
voyant le corps d'Éric, elle s'était sentie comme une nonne assistant à un spectacle des *Chippendales*.

Tout en s'éventant d'une main, elle repensa à ses années de
lycée. à l'époque, Éric n'était pas aussi séduisant. Il était mignon
certes. C'était cela qui l'avait attirée. Mais aujourd'hui, il ne
jouait plus dans la même cour. S'il avait eu ce physique-là quand
ils se fréquentaient, Kate aurait perdu sa virginité bien plus tôt.

À moins que... Éric ne s'était guère montré entreprenant

avec elle. Ils sortaient ensemble, rien de plus. Et très vite, il avait mis un point final à leur histoire.

La rupture, si l'on pouvait employer ce terme, était survenue début juin, le lendemain du jour où Éric avait reçu son diplôme. La veille au soir, Kate avait assisté au grand événement depuis les gradins du gymnase. Après la cérémonie, ils étaient partis faire la fête sur les bords du lac Squall. On avait allumé un feu de joie, bu de la bière pendant que Madonna s'époumonait dans le radiocassette d'un copain. Assis sur un rocher près de la rive, Kate et Éric regardaient le lac, les pieds dans l'eau.

– Kate, je crois que je t'aime, s'était-il exclamé.

Elle s'était serrée contre lui en lui tenant fort la main.

– Tant mieux. Parce que moi j'en suis sûre.

C'était un moment de bonheur pur, comme Kate en avait rarement connu par la suite. Quand ils s'étaient embrassés cette nuit-là, le conte de fées était devenu réalité. Elle était rentrée se coucher à demi pâmée, convaincue qu'Éric et elle finiraient leurs jours ensemble.

Le lendemain, son bel amoureux était parti.

La mère d'Éric était venue lui annoncer la nouvelle en personne. Debout sur le seuil, le visage défait, elle lui avait précisé qu'il s'était enfui durant la nuit. Sans laisser de message. Il avait emporté ses vêtements, ses livres préférés et la valise dont l'absence laissait un vide dans le placard de l'entrée.

Maggie Olmstead avait réussi à garder son calme le temps de terminer sa phrase. Puis elle avait éclaté en pleurs, avec des sanglots rauques, gutturaux, effrayants. Kate s'était précipitée dans la rue, le cœur chaviré. Elle avait couru à en perdre haleine, sans songer un instant à ce que cette femme endurait. Kate était trop jeune, trop brisée pour s'apercevoir que Maggie venait de perdre son second fils, parti en pleine nuit comme le premier.

– Alors, qu'y a-t-il de si important pour que tu me tombes dessus comme ça ?

Éric s'assit près de Kate sous le porche. La serviette avait été remplacée par un jean, des baskets et un T-shirt marqué au nom d'une librairie – *Meurtre en pages*. Même dans cette tenue modeste, il demeurait séduisant.

– Tout à l'heure, j'étais au cimetière d'Oak Knoll.

– Pour quoi faire ?

Elle lui servit la même réponse qu'au maire, Burt Hammond, quand il lui avait demandé ce qu'elle fabriquait sur le pont enjambant les chutes de Sunset.

– Rien qui te concerne.

– Je pense que si, insista Éric pour la provoquer. Après tout, tu viens de voir mes…

– Parents.

– Je te demande pardon ?

Kate se toucha la joue. Sa peau brûlait. Elle recommençait à rougir.

– Mes parents. Je suis allée sur leurs tombes.

Elle poursuivit en disant qu'en passant devant la tombe de Maggie, elle avait remarqué une stèle au nom de Charlie.

– Tes parents ont-ils organisé une cérémonie funèbre pour lui ?

– S'ils l'ont fait, j'étais trop jeune pour m'en souvenir, dit Éric. Je n'ai jamais entendu parler d'une tombe et pourtant, je devais me tenir juste à côté pendant les funérailles de ma mère.

– Ce qui m'intéresse se trouve en dessous.

La plupart des gens qui dressent une stèle dans un cimetière enterrent quelque chose en même temps, souvent c'était une photo du défunt, un ou deux objets lui ayant appartenu.

– Tu as l'intention de creuser pour vérifier, c'est cela ? demanda Éric.

– Oui. Mais avant d'ordonner une exhumation, j'ai besoin de la permission d'un proche, en général le père ou la mère.

Éric émit un gloussement ironique.

– Si tu espères contacter mon père, je te souhaite bien du plaisir. Moi-même je n'y arrive pas.

– Alors, c'est à toi de décider.

De toute évidence, Éric ne souhaitait pas aborder la question. Il changea même de sujet.

– Ne devrait-on pas interroger Lee et Becky Santangelo ?

Kate en avait l'intention mais d'abord, elle voulait une réponse de sa part. Elle revint donc à la charge.

– Imagine que ta mère ait enterré un élément essentiel pour notre enquête.

– Quoi par exemple ?

Kate n'en avait pas la moindre idée. Mais elle se sentirait mille fois mieux une fois qu'elle en aurait le cœur net.

— Au moins, promets-moi d'y réfléchir.

— J'y réfléchis déjà, rétorqua Éric. Et je me dis que je vais encore essayer de joindre mon père. Peut-être qu'il sait ce qu'il y a dans cette tombe.

— Et si tu n'y arrives pas ?

— Alors tu seras la première à connaître ma décision.

11

Nick espérait que les vaches aimaient les Beatles parce que celles qui broutaient sur le bord de la route en avaient plein les oreilles. Il conduisait vitres baissées ; l'*Album Blanc* hurlait dans les baffles de l'autoradio. Nick se rendait à Fairmount. Visiblement, la campagne entre ici et Philadelphie n'était qu'un seul immense pâturage. Certes, il avait traversé une petite ville ou deux – des copies de Perry Hollow mais sans le charme. À part cela, il n'avait vu que des vaches, des vaches et encore des vaches. Des noires, des marrons, des blanches. Nick aurait bien aimé en apercevoir une violette, juste pour changer.

D'après la pancarte, Fairmount n'était plus qu'à huit kilomètres. Nick en doutait un peu, vu que les troupeaux de bêtes à cornes s'étendaient jusqu'à l'horizon.

Sur la stéréo, *Sexy Sadie* laissa place aux crissements rebelles de *Helter Skelter*. Nick poussa le volume tout en fléchissant la jambe droite. Il roulait depuis trois heures et son genou lui faisait un mal de chien. Et encore, cette jambe ne lui servait pas à appuyer sur les pédales.

Après que Nick se fut esquinté le genou sans espoir de guérison, il avait cru ne plus jamais pouvoir conduire. Après tout, en voiture, on utilisait essentiellement sa jambe droite. Une solution s'était bientôt présentée à lui, que les amputés connaissent depuis longtemps. Il avait fait modifier son véhicule en intervertissant les pédales. Il avait fallu s'habituer à accélérer et à freiner du pied gauche, ce qui posait un problème en cas de manœuvres urgentes. L'apprentissage lui avait pris un mois, coûté quelques bosses sur le pare-chocs et une rencontre fracassante avec la vitrine d'une supérette.

Maintenant, il conduisait comme un pro, ce qui tombait bien étant donné qu'il allait bouffer du bitume pendant les deux prochains jours. Vinnie Russo lui avait trouvé l'adresse de Sophie, la mère de Dennis Kepner, à Fairmount ; celle du camp d'ados où Dwight Halsey avait disparu ; et celle du père de Bucky Mason, Bill Sr., à Centralia. Toujours d'après Vinnie, les parents de Noah Pierce et de Frankie Pulaski étaient morts. Nick avait espéré mieux, mais trois sur cinq, c'était déjà bien.

Nick passa sans transition des verts pâturages à la ville de Fairmount. Une seconde avant, une vache lâchait sa bouse dans un champ, l'instant d'après, Nick roulait devant un fast-food. Dans la rue principale, il vit défiler la traditionnelle parade des drugstores, banques et autres instituts de beauté.

Sophie Kepner occupait la même maison qu'à l'époque du drame. Pour certains, passer quarante ans entre les mêmes murs pouvait paraître inimaginable. Nick connaissait suffisamment la Pennsylvanie rurale pour savoir que la chose n'était pas inhabituelle, ici. Les gens s'enracinaient facilement. Quand ils s'installaient dans une ville, il y avait de fortes chances pour qu'ils y restent.

Nick trouva son chemin sans grande difficulté. Tout comme Perry Hollow, la taille relativement modeste de cette bourgade facilitait les choses. Il se gara devant une série de maisons alignées, toutes semblables. Celle de Sophie Kepner, au numéro 42, se dressait au milieu de la rangée. C'était une maisonnette en briques rouges avec des rideaux de dentelle aux fenêtres et des chrysanthèmes devant le porche.

En face, Nick découvrit le parc où Denis avait été vu pour la dernière fois. Parc était un bien grand mot. C'était plutôt un jardin public avec une mare aux canards et un kiosque à repeindre de toute urgence. Une piste cyclable s'enfonçait dans un épais bosquet de conifères où une jeune femme promenait un rottweiler. Cette touche de verdure au milieu d'un quartier sinistre par ailleurs devait attirer comme un aimant les enfants qui y vivaient. Nick imagina sans peine le jeune Dennis dévaler les marches de la véranda pour aller jouer de l'autre côté de la rue.

Appuyé sur sa canne, Nick se glissa hors de sa voiture. Son regard survola le parc. La femme qui promenait son chien venait de disparaître, chose étonnante dans un espace aussi exigu. Les yeux de Nick passèrent du kiosque à la mare puis aux arbres sans l'apercevoir nulle part. Elle finit par ressurgir derrière les pins. Elle avait suivi la piste cyclable coupant à travers le petit bois. Bien qu'il ignorât si ces arbres étaient déjà là en 1969, Nick songea qu'un tel quartier, avec ses rues passantes et ses vérandas ouvertes à tout vent, constituait l'endroit idéal pour un kidnapping discret. Surtout si la victime était un enfant de dix ans.

Voyant que Nick l'observait, la femme au chien pressa le pas. Elle se dirigea vers les voitures garées devant le parc. Nick pivota sur lui-même. Un vieil homme venait d'apparaître à la fenêtre d'une maison, derrière lui. Quelques porches plus loin, une jeune mère berçait un bébé sur son genou tout en surveillant Nick du coin de l'œil. Apparemment, les gens du coin étaient du genre méfiant. Raison de plus pour conclure que le malfaiteur avait agi dans le petit bois.

Nick grimpa les marches du 42 et sonna. Le chat qui occupait le rebord de la fenêtre panoramique, à côté de la porte, balançait sa queue d'avant en arrière en fixant Nick de son regard blasé, typiquement félin.

Il perçut des bruits de pas lourds et irréguliers, accompagnés d'un martèlement. Une canne heurtant un plancher. Nick savait de quoi il retournait. Ce bruit, il l'entendait à longueur de temps.

La femme au sourire méfiant qui lui ouvrit devait avoir dans les soixante-dix ans. De petite taille mais bien charpentée, une permanente figeait ses boucles blanches clairsemées. La canne qu'elle tenait dans la main gauche n'avait rien d'un accessoire de mode. Pas de jolie poignée. Pas de bois précieux. Juste une tige de métal lui permettant de vaquer à ses occupations.

– Madame Kepner ?

– Oui.

– Sophie Kepner ?

– Mais oui.

Son visage se crispa. Rester debout devait être une souffrance pour elle.

– Puis-je vous aider ?

Nick se présenta, lui montra sa carte et lui expliqua qui il était et d'où il venait. Puis il lui demanda de bien vouloir répondre à quelques questions concernant la disparition de son fils. Quand il eut fini de débiter son discours, Madame Kepner fronça les sourcils. Elle n'avait pas compris un traître mot.

– Redites-moi qui vous êtes.

– Nick Donnelly, Madame.

– Et que venez-vous faire ici ?

Nick n'était pas du genre à considérer comme séniles tous les gens ayant dépassé soixante-cinq ans, mais la profonde confusion de Madame Kepner le fit douter de ses capacités mentales.

– J'enquête sur un petit garçon qui a disparu en 1969, dans une ville nommée Perry Hollow, dit-il. J'ai des raisons de penser que cet événement est lié à la disparition de votre fils.

Sophie Kepner poussa un soupir oppressé.

– Vous êtes combien ?

Ce fut au tour de Nick de manifester son incompréhension.

– Je crains de ne pas bien saisir.

– Vous êtes combien à chercher après Dennis, reprit-elle. Y en a déjà un ici.

Nick regarda derrière la vieille dame. Au bout du couloir, il remarqua une petite salle à manger dont les portes en verre donnaient sur un jardinet triste et propret. À gauche, un escalier branlant que Sophie avait sans doute beaucoup de mal à grimper, le soir. Au-delà, il aperçut le salon tapissé d'un papier à fleurs garni de photographies, un bout de canapé avec un napperon en dentelle étalé sur l'accoudoir. Une chaise craqua et peu après, s'encadrant sur le seuil de la pièce, se dessina la silhouette d'un homme immense et aussi baraqué qu'un gouverneur de Californie.

Il le reconnut avant même de voir son visage. Une telle charpente se repérait à un kilomètre. Elle appartenait à Tony Vasquez, l'un de ses anciens collègues. Tony ne portait plus l'uniforme d'agent de police mais un costume noir qui peinait à contenir sa musculature. Il s'avança et vint se planter à côté de madame Kepner, avec un sourire de connivence.

– Donnelly. Je me demandais si tu allais finir par arriver.

Nick avait toujours apprécié et respecté Tony. C'était un

homme courageux, déterminé, doublé d'un culturiste invétéré ayant participé à la finale de Monsieur Pennsylvanie. Le genre de colosse capable de soulever le bus sous lequel vous seriez malencontreusement coincé. Puis il y avait eu cette regrettable histoire, l'année dernière. Nick s'était fait lourder et avant même que la poussière retombe, Tony l'avait remplacé à la tête de l'équipe.

– Lieutenant Vasquez, dit Nick en le désignant par le grade qui avait été le sien jusqu'à son licenciement, qu'est-ce que tu fiches ici ?

– On nous a prévenus d'un truc.

– Est-ce que je dois lui parler, à lui aussi ? demanda Madame Kepner à Tony.

– Nous avons tous les renseignements nécessaires.

Tony lui serra la main en lui tapotant le bras.

– Merci beaucoup de m'avoir reçu.

De toute évidence, Tony avait passé pas mal de temps avec Madame Kepner. En téléphonant à Gloria, Nick ne s'était pas fait d'illusions. Son ancienne supérieure se lancerait à coup sûr sur la piste des enlèvements. Mais il n'imaginait pas qu'elle réagirait aussi vite. Cette précipitation alliée à la présence de Tony disait clairement qu'elle prenait l'affaire très au sérieux.

Sophie Kepner ferma la porte. Nick n'eut d'autre choix que suivre Tony en bas des marches. Une fois sur le trottoir, il réalisa qu'en plus d'une enquête gratinée, il allait devoir se colleter avec un autre genre de problème.

La concurrence.

12

D U THÉ GLACÉ, ÇA VOUS IRAIT ? demanda Becky en soulevant le pichet pour solliciter leur approbation. Je ne peux rien vous offrir d'autre. Vous me prenez au dépourvu.

En réalité, ce n'était pas elle mais une employée de maison qui venait d'apporter le pichet, les verres et la glace. Sous le regard inexpressif de Madame Santangelo, la femme chaussée de Keds blanches et vêtue d'un cardigan bleu délavé avait déposé le plateau d'un geste las. Par cette réflexion, Becky voulait juste leur signifier : « On ne débarque pas comme ça chez les gens. »

Mis à part son attitude et ce thé préparé au débotté, Becky paraissait détendue. C'était le genre de personne qui passait sa vie à attendre des invités. Bien conservée pour une septuagénaire, elle portait une robe en mousseline de soie jaune agrémentée d'un unique rang de perles. La robe, les perles et le maintien qui allait avec évoquaient les années 1950. Ces femmes-là n'existaient plus que dans les films en technicolor montrant des plantations et des courses de chevaux, se dit Kate.

Comme chez les héroïnes de Tennessee Williams, un charme suranné se dégageait d'elle. Ses cheveux relevés, d'un blond qui n'existe pas dans la nature, retombaient en mèches dans son dos. Sa robe, trop voyante pour une femme de son âge, découvrait légèrement ses épaules. Son sourire crispé restait cantonné autour de sa bouche, sans affecter le reste de son visage. Chirurgie plastique. À vue de nez, Madame Santangelo était une habituée du bistouri, songea Kate.

Becky aspira deux gouttes de thé en tapotant le genou d'Éric.

– Vous avez bien grandi, Monsieur le Fameux Écrivain. Et embelli. Chaque fois que j'achète l'un de vos romans, je dis au libraire que je vous ai connu quand vous étiez haut comme trois pommes.

Soit Madame Santangelo avait des trous de mémoire, soit elle racontait n'importe quoi. D'après Éric, cette femme lui avait à peine adressé la parole de toute sa vie. Toujours est-il qu'elle semblait heureuse de le voir, sans doute parce qu'elle pourrait ensuite s'en vanter auprès de ses futurs visiteurs, quand elle leur servirait du thé glacé sous la véranda.

– Mais pour l'amour du ciel, poursuivit-elle, pourquoi ces questions au sujet de votre frère, après toutes ces années ?

– Nous avons des raisons de penser que sa disparition n'était pas un fait isolé, dit Kate.

La main de Becky s'envola vers ses perles.

– D'autres accidents ? J'ignorais.

– Ce n'était pas un accident, répliqua Kate. Du moins, c'est ce que nous croyons.

– C'est terrible. Vraiment.

– Nous sommes venus vous demander si vous ou votre mari vous souvenez de ce qui s'est passé la nuit où Charlie a disparu.

En manipulant toujours ses perles, Becky esquissa une moue de surprise. Pourquoi cet interrogatoire ? semblait-elle se demander. Et pourquoi le chef de la police pense-t-elle que moi ou mon mari détenons des renseignements utiles ?

– Mon mari en a discuté avec la police voilà très très long-temps. Je ne vois pas ce que je pourrais rajouter.

Kate avait quelques suggestions à lui fournir, par exemple l'identité de la femme que Maggie Olmstead prétendait avoir vue à la fenêtre. Mais cela pouvait attendre. Elle commencerait par les questions les plus importantes.

– Le chef Campbell se contente de vérifier que l'enquête effectuée à l'époque n'a rien laissé dans l'ombre, intervint Éric. Juste pour repartir sur de bonnes bases.

Cette explication eut un effet apaisant sur Becky. Évidemment. En bonne mondaine, elle aurait fait n'importe quoi pour plaire à un écrivain célèbre, songea Kate.

– Je serais ravie de répondre à toutes vos questions, dit-elle. Mais cela fait si longtemps.

– Vous rappelez-vous ce qui s'est passé cette nuit-là ? demanda Kate.

– Mes souvenirs ne vous seraient d'aucune utilité. Je n'étais pas à la maison. J'ai appris ce qui était arrivé au pauvre Charlie quand je suis rentrée, le lendemain. C'était un si gentil gamin. Toujours fourré ici, à discuter avec Lee ou à goûter mes pâtisseries. Il raffolait de mes cookies.

– Où étiez-vous ?

Sans une seconde d'hésitation, Becky fournit à Kate la réponse déjà consignée dans le rapport de police.

– Chez ma sœur. Elle vivait à Harrisburg, en ce temps-là.

– Où était Monsieur Santangelo ?

– Ici, à la maison. Mais je ne vois pas le rapport avec Charlie.

Kate décida de changer d'approche. Déjà une lueur d'inquiétude vacillait dans les yeux de Becky. Si jamais elle s'énervait, elle risquait de se refermer et de les envoyer paître.

– Vous disiez que Charlie aimait discuter avec votre mari. Venait-il souvent ?

– Tout le temps. Il adorait écouter les histoires de Lee.

– Quel genre d'histoires ?

Alors qu'elle portait son verre de thé à ses lèvres, Becky suspendit son geste pour la gratifier d'un sourire de sa composition. Derrière le masque, Kate chercha en vain une quelconque sympathie.

– Mon mari a consacré vingt ans de sa vie à notre grand État de Pennsylvanie. Mais avant cela, il était au service de la nation américaine.

– Je connais la prestigieuse carrière de Monsieur Santangelo, l'assura Kate.

– Charlie était littéralement passionné par le travail de mon mari. Il passait des heures dans la salle d'honneur.

Kate s'éclaircit la gorge.

– La salle d'honneur ?

– Oui. Je peux vous faire visiter, si cela vous amuse.

Becky se leva, saisit la main d'Éric – geste que Kate ne manqua pas de noter – et l'entraîna dans la maison. Kate les suivit. Elle entra d'abord dans la cuisine où la bonne astiquait les meubles, puis elle passa le couloir et pénétra dans ce qu'elle prit pour un salon. On n'y voyait goutte à cause des tentures. Quand Becky les tira, la lumière matinale inonda les murs recouverts de photographies encadrées, de coupures de presse et autres pièces de collection.

Becky reprit la main d'Éric. Elle voulait lui montrer une imposante peinture à l'huile. Dans un tourbillon de couleurs, Lee Santangelo vêtu d'un uniforme s'appuyait à la carlingue d'un avion. La photo dont s'était inspiré l'artiste figurait juste à côté.

– Ce cliché a paru dans le magazine *Life*, commenta Becky. Alfred Eisenstaedt aurait pu prendre un autre aviateur, mais il a choisi Lee.

Kate s'avança pour mieux voir. La photo, il fallait l'admettre, était bien supérieure au portrait peint. Bien que potable, ce dernier rendait mal l'expression du modèle. Sur le papier glacé, Lee ressemblait à une vedette des films d'aventure de l'immédiat après-guerre, avec ses bras croisés sur la poitrine et sa casquette crânement inclinée sur l'oreille.

Il arborait la même élégance nonchalante sur la plupart des clichés retraçant sa carrière, depuis son engagement dans l'Armée de l'air jusqu'à son mandat de représentant, en passant par sa brève et peu remarquée incursion dans l'histoire de la conquête spatiale. Seuls certains détails changeaient. Avec le temps, le noir et blanc laissait place à la couleur. À l'uniforme bien repassé succédait la tenue plus décontractée en vogue à la NASA puis le costume trois pièces gris souris du parfait politicien. Ses cheveux avaient poussé, d'une photo à l'autre. Dans les années 1950, il avait la boule à zéro ; vingt ans plus tard, son abondante chevelure retombait sur le col de sa veste.

– Charlie aimait surtout l'entendre parler de son entraînement en vue du programme Apollo.

Becky leur montra une photo de Lee et de Buzz Aldrin se congratulant devant un hangar d'aviation.

– La NASA voulait l'envoyer sur la lune. Il faisait partie de leurs meilleures recrues. Mais Lee a préféré opter pour la politique. Il pensait qu'il servirait mieux ses semblables en devenant législateur.

L'histoire qui courait en ville racontait autre chose. Dans cette version, Lee avait effectivement intégré le groupe de pilotes recrutés par la NASA, mais il en avait été éjecté vite fait. Et comme il ne savait rien faire d'autre, il était entré en politique. Quel genre de dégâts une telle désillusion produisait-elle sur un homme ? se demanda Kate. Lee avait-il ressenti de la frustration, de l'amertume ? Probablement. Assez pour se défouler sur des enfants chaque fois qu'une fusée Apollo se posait sur la lune ? Peut-être.

Becky poursuivit sa visite guidée par une photo découpée dans un journal. Lee, toujours en uniforme, posait près d'une charmante créature en robe blanche, la poitrine ceinte d'un bandeau de miss.

– C'est nous, le soir de notre rencontre, expliqua-t-elle. À l'élection de Miss Pennsylvanie, en 1962. J'étais deuxième dauphine, ce qui est un honneur aussi grand que de remporter la couronne.

Kate déchiffra la légende en dessous : *Le capitaine Lee Santangelo est présenté à Rebecca Bateman, miss du Comté de Bucks*. Autour, elle avisa d'autres photos de presse. Lee prêtant serment, Becky à ses côtés, coiffée d'une petite toque, copie conforme de Jackie Kennedy. Lee à la Maison Blanche, près de Richard Nixon. Lee recevant les clés d'une ville quelconque. Lee s'adressant à un groupe d'enfants dans une école, une colonie de vacances, une église. Sur chaque cadre, une plaque indiquait la date et le lieu. École élémentaire de Perry Hollow, 1969. Église méthodiste de St Paul, 1972.

– Je vous remercie beaucoup de nous avoir montré tout cela, dit Kate, hypocrite. Ce fut très instructif.

– Vous m'en voyez ravie, lui renvoya Becky tout aussi mielleuse. Autre chose ?

– Eh bien, oui. Il faut que je parle à votre époux. J'aimerais recueillir son témoignage.

Debout au centre de la pièce dédiée à son grand homme de mari, Becky Santangelo partit d'un rire incongru – tenant du grognement – qui se répercuta sur les murs et fit vibrer les cadres.

– Je crains qu'il ne soit un peu tard.

– Il est sorti ? demanda Kate.

– Bien sûr que non.

– Alors, puis-je le voir ?

– Je préférerais que vous y renonciez.

Ce disant, elle regarda Kate de la tête aux pieds. Son uniforme, son insigne, les menottes suspendues à son ceinturon comme un bijou gothique. Puis elle renifla de mépris, comme pour signifier qu'elle la trouvait peu féminine. Kate s'en fichait. Elle aimait son uniforme, son insigne et ses menottes.

– Entendons-nous bien, reprit Kate. Je ne demande pas à voir votre mari. Je l'exige.

Becky renifla encore un coup.

– Bien. Mais vous allez être déçue.

Elle avait raison.

Dès que Becky les introduisit dans la chambre, à l'étage, une sensation de vertige s'empara de Kate. Lee Santangelo était englouti dans un fauteuil trop grand pour lui. Seule dépassait la manche d'un sweat-shirt posée sur un accoudoir. En sortait une main noueuse, criblée de taches brunes.

En dehors du fauteuil, elle ne vit que deux meubles : un lit d'hôpital équipé de barrières antichute et un écran plat où défilaient les images muettes d'un documentaire animalier montrant des dauphins folâtrant parmi des bancs de poissons argentés.

– Il réagit aux couleurs, commenta Becky. Mais le son le laisse totalement indifférent.

Kate entra d'un pas hésitant. À présent, elle voyait le visage de Lee, pâle et affreusement décharné. Sa peau fine, aussi translucide que du papier sulfurisé, adhérait aux os du crâne. Sous une touffe de cheveux ivoire, de grosses veines rouges et bleues couraient sur son front.

– Monsieur Santangelo ? Je suis le chef Campbell, de la police de Perry Hollow.

Comme Lee ne répondait pas, Kate dut contourner le fauteuil et passer devant l'écran de télévision. Lee ne broncha pas. Son regard fixait un point au-delà, perdu dans un monde auquel lui seul avait accès.

Maladie d'Alzheimer, supposa Kate. Cette saloperie était en train de dévorer vivant Lee Santangelo. Quand elle lui toucha la main, il cligna des yeux. Ses prunelles se posèrent sur elle. Il chercha en vain à comprendre qui elle était et ce qu'elle faisait là. Puis de sa bouche béante sortit un gargouillis. Il voulait articuler mais ne réussit qu'à balbutier, « Beck ».

Sa femme accourut.

– Je suis là, chéri. C'est le chef Campbell. Tu te souviens de son père, James. Il était chef de la police, lui aussi.

– Beck, répéta Lee.

Ne sachant quelle attitude adopter, Kate fit un pas en arrière. Elle comptait lui demander ce qu'il avait fait le soir du 20 juillet 1969 et, chose plus importante, avec qui. Or, étant donné les circonstances, il valait mieux renoncer. Même si Lee en avait conservé quelques souvenirs, il aurait été incapable de lui en parler.

– Il a été diagnostiqué voilà cinq ans, dit Becky. Depuis, son état n'a cessé de se dégrader. Il n'y a pas si longtemps, il avait encore des moments de lucidité. Mais c'est fini.

Lorsque Kate marmonna « Je suis navrée », Madame Santangelo réagit avec irritation.

– Bon, maintenant que vous connaissez notre petit secret, je vous demande de rester discrète.

– Cela va de soi, s'empressa de répondre Kate.

Elles quittèrent la pièce pour retrouver Éric, resté dans le couloir.

– Madame Santangelo, insista Kate. J'ai besoin de savoir ce que votre mari faisait la nuit où Charlie Olmstead a disparu.

– Je vous l'ai déjà dit, fit Becky. Il était ici.

– Seul ?

– Oui.

– Vous en êtes sûre ?

Ils descendaient l'escalier en file indienne. Becky qui fermait la marche s'immobilisa soudain.

– Qu'insinuez-vous ?

Kate mit sciemment les pieds dans le plat.

– Nous sommes quasiment certains qu'il y avait quelqu'un avec lui, cette nuit-là.

Le menton levé un peu plus haut que d'habitude, Becky descendit les dernières marches puis, d'un pas majestueux, alla leur ouvrir la porte.

– Je suis désolée, mais je n'ai pas envie de poursuivre cette conversation.

Éric tenta une autre approche.

– Je sais que c'est un sujet délicat. Mais il faut absolument que nous sachions qui était avec lui. Cette personne a peut-être vu quelque chose. Son témoignage nous aiderait à mieux comprendre ce qui est arrivé à mon frère.

– Lee était seul, répéta Becky.

Plantée sur le pas de la porte, elle faisait l'impossible pour les flanquer dehors.

– Je l'ai dit, je le redis et je continuerai à le dire jusqu'à mon dernier souffle.

– Je comprends que vous souhaitiez préserver la réputation de votre mari, intervint Kate. Nous n'avons pas l'intention de la ternir. Nous voulons juste parler à la femme qu'il fréquentait.

La femme qu'il fréquentait. Kate n'avait jamais eu l'intention de dire tout haut ce qu'elle pensait tout bas. Une fois lâchée, la phrase resta suspendue dans l'air comme la fumée d'un cigare.

– Comment osez-vous ? cracha Becky, verte de rage. Vous débarquez chez moi, vous violez mon intimité. Puis vous avez le culot d'accuser mon mari, un homme qui a servi son pays de maintes manières, d'une chose aussi indigne que l'adultère.

– Ma mère disait avoir vu quelqu'un à l'étage, insista Éric. Une femme.

– Je sais ce qu'a dit votre mère. Elle répétait à tout le monde que mon mari s'envoyait en l'air dès que j'avais le dos tourné. Mais je l'ai laissée parler, même quand elle est allée voir la police. Pourtant, Dieu sait que j'aurais pu en raconter des tonnes sur son compte. Tous les voisins savaient qu'elle était folle.

– Ne parlez pas de ma mère comme ça, l'avertit Éric.

– C'est pourtant la vérité. Votre père faisait comme si de rien n'était, mais nous les entendions, Lee et moi. Ils criaient, ils se battaient. Pas étonnant que votre frère soit fourré tout le temps chez nous. Il ne supportait pas d'être dans la même pièce que votre mère.

Bien que prononcées sous le coup de la colère, ces paroles avaient un accent de sincérité. Kate se rappela le commentaire de l'adjoint Owen Peale. Ken et Maggie Olmstead lui avaient

paru énervés, distants ; ils s'accusaient l'un l'autre de la disparition de Charlie. Elle repensa à ce mot mystérieux qui semblait
résumer les causes de leur animosité : *baignoire*.

Mal à l'aise, Éric se tourna pour sortir. Becky l'en empêcha.

– Je n'ai pas fini. Vous voulez savoir ce qui l'a rendue
comme ça ?

– Non, fit Éric d'un ton cinglant.

Il en fallait davantage pour arrêter Madame Santangelo.

– C'est vous, grinça-t-elle en lui collant un doigt sur la poitrine. Jusqu'à votre naissance, tout allait bien. Après, quelque
chose s'est brisé en elle.

Éric lui attrapa la main et la broya dans la sienne. Becky sursauta en poussant un petit cri de surprise. Kate crut qu'il allait
lui briser les os. Il était assez fort pour cela, et assez furieux aussi.

– Ce que vous dites sur ma famille m'importe peu. Une seule
chose compte à mes yeux. Vous nous cachez la vérité, Madame
Santangelo. Mais je continuerai à la chercher jusqu'à ce qu'elle
éclate au grand jour.

Il la libéra, traversa la véranda puis la pelouse. Une fois dans
la rue, il continua résolument en direction du centre-ville. Kate
voulut le suivre. Elle sentait que c'était son devoir. Mais à le voir
cavaler ainsi, elle comprit qu'Éric avait besoin d'être seul.

Finalement, cette visite n'avait servi à rien. Kate ravala ses
autres questions. C'était amplement suffisant pour aujourd'hui.
Jugeant qu'il était temps de prendre congé, elle se glissa devant
Becky Santangelo qui – pour la première fois de la matinée – ne
trouva rien à dire.

13

ÉRIC AVAIT DU MAL À RESPIRER quand il pénétra dans le cimetière d'Oak Knoll. La colère lui provoquait de terribles spasmes à la poitrine. Suffoquant presque, il continuait pourtant d'avancer entre les tombes alignées.

Il s'arrêta devant celle de sa mère. Plié en deux, il inspira profondément à plusieurs reprises. L'afflux d'oxygène eut un effet bénéfique. Au bout de quelques secondes d'exercices respiratoires, il retrouva son calme et put se redresser.

– Quelle salope, marmonna-t-il.

Contrairement à Kate, il avait compris dès le départ que cette visite serait inutile. Après tout, la longue inimitié ayant opposé sa mère et les Santangelo devait bien avoir une cause. Mais il n'en avait pas mesuré la gravité avant que Becky lui débite sa tirade haineuse.

– Une salope et une menteuse.

Éric avait beau l'agonir d'injures, il savait au fond de lui que Becky Santangelo n'était pas l'unique objet de sa colère. Après tout, cette femme ne faisait que poser le doigt sur un point douloureux.

Cette révélation lui était venue au moment où elle avait pointé sur lui un index accusateur. Cette légère poussée exercée sur sa poitrine lui avait ouvert les yeux. Becky avait raison. Sa mère était devenue folle – de douleur, de solitude, de remords. Cette découverte ne faisait que raviver sa colère. Une colère tournée contre lui-même. Éric s'en voulait terriblement et pour des tas de raisons. Il avait sciemment négligé le comportement maladif de sa mère. Il avait pris cela pour de l'excentricité. Et, pire que tout, il l'avait abandonnée, la laissant s'enfoncer dans un désespoir sur lequel elle n'avait plus aucune prise.

Le rouge de la honte lui montait au visage quand il évoquait la nuit de sa fuite. Il avait préparé son coup pendant des mois. Comme sa mère n'avait pas les moyens de l'inscrire ailleurs qu'à l'université de Pennsylvanie, il avait fait sa demande d'admission à celle de New York sans le lui dire. Toujours dans le plus grand secret, il avait accompli toutes les démarches administratives, passant des coups de fil depuis des cabines téléphoniques pour solliciter des aides financières, interceptant les courriers dans la boîte aux lettres. L'ami du cousin d'un ami lui avait même décroché un job d'été à la bibliothèque publique de New York. Jusqu'à cette chambre qu'il avait louée sans l'avoir vue et qu'il comptait occuper avant de trouver de quoi se loger dans un foyer d'étudiants, à l'automne.

Il avait prévu de partir dans la nuit suivant sa remise de diplôme. Il ferait du stop jusqu'à la gare routière de Mercerville où il sauterait dans un Greyhound, direction Manhattan. Ensuite, il passerait l'été à bosser dans la plus grande discrétion, loin de Perry Hollow. Il voulait repartir de zéro dans un autre endroit, il voulait qu'on le connaisse comme Éric Olmstead et pas seulement comme le pauvre gosse dont le frère était tombé dans les chutes, dix-huit ans auparavant.

Tout cela était vrai, mais s'il voulait tant disparaître, c'était surtout pour fuir sa mère. Il ne supportait plus de vivre avec elle, sous le même toit, englué dans ce silence étouffant.

Chaque fois qu'il repensait à son enfance, c'est-à-dire rarement, Éric retrouvait cette chape de silence qui avait tout recouvert : les repas, les anniversaires, jusqu'aux matins de Noël où le seul bruit audible était celui du papier cadeau qu'on déchire lentement pour faire durer le plaisir. Il rêvait de vivre dans le bruit perpétuel. Il voulait entendre hurler des sirènes de police, des klaxons et des ivrognes au coin des rues.

Un événement imprévu avait pourtant failli lui faire changer d'avis. Une jolie jeune fille nommée Kate Campbell fréquentait la même école que lui. Une adolescente toute simple mais dont il appréciait le tempérament solide et fiable. Bien qu'elle ne fût qu'en seconde, Kate avait déjà fait le tour des petits clans et des ragots de cour de récréation. Elle l'impressionnait. C'était le genre de fille qui s'intéressait aux autres, fussent-ils des réprouvés, sans craindre personne. Ni les professeurs. Ni le proviseur. Ni l'élève de terminale aux lunettes d'intello qui dévorait Raymond Chandler à l'époque où il était de bon ton de mépriser ces romans soi-disant ringards.

Quand ils se rencontrèrent pour de bon, ce fut un vrai choc. D'abord intrigué puis intéressé par elle, Éric se mit soudain à l'aimer. Dans la foulée, il réforma ses projets d'avenir et, après deux mois de rendez-vous assidus, il commença à se demander s'il avait raison de vouloir passer l'été dans une ville inconnue, au milieu de personnes étrangères. Au bout de trois mois, l'université de Pennsylvanie ne lui semblait plus aussi nulle. Tout compte fait, l'enseignement y était très correct. En plus, elle était proche de chez lui, et donc de Kate.

Vingt-quatre heures avant sa remise de diplôme, il était rentré à la maison après un rendez-vous avec Kate. Ils étaient allés voir *La Folle Journée de Ferris Bueller* et avaient passé un long moment très agréable dans sa voiture, devant le cinéma.

Un trop long moment, comprit-il ensuite.

Sa mère ne dormait pas. Elle l'attendait sur le canapé, près de la table basse jonchée d'enveloppes décachetées. Sa correspondance avec l'université de New York. Maggie avait découvert le pot aux roses. Avec des cris et des pleurs, elle l'accusa de vouloir l'abandonner, comme son père. Éric la rassura. Mais non, il avait changé d'avis. Il l'avait prise dans ses bras, jurant qu'il n'irait nulle part, qu'il resterait auprès d'elle.

Il mentait.

Pendant que sa mère accrochée à lui inondait son T-shirt de larmes, Éric ne pensait qu'à s'enfuir ventre à terre. Sinon, il passerait le restant de ses jours collé à elle, comme le petit garçon qu'elle refusait de voir grandir. Et le fantôme de Charlie continuerait à remplir les espaces mutiques de cette maison, telle une entité invisible dont l'évocation constituait un tabou.

Le lendemain, à la cérémonie, Éric fit de la figuration, trop occupé à récapituler dans sa tête les diverses étapes de sa fuite nocturne. Il se fendit d'un sourire en recevant son diplôme, posa pour les photos, serra sa mère sur son cœur, l'embrassa sur la joue et lui promit de bien se tenir lors de la fête qui suivrait.

Pendant ladite fête, Éric réalisa que pour échapper à l'emprise de sa mère, il devrait également renoncer à Kate, tout en sachant qu'il lui briserait le cœur. Il en souffrait, mais il donna le change toute la soirée. Il dansa. Il but. Il s'assit sur un rocher au bord du lac, près de la fille qui dans quelques heures le haïrait. Il lui déclara même sa flamme mais sans écouter la réponse. Il ignorait si elle partageait ses sentiments, mais il avait besoin d'exprimer les siens, ne serait-ce que pour offrir à Kate un dernier souvenir heureux avant la douche froide du lendemain.

Plus tard dans la nuit, il mit son plan en pratique. Il atterrit à New York, termina ses études puis décida de s'installer définitivement dans la Grosse Pomme. Son premier roman, il le griffonna sur des blocs-notes de récupe dans un café situé au bas de son premier studio. Il se maria, divorça, écrivit encore d'autres livres. Son nom figura sur la liste des best-sellers. Il se bâtit une petite fortune et une grande célébrité.

Le temps passant, il rétablit des relations à peu près normales avec sa mère. Il avait fallu des années pour y arriver, mais cela valait le coup. Elle lui pardonna. Il lui pardonna. Et quand elle eut besoin de lui, dans les dernières semaines de sa vie, il répondit présent.

Et voilà qu'elle était morte, lui laissant cette dernière volonté. Éric savait qu'il ne se défilerait pas, cette fois-ci. En plus, Kate était là pour l'aider. Éric dépassa la tombe de sa mère et s'arrêta sur le carré voisin où il s'agenouilla devant la dalle dont Kate lui avait parlé. Il posa sa main à plat sur le sol. Il y avait quelque chose là-dessous. Le contraire eût été impossible.

Tout en caressant l'herbe d'une main absente, Éric se mit à penser à son voisin Glenn Stewart. Il n'avait pas parlé à Kate de la scène insolite à laquelle il avait assisté, la nuit d'avant. Il ne voulait pas énoncer des scénarios paranoïaques devant un flic dubitatif, comme avait fait sa mère. En plus, depuis que Kate l'avait surpris dans le plus simple appareil, l'incident lui était sorti de l'esprit. Jusqu'à cet instant où il comprenait que son voisin n'avait aucune raison valable de sortir sous un déluge pareil, une pelle à la main. C'était d'autant plus étrange que Monsieur Stewart méritait bien sa réputation d'ermite.

Éric ne voyait qu'une seule explication à cet étrange comportement. Des circonstances échappant à son contrôle l'avaient contraint à sortir. Lorsque Kate et Nick l'avaient accompagné jusqu'aux chutes, hier, Glenn Stewart les avaient sûrement surveillés derrière ses rideaux. Il avait même dû les entendre parler de Charlie, de sa disparition, de toutes les informations glanées à l'époque.

Bien qu'il se fût enrichi en échafaudant des complots littéraires, Éric n'était pas d'un caractère soupçonneux. En général, il ne mettait pas en doute la parole des gens, contrairement à Mitch Gracey dont la devise « Ne crois jamais ce qu'on te raconte », énoncée dès sa première aventure, avait fini par devenir le fil conducteur de la série, si bien qu'en changer eût déçu ses admirateurs.

Pourtant, quand il songeait à ses voisins, Éric se disait que Gracey n'avait pas tort. De toute évidence, Becky Santangelo ne leur avait pas dit toute la vérité. Elle la dissimulait avec autant d'opiniâtreté que ses cheveux gris et ses pattes d'oie. Monsieur Stewart lui aussi avait quelque chose à cacher. Un objet bien tangible, de toute évidence. Une preuve, peut-être. Une chose qu'il aurait conservée pendant toutes ces années, pour une raison inconnue, et dont il devait se débarrasser à présent qu'il savait l'enquête rouverte.

Éric se leva et posa la main sur la stèle de sa mère. Comme l'avait fait Glenn Stewart la nuit précédente, il pencha la tête pour se recueillir. Puis il fit vœu de découvrir les vilains petits secrets de ses voisins.

14

Tony Vasquez marchait bien trop vite. Nick arrivait à peine à se maintenir à sa hauteur alors qu'ils parcouraient le jardin public, en face de chez les Kepner. Il serrait tant sa canne que ses articulations devenaient blanches mais, en dépit de tous ses efforts, il devait faire deux pas quand Tony en faisait un.

– Tu ne pourrais pas ralentir un peu ?

Tony fit mieux que de ralentir. Il s'arrêta pile.

– Il y a un an, c'était moi qui devais cavaler pour te suivre.

– Il y a un an, j'avais mes deux genoux.

Le lieutenant Vasquez – Nick trouvait encore bizarre de lui donner ce grade – se remit en route mais plus lentement, ce dont Nick lui fut reconnaissant. Il avait de la chance d'être tombé sur lui. Il sentait Tony prêt à partager ses renseignements, au risque d'enfreindre les règles édictées par Gloria Ambrose.

– Désolé de te faire courir, mais le temps manque, dit-il.

– Pourquoi ?

– Tu as vu les informations. Tu sais ce qui va se passer demain. Gloria redoute que le ravisseur ne récidive.

– Et toi ?

– Je pense que deux précautions valent mieux qu'une. Voilà la raison de ma présence.

– Qu'est-ce que Sophie Kepner t'a raconté ?

– Madame Kepner – une femme charmante, au demeurant, et fort utile – était chez elle le jour où Dennis a disparu. C'était la mi-novembre, il faisait froid mais beau. En rentrant de l'école, Dennis a dit qu'il voulait s'amuser dehors avec ses copains. Sophie Kepner n'était pas d'accord. Il avait des devoirs à faire et savait pertinemment qu'il n'irait pas jouer avant. Dennis lui a répondu qu'il n'avait pas de devoirs, ce qui se révéla être un mensonge.

Selon Tony, ce mensonge lui avait coûté la vie. Sa mère s'étant laissé fléchir, Dennis avait couru rejoindre ses amis. Depuis la fenêtre du salon, Sophie Kepner l'avait regardé traverser la route et entrer dans le jardin public.

— C'est la dernière fois qu'elle l'a vu, conclut Tony.

Ils venaient d'atteindre le kiosque et continuaient en direction de la mare quand Nick se retourna vers la rue pour se faire une idée de ce qu'on voyait depuis le parc. Il aperçut sa voiture garée le long du trottoir et la maison Kepner. Quelques numéros plus loin, toujours assise sur son perron, la femme au bébé regardait défiler les minutes séparant le matin de l'après-midi.

— Vers quelle heure ça s'est passé ?

— Quinze heures trente, répondit Tony. À peu après.

— Est-ce que quelqu'un a revu Dennis ensuite ?

— Le rapport de police était assez complet. Ils ont interrogé tous les voisins. Seule sa mère a vu Dennis entrer dans le parc. Personne ne l'a vu ressortir.

Tony avait déjà pris connaissance du rapport de police sur Dennis Kepner. Bien entendu. Le nouveau lieutenant possédait probablement des copies de tous les documents concernant les six affaires. Nick devait rattraper son retard.

— Qu'y a-t-il d'autre dans ce rapport ?

— Il y est dit qu'en 1990, une certaine Maggie Olmstead de Perry Hollow a contacté la police de Fairmount en prétendant que l'affaire Dennis Kepner était liée à celle de son fils.

Au moins, on tenait la confirmation que Maggie avait confié ses soupçons à la police. Hélas, son intervention était restée lettre morte.

— Je suppose qu'ils ne l'ont pas crue, dit Nick.

— Pas vraiment. Ils ont bien cherché un petit peu. Ils ont appelé le commissariat de Perry Hollow pour discuter avec le chef.

— Le père de Kate ?

Tony fit non de la tête.

— Il venait de mourir. Il n'y avait plus de responsable, à l'époque. Ce qui explique en partie pourquoi tout est parti en quenouille. Le commissariat de Perry Hollow était totalement désorganisé. Les flics de Fairmount ont juste appris que l'affaire Charlie Olmstead avait été classée comme accident. En revanche, pour eux, le fils Kepner avait fait l'objet d'un enlèvement.

Ce qui était une nouveauté puisque toutes les autres disparitions avaient été considérées comme des faits du hasard, se dit Nick. Cascades, forêts hostiles, mines abandonnées avaient soi-disant englouti ces gosses. Les conclusions des flics de Fairmount venaient conforter sa propre théorie. On les avait tous enlevés.

— Qu'est-ce qui leur a fait penser cela ?

— Ils ont fouillé chaque centimètre carré de ce parc sans rien trouver. Tony leva les bras pour englober l'espace autour de lui.

— Et franchement, ça n'a pas été bien difficile. Ils ont aussi envoyé des chiens policiers qui ont tout de suite perdu la trace du garçon.

Nick regarda l'étang, sur sa gauche. Il n'était pas plus grand qu'une piscine d'hôtel et sans doute guère profond. Mais il devait en avoir le cœur net.

— Ont-ils dragué la mare ? demanda-t-il.

— Si tu veux dire qu'ils ont enfilé des cuissardes pour patauger dedans, alors je te réponds oui, ils ont dragué la mare.

— Quelqu'un a-t-il pensé qu'il s'agissait peut-être d'une fugue ? reprit Nick.

— J'ai posé la question à Sophie Kepner. Elle m'a dit que Dennis était un petit garçon parfaitement heureux de vivre. Il avait des amis. Il travaillait bien à l'école. Ses parents ne se disputaient jamais.

— Donc il n'avait aucune raison de fuir son foyer ?

— Aucune, confirma Tony. En plus, ce gamin-là n'avait que dix ans, or tu sais comme moi que la plupart des fugueurs sont des ados. Et ils ne partent pas les mains vides. Ils emportent des fringues, de l'argent, des affaires auxquelles ils tiennent. Selon Madame Kepner, à part les vêtements que Dennis portait ce jour-là, il ne manquait qu'une chose dans sa chambre : une fusée miniature.

– Une fusée ?

– Le rapport de police décrit une petite fusée en fer, peinte en blanc, d'environ huit centimètres de haut. Dennis avait gravé son nom dessus, avec le canif de son père. L'un de ses professeurs a dit à la police que Dennis l'avait apportée en classe, ce jour-là, puisque la fusée *Apollo 12* devait alunir. Dennis l'avait encore pendant qu'il regardait l'émission en direct de la lune dans l'auditorium de l'école. D'habitude, elle était posée sur sa table de nuit. Voilà pourquoi Madame Kepner a remarqué son absence, un peu plus tard.

– D'après elle, qu'est devenu ce jouet ?

– Elle s'est dit que Dennis l'avait emporté avec lui dans le parc. Et qu'il avait disparu, comme son fils.

Cette réponse suscita de la part de Nick une question n'ayant pas de lien direct avec l'affaire Dennis Kepner.

– Il y a une chose que je ne comprends pas bien. Pourquoi tu me racontes tout cela ?

De nouveau, Tony fit une pause et regarda Nick en s'attardant sur la canne dont il avait très certainement participé à l'achat.

– Parce que j'estime que tu as subi une injustice, Nick. Tout le monde partage mon avis sur ce point. Et aussi parce que tu es le meilleur enquêteur que je connaisse. Par conséquent, ton aide sera la bienvenue.

– Est-ce que cela signifie que je retravaille pour la police d'État ?

– Officieusement oui, répondit Tony. Officiellement non. Gloria me tuerait, même si tu as bien agi en nous informant de cette affaire. Considère ça comme un renvoi d'ascenseur.

Nick songea un instant à lui préciser que l'idée d'appeler Gloria Ambrose lui avait été vigoureusement suggérée par Kate, mais il n'en fit rien. Ce n'était pas le moment de décevoir sa principale source d'informations.

– Dis-moi, à quel moment la police a-t-elle abandonné l'affaire Kepner ? demanda-t-il.

– Ils ne l'ont jamais vraiment abandonnée. Tu sais comment ça marche.

Oui, Tony le savait. Les flics se creusaient la tête pendant des jours. Puis les jours devenaient des semaines, des mois. Ils se promettaient de ne pas lâcher l'enquête, ils promettaient la même chose aux familles. Mais le temps passait et puis… d'autres crimes requéraient leur attention. D'autres meurtres étaient commis. Les années s'accumulaient et le mystère demeurait entier.

– Quelle est ta prochaine étape ? s'enquit Nick.

– Je compte pousser jusqu'au parc national de Lasher Mill. C'est à quinze minutes d'ici.

– Je sais, je prévoyais d'y aller, moi aussi.

Le parc où Noah Pierce avait disparu plus de quatorze mois après Dennis Kepner l'intriguait au plus haut point. Noah avait disparu au mois de février et, d'après le journal, il neigeait à Fairmount et dans ses environs. Le garçon originaire de Floride voulait jouer dans la neige, mais pourquoi aller si loin ?

– Qu'est-ce qu'il a de si extraordinaire, ce parc national ? Je veux dire, il faisait sans doute trop froid pour se promener.

– Pour se promener oui, mais pas pour faire de la luge, répliqua Tony.

Nick n'eut pas besoin de lui demander d'où il tenait cette info. Tony l'avait bien sûr trouvée dans le rapport de police sur l'enfant Pierce.

Ils venaient d'arriver aux abords du petit bois. Le sentier s'enfonçait entre les sapins dont les branches entrelacées formaient une sorte de tunnel. Impression renforcée par le fait que le chemin, au lieu de continuer tout droit, s'incurvait légèrement sur la gauche, de telle manière qu'on aurait vainement cherché à en apercevoir la sortie.

Nick et Tony passèrent sous les frondaisons. Les plus basses branches leur frottaient les jambes. Nick les écarta du bout de sa canne.

– Le dossier sur Dennis Kepner mentionne-t-il ces arbres ?

– Ouais, répondit Tony. Il relate que deux officiers ont dû se mettre à quatre pattes pour fouiller le tapis d'aiguilles de pin.

– Donc ces aiguilles étaient déjà là en 1969 ?

– À moins qu'on ne les ait enlevées depuis, je pense que oui. Pourquoi ?

Nick lui rapporta l'épisode de la femme au rottweiler.

– Elle marchait sur ce sentier quand je l'ai perdue de vue.

Depuis la maison des Kepner, on ne voit quasiment pas cette partie du jardin public.

– Je me demande comment c'est de l'autre côté, lança Tony.

Il coupa à travers les buissons sur la droite. Le sol grimpait, à cet endroit, dominant le sentier d'un bon mètre. Nick décida de le suivre tout en sachant qu'il risquait de se prendre une branche dans la figure.

Il avait tort. Il s'en prit deux.

La deuxième le surprit au moment où Tony arrivait au bout du sentier. Ayant de la résine dans les yeux, Nick continua à l'aveuglette.

– Nick ! Attention !

Le cri de Tony venait de quelque part derrière lui tandis que, sur sa gauche, le hurlement d'un klaxon le prévenait lui aussi d'un danger imminent. Nick tourna la tête et vit un fourgon UPS à trois mètres de lui. Puis il sentit qu'on l'attrapait par le col. L'intervention de Tony venait de lui éviter le pire.

C'est alors qu'il comprit le problème. Le petit bois débouchait directement sur la route. Pas de trottoir, pas de bas-côté planté d'herbes. Rien que la chaussée et les maisons en face.

– Eh mec, qu'est-ce qui te prend ? tonna le chauffeur de la camionnette en descendant de son véhicule. Tu aurais pu te faire tuer.

D'un geste, Nick lui montra que tout allait bien.

– Je suis désolé. C'est de ma faute.

Nick leva les yeux vers le fourgon qui l'empêchait d'apercevoir les maisons alignées de l'autre côté. Il supposa que leurs occupants, pareillement, ne voyaient plus cette partie du bois. Nick ne les voyaient pas et ils ne le voyaient pas. Si jamais il montait dans cette camionnette à l'instant même, personne ne le remarquerait.

– Dis donc, Tony, fit-il. Je crois savoir comment Dennis Kepner a disparu.

15

Lorsque Kate se présenta devant la porte de Glenn Stewart, elle ne s'attendait pas à ce qu'on lui ouvre. Ce qui lui évita d'être déçue. Si cette maison avait appartenu à quelqu'un d'autre, elle en aurait conclu qu'il n'y avait personne, mais comme c'était le repaire de l'ermite municipal, elle décida que Glenn était chez lui.

Elle eut beau tambouriner en criant, « Monsieur Stewart ? C'est la police. J'ai besoin de vous parler », elle n'obtint aucune réponse.

Comme la veille, Kate ressentit soudain une étrange impression de hantise. Une impasse a toujours l'air un peu lugubre, mais ici, cette sensation était presque palpable. Pour la énième fois, elle se demanda si la présence de Glenn Stewart y était pour quelque chose ou si c'était le contraire. Peut-être cet environnement sinistre avait-il nui à son équilibre psychologique.

Par acquit de conscience, elle frappa encore une fois puis descendit les marches du porche. Avant de regagner la rue, elle tendit le cou pour visualiser la baraque en son entier. Par sa démesure et son état d'abandon, elle lui rappelait celle de la famille Adams, en moins rigolote. Elle aurait bien vu une guillotine dans le jardin, un chaudron d'huile bouillante sur le toit, pour repousser les importuns. Monsieur Stewart, lui, se contentait de tout laisser pourrir.

Les mauvaises herbes lui arrivaient aux genoux. Quand elle les traversa, la faune qui habitait les lieux s'alarma. Un lapin détala pour aller s'abriter sous le porche. Des sauterelles bondirent des feuilles et se cachèrent un peu plus loin. Une couleuvre suralimentée, et pour cause, ondula jusqu'au bois qui bordait l'arrière-cour.

Elle contourna la maison. Derrière, l'herbe était plus basse et la vie animale moins flagrante. Kate fut surprise d'entendre rugir les chutes de Sunset. À travers les arbres, elle vit luire la rivière cascadant le long de la pente qui menait au gouffre.

Il n'y avait pas grand-chose d'intéressant ici – un tas de bois, un fil à linge, quelques plantations prouvaient que Glenn Stewart sortait de chez lui de temps en temps. Apparemment, il conduisait. La camionnette Volkswagen rouillée garée sous l'auvent avait connu des jours meilleurs. Kate ignorait si elle était en état de rouler – elle en doutait, d'après son aspect –, mais il n'en avait pas toujours été ainsi.

Quand elle leva les yeux, la terrasse perchée au milieu du toit lui fit l'effet d'un vieux chapeau. Elle dépassait la cime des arbres. De là-haut, on devait avoir une vue imprenable sur les chutes et le pont en amont. Cette nuit-là, Glenn aurait très bien pu voir Charlie Olmstead pédaler jusqu'à la rivière sans se douter de ce qui l'attendait.

Il avait raconté à la police qu'il dormait, alibi que personne ne pouvait confirmer ni infirmer. Il avait peut-être menti. Il était peut-être debout sur cette terrasse, occupé à regarder son petit voisin rouler vers le pont. Ensuite il avait pu descendre de son perchoir, se précipiter à travers bois et fondre sans bruit sur sa proie.

Qu'cst-ce que vous faites ici ?

La voix qui brisa soudain le silence du jardin la fit sursauter.

– Monsieur Stewart ? C'est vous ?

– Je vous ai posé une question.

Le ton n'avait rien de courroucé. L'homme lui parlait d'une voix dépourvue d'émotions, comme s'il était las de l'avoir attendue. Kate mit sa main en visière pour tenter de repérer son interlocuteur. Sur la façade, elle compta trois rangées de fenêtres superposées. Fermées pour la plupart. Au premier étage, elle en vit une ouverte, mais le store était tiré.

– Je suis le chef Campbell de la police de Perry Hollow.

– Je sais, répondit-il. Et vous n'avez toujours pas répondu à ma question.

– Je suis venue vous parler de Charlie Olmstead.

Le store – jaune et friable comme du parchemin – qui bouchait la fenêtre se leva lentement. Monsieur Stewart se tenait derrière, en ombre chinoise. À force de plisser les yeux, Kate discerna la forme d'un animal pelotonné entre ses bras. Plus long qu'un chat, sa fourrure brune et soyeuse était tachetée de blanc. Ses petites pattes griffues s'agitaient et quand l'animal pointa son museau à la fenêtre, Kate vit un bandeau noir comme un masque sur ses yeux.

Glenn Stewart possédait un furet.

– Jolie bête, lança Kate.

La silhouette à la fenêtre remua imperceptiblement. Glenn hochait la tête.

– Merci.

– Et si j'entrais pour mieux la voir ?

– Et si vous restiez où vous êtes ?

– Ce serait plus commode pour parler, non ?

– Mais nous parlons déjà, répondit Glenn. Dans un sens.

Kate soupira.

– Vous connaissiez bien les Olmstead ?

– Non. Comme vous voyez, je ne suis pas du genre sociable.

– Pourquoi cela ? Il y avait bien une raison à cet enfermement. Kate penchait pour l'agoraphobie ou bien une maladie mentale, tout simplement.

– Par choix personnel.

– Vous ne sortez jamais ?

– Si, répondit Glenn. Mais pas dans la journée. Je n'aime pas particulièrement le soleil.

– Comment faites-vous vos courses ?

– On me livre chaque mardi. Vous n'avez qu'à interroger le patron du supermarché.

– Quand êtes-vous sorti de chez vous la dernière fois ?

– Chef Campbell, tout cela ne concerne guère Charles Olmstead.

– Très bien, fit Kate. En 1969, vous avez dit à mon père que vous étiez endormi au moment des faits. Est-ce vrai ?

– Si j'ai dit cela à la police, alors c'est sûrement vrai.

– Avez-vous vu ou entendu quelque chose de bizarre, cette nuit-là ?

– Dans ce cas, j'en aurais parlé à votre père.

Kate avait vraiment l'impression qu'il faisait exprès d'être désagréable. Il devait se dire qu'elle perdrait patience et s'en irait. Ce que Glenn Stewart ignorait, c'était que Kate, en tant que mère d'un garçon de onze ans ayant des besoins spéciaux, était capable de supporter sans broncher des comportements qui auraient fait craquer n'importe quel autre parent. Elle était la patience incarnée.

– Pourquoi ne regardiez-vous pas l'alunissage à la télé, comme tout le monde ?

– J'aurais dû ?

– C'était un événement historique, non ? dit Kate.

– Stupide, oui, répliqua Glenn. L'homme n'est pas fait pour aller sur la lune. Et pas plus aujourd'hui qu'hier.

– Pourquoi cela ?

– Parce que ce n'est pas la volonté de Dieu. De toutes les créatures de la terre, les humains sont les seuls à penser qu'ils valent mieux que la nature, qu'ils peuvent la surpasser. Bien sûr, ils ont tort. Toute tentative pour prouver le contraire est une violation de la création divine.

– Une violation ?

– Bien sûr, répliqua Glenn. Certaines choses doivent demeurer intactes. Si Dieu avait eu l'intention de nous faire marcher sur la lune, il nous en aurait donné la capacité.

– Mais il nous l'a donnée, cette capacité, rétorqua-t-elle. À travers la science, le savoir, la pensée.

– Je crois que nous ne parlons pas du même Dieu. Mais peu importe. Assez discuté. Bien le bonjour.

Le store se mit à descendre, cachant peu à peu les silhouettes de Monsieur Stewart et du furet. Juste avant qu'il ne se ferme complètement, Kate s'écria :

– J'ai encore une question.

La voix de Glenn Stewart passa par les quinze centimètres de vide qui restaient entre le store et le rebord de la fenêtre.

– Oui ?

– Que vous est-il arrivé au Vietnam ?

– Une illumination, dit Glenn. Une illumination glorieuse.

Puis il disparut tout à fait, laissant Kate seule avec elle-même, au milieu du jardin. D'un pas résigné, elle fit demi-tour, sortit de la propriété et se retrouva devant l'ancienne maison des Clark. Le panneau à vendre oscillait dans la brise. Le visage de Ginger Schultz, le seul et unique agent immobilier de Perry Hollow, bougeait avec lui. Du coup, ses joues poupines et sa drôle de permanente paraissaient floues.

Kate traversa la rue. Ayant renfoncé le piquet dans la terre, elle sortit son téléphone portable et composa le numéro indiqué au bas de la pancarte. Ginger en personne décrocha en débitant une phrase toute faite, sur un ton frondeur.

– Agence Schultz. Je connais la maison de vos rêves.

Kate la connaissait aussi puisque c'était la sienne. Ce qui ne l'empêcha pas de faire croire le contraire à son ancienne camarade de classe.

– Ginger ? C'est Kate Campbell. J'ai vu une maison à vendre en ville. Je pourrais y jeter un œil ?

Certaines personnes sont nées pour devenir agents immobiliers. C'était le cas de Ginger Schultz. Cette petite femme dodue autant qu'avenante s'exprimait avec un enthousiasme superlatif. Tout avait don de l'émerveiller, depuis l'uniforme de Kate jusqu'au buisson d'azalées planté devant l'ancienne villa de Stan et Ruth Clark.

– C'est magnifique au début de l'été, gloussa-t-elle en déverrouillant la porte d'entrée. Absolument sublime.

Ginger ouvrit et s'effaça pour laisser entrer Kate. Cette dernière regarda longuement autour d'elle. La maison était vide. On avait enlevé les meubles, les tapis, les couleurs même. Les pas résonnaient sur le plancher, rebondissaient au plafond et venaient mourir contre les murs trop blancs.

– Cet espace est génial. On peut y faire des tas de choses, s'écria Ginger en entrant dans un salon aussi net qu'une cellule de moine. Il est totalement adaptable. Je suppose que c'est ce que tu recherches. L'adaptabilité. Au fait, tu ne m'as pas dit pourquoi cette maison t'intéresse.

Kate ne le savait pas elle-même. Elle doutait que les Clark aient trempé dans l'enlèvement de Charlie Olmstead ou des autres garçons. Même si c'était le cas, cette maison ne recélait certainement aucun indice utile. Elle voulait surtout vérifier la vue qu'on avait depuis les fenêtres. Les Clark auraient-ils pu espionner depuis chez eux la résidence Santangelo ou la maison de Glenn Stewart ?

– J'avoue que nous aimerions changer de décor, James et moi, mentit-elle. Quelque chose de plus vaste nous plairait bien.

– C'est très très vaste. Je crois que vous adoreriez vivre ici.

Dans la cuisine, Kate inspecta rapidement les placards et le dessous de l'évier. Puis elle monta au premier, négligea la salle de bains pour passer directement dans les chambres. Les deux fenêtres de la plus grande donnaient sur la rue et les voisins d'en face. Par celle de droite, on voyait la maison des Olmstead. Kate s'y posta pour vérifier si Éric était rentré. Rien.

Quant à celle de gauche, elle offrait une vue directe sur la grande bicoque de Glenn Stewart. Ses hautes fenêtres bouchées posèrent sur elle un regard indifférent.

– Cette maison a été construite en 1940 par ses premiers propriétaires, dit Ginger.

– Stan et Ruth Clark ?

– Oui.

Ginger eut un rire nerveux qui se transforma aussitôt en une phrase merveilleusement positive.

– Je vois que tu as bien étudié le dossier avant de venir.

La deuxième chambre, plus petite, comportait un plafond légèrement voûté et une curieuse fenêtre octogonale près de la porte. Laissant Ginger lui expliquer que James serait comme un coq en pâte ici, Kate se posta derrière la vitre. En dessous, le jardin filait vers la rivière qu'on apercevait vaguement entre les épais feuillages des arbres bordant la propriété. Kate entendait l'eau bouillonner et, dans le lointain, le fracas des chutes.

Quand elle tourna la tête à droite, elle repéra un bout de la rue et le début du sentier courant à travers bois. En tendant le cou, elle réussit même à apercevoir un morceau du pont dont le bois se confondait presque avec les troncs. Depuis cette chambre, on aurait très bien pu assister à l'enlèvement de Charlie Olmstead.

Elle allait abandonner son poste d'observation quand elle remarqua une forme insolite au fond du jardin, juste à la limite des arbres. C'était un édicule peint en blanc surmonté d'un toit de bardeaux verts. S'il avait été plus grand, on l'aurait pris pour un abri de jardin. La cabane derrière la maison de Kate lui permettait d'entreposer une tondeuse à gazon, une roue de secours et une ribambelle d'équipements sportifs que James et elle n'utilisaient jamais. En revanche, celle-là n'aurait même pas contenu une luge.

– C'est quoi ce truc, là-bas ?

Ginger se remit à glousser.

– Tu as remarqué la resserre. Elle est abandonnée, bien sûr, mais c'est une véritable antiquité. Et ça rajoute tellement de caractère à cette...

Kate n'entendit pas la suite. Déjà, elle dévalait l'escalier. Quand Ginger émergea dans le jardin par la porte de derrière, Kate avait traversé la pelouse. En arrivant devant l'étrange cabane, elle comprit qu'il ne s'agissait nullement d'une resserre.

La porte refusa de s'ouvrir. Parfois, le manque d'entretien faisait office de serrure. Le bois pourri également. Et cet abri souffrait de ces deux maux.

– Ce truc n'a aucun intérêt, lança Ginger en rejoignant Kate. Considère-le comme un élément de décoration.

– Il faisait partie de la maison d'origine ?

– Non, je crois que c'est un ajout, répondit Ginger d'une voix hésitante.

– Je reviens tout de suite.

Kate fit volte-face et courut jusqu'à sa Crown Vic garée dans l'allée des Olmstead. Elle ouvrit le coffre, s'empara d'un pied-de-biche et revint s'occuper du mystérieux abri des Clark.

Devant le regard atterré de Ginger, elle coinça le pied-de-biche entre la porte et son montant et poussa de toutes ses forces. Les gonds protestèrent mais la porte s'ouvrit sans trop rechigner. Kate découvrit un espace vide. Le sol en béton était percé d'une trappe fermée par un couvercle qui rappelait une écoutille de sous-marin. Lorsqu'elle tira sur la poignée, Kate fut surprise par son poids. Ce couvercle était en plomb, très probablement, conçu pour résister à une très forte pression.

Plantée sur le seuil derrière Kate, Ginger intervint :

– Tu sais, j'avais l'intention de t'en parler. À la fin de la visite.

– Qu'est-ce que c'est ?

– Un abri contre les bombes, expliqua Ginger. D'après mon dossier, les Clark l'ont construit dans les années 1950. Si cette maison a tant de mal à se vendre, c'est surtout à cause de ce truc. Ça fait peur aux clients potentiels.

Kate elle-même n'en menait pas large. Cette installation faisait monter en elle des images de catastrophe nucléaire, de terreur, de chaos – autant de choses auxquelles elle préférait ne pas songer. En plus, elle entachait l'idée qu'elle se faisait des anciens propriétaires. Pour construire un bunker sous son jardin, il fallait vraiment vivre dans la peur permanente.

– Il reste quelque chose, là-dessous ?

– Je n'en sais rien, dit Ginger. Je ne suis jamais descendue.

– Aide-moi à l'ouvrir, dit Kate en saisissant la poignée. On va voir ça tout de suite.

À elles deux, elles parvinrent à desceller le lourd battant. Un puits cylindrique s'ouvrit sous leurs pieds, muni d'une échelle métallique fichée dans la paroi. On n'apercevait que les trois premiers barreaux, le reste étant noyé dans l'obscurité.

Kate prit la torche qu'elle portait à la ceinture et la braqua vers le bas. Dans le faible halo lumineux, elle vit l'échelle continuer sur une profondeur de trois mètres environ. Elle tendit la torche à Ginger et lui ordonna :

– Tiens-la bien et pointe-la dans le fond.

– Tu ne vas quand même pas descendre, hein ?

– Bien sûr que si.

Kate testa d'abord la solidité du premier barreau. L'incident de la veille, sur le pont, lui avait servi de leçon. Voyant qu'il tenait bon, elle fit de même avec les suivants, au fur et à mesure de sa descente dans l'abri antiatomique.

Au fond, il faisait un froid de canard – elle avait l'impression de visiter une glacière. En plus, on n'y voyait goutte.

– Jette-moi la lampe, cria-t-elle à Ginger. J'ai besoin de lumière.

Debout au pied de l'échelle, elle tendit les bras, récupéra facilement la torche au vol puis se mit à balayer de son faisceau l'espace confiné qui l'entourait. Tout comme le puits d'accès, l'abri en lui-même avait la forme d'un grand cylindre de trois mètres de long. Placées à intervalles réguliers, les poutres qui soutenaient les parois arrondies ressemblaient à une cage thoracique. Sur un côté, elle vit des étagères vides ; en dessous, une sorte de banc. En face, trois surfaces planes étaient vissées dans la cloison, l'une au-dessus de l'autre. Longues d'environ un mètre quatre-vingts, elles s'appuyaient aux deux mêmes poutres.

Il devait s'agir de couchettes, en cas de séjour prolongé.

Les matelas avaient disparu depuis belle lurette, mais il n'était pas difficile de les imaginer posés sur ces planches, comme dans un compartiment couchettes de deuxième classe. En situation d'urgence, le confort n'était pas la priorité.

Kate en avait assez vu. En revenant vers l'échelle, elle se demanda ce qui se passerait si James et elle étaient un jour obligés de partager un habitat aussi exigu. Ils avaient parfois du mal à vivre sous le même toit, alors dans une pièce aussi grande qu'une cellule de prison… Ils deviendraient complètement mabouls. Sans compter que cet abri semblait prévu pour trois personnes.

Kate s'immobilisa, le pied gauche posé sur le barreau inférieur. Stan Clark l'avait construit parce qu'il craignait un bombardement. Dans les années 1950, les gens avaient peur de tout et n'importe quoi. Des communistes. Des bombes. Des extraterrestres. Dès lors, quoi de plus évident qu'un abri pour sa femme et lui ?

Mais alors, pourquoi trois couchettes et pas deux ? Stan s'inquiétait donc pour une troisième personne. Qui était cette personne ?

Un point d'interrogation sur la tête, Kate remonta, laissa retomber le couvercle de la trappe et remercia Ginger pour la visite.

– C'est joli, mais je crois que je vais réfléchir.

– La maison ne te plaît pas ? demanda Ginger en fronçant les sourcils.

Si, elle l'aimait bien, mais elle n'avait aucune intention de l'acheter. En revanche, ce qu'elle n'aimait pas, c'était le brouillard qui flottait dans son esprit. Malgré tous ses efforts, elle ne savait toujours rien ou presque sur Stan et Ruth Clark.

Kate alla chercher une pizza dans un boui-boui près du super-marché et la ramena au poste de police en guise de déjeuner. Assises à son bureau, l'une en face de l'autre, Lou et Kate se la partagèrent. Elle était pauvre en poivrons et riche en graisse, mais tant pis. Kate avait tellement faim qu'elle aurait bouffé du carton pour peu qu'il fût recouvert de sauce tomate.

– Tu connaissais bien les Clark ? demanda-t-elle entre deux bouchées.

– Pas trop, dit Lou. Stan travaillait à la fabrique. Et Ruth faisait des tartes au citron meringuées très médiocres.

– Ce genre d'indication ne m'intéresse pas.

– Tu as déjà essayé de faire de la meringue au citron ? lui renvoya Lou. Ce n'est pas un sujet à traiter à la légère.

– J'aimerais rencontrer quelqu'un qui les connaissait.

– Je vois qui tu veux dire. Ils traînent encore tous les matins à la brasserie.

Lou parlait d'un groupe de vieux messieurs ayant coutume de se retrouver à la brasserie de Perry Hollow, chaque matin et toujours dans le même box. On les appelait le Club des Percolateurs, encore que nul n'aurait pu dire si ce surnom sortait de leur imagination ou de celle des serveuses que leur bruyante assiduité avait tendance à lasser. Essentiellement constitué d'anciens ouvriers de la fabrique et autres retraités, la petite troupe ne cessait d'évoluer en fonction des décès et des nouveaux arrivés. Un seul d'entre eux semblait tenir le coup, au fil des ans. Raison pour laquelle il faisait fonction de modérateur. À ce titre, il était chargé de lancer les sujets de conversation, tournant tous autour du temps qu'il faisait ou des manquements de la classe politique.

– Norm Harper ? supposa Kate.

– Le seul, l'unique, confirma Lou. Tu le verras demain, même heure, même adresse.

Ce brave vieux Norm Harper avait la langue presque aussi bien pendue que Lou. Avec un peu de chance, il l'éclairerait sur Stan et Ruth Clark. Non pas qu'elle les soupçonnât d'avoir trempé dans cette sombre histoire d'enlèvement. Le couple était bien trop âgé pour cela, surtout si on tenait compte du fait que Bucky Mason, le dernier garçon de la liste, avait disparu fin 1972. Pourtant, Kate n'aimait pas rester dans le vague et ces gens-là constituaient une énigme pour elle. Ils lui étaient aussi étrangers que Lee Santangelo, le plus proche voisin d'Éric.

– Crois-tu que Norm pourra aussi me parler de Glenn Stewart ?

Lou souleva un sourcil.

– Tu le soupçonnes ?

– Pourquoi pas ? Il est enfermé chez lui depuis si longtemps que personne ne doit se rappeler la tête qu'il avait avant de partir au Vietnam. Ni ce qui lui est arrivé là-bas.

– Il a emménagé en 1966, dit Lou. On l'a envoyé au Vietnam en 1967. Et il est rentré un an plus tard, complètement dingue. Norm devrait pouvoir remplir les blancs.

Kate se mit à concocter un plan pour coincer Norm Harper à la brasserie le lendemain matin. Peut-être qu'un petit déjeuner à l'œil lui rafraîchirait la mémoire. Rassérénée, Kate tendit la main pour attraper une autre part de pizza.

– Tu es sûre de vouloir ton deuxième morceau ? fit Lou.

– Oui, pourquoi ?

– Eh bien, maintenant qu'Éric Olmstead est revenu, tu devrais peut-être surveiller ton alimentation. Faut battre le fer tant qu'il est chaud, si tu vois ce que je veux dire.

– Je vois parfaitement, répondit Kate. Et ça me dégoûte.

Lou produisit ce léger gloussement maternel que Kate trouvait à la fois exaspérant et adorable.

– Ne fais pas ta mijaurée. Tout le monde sait qu'Éric et toi vous en pinciez sacrément l'un pour l'autre quand vous étiez au lycée. Et le revoilà. Depuis, vous ne vous quittez plus. Et je me suis laissé dire qu'il était canon.

Kate aurait eu du mal à prétendre le contraire. Son impair du matin lui avait au moins appris cela. En tout cas, si elle n'étouffait pas la rumeur dans l'œuf, en peu de temps, toute la ville ne parlerait plus que de ses prétendues frasques.

– Je ne fais que l'aider à enquêter sur son frère.

– Quelle grandeur d'âme ! rétorqua Lou en rabattant le couvercle de la boîte sur les doigts de Kate. Mais il y a autre chose. Tu le sais. Je le sais. Et j'espère qu'Éric le sait, lui aussi.

Kate récupéra sa main et la part de pizza qu'elle brandit devant le nez de Lou, histoire de la narguer. Elle allait mordre dedans à pleines dents quand la sonnerie de son téléphone retentit, l'obligeant à reposer le morceau sur le bureau où Lou lui fit un sort dans la seconde qui suivit.

Kate la foudroya du regard en prenant la communication.

– Chef Campbell, j'écoute.

– On raconte que vous enquêtez sur la disparition de Charlie Olmstead.

Normalement, quand un homme appelait sans se présenter, Kate supposait que c'était Nick. Mais en l'occurrence, il s'agissait d'un autre. Quelqu'un dont la voix lui était presque aussi familière que celle de son ami.

– En effet, Monsieur le maire, répondit-elle. On vous a bien renseigné.

– Auriez-vous l'obligeance de m'expliquer pourquoi ? s'enquit Burt Hammond. Je croyais que vous manquiez cruellement de personnel et de véhicules de patrouille. Ne trouvez-vous pas qu'en de telles circonstances, le fait d'enquêter sur une affaire vieille de quarante-deux ans constitue un scandaleux gâchis en termes de ressources humaines ?

Kate aurait pu lui répondre que ses recherches l'avaient conduite à remettre en question la thèse de l'accident et que le cas de Charlie Olmstead était loin d'être isolé. Elle aurait pu ajouter qu'il y avait un risque, minime mais réel, que d'autres enfants disparaissent demain vendredi, au moment où les Chinois poseraient le pied sur la lune. Mais elle préféra la version courte.

– De nouveaux éléments sont apparus.

– Cela ne vous autorise pas à importuner Lee et Becky Santangelo, répliqua Burt. Becky vient de m'appeler. Elle est furieuse.

– Si je comprends bien, vous me demandez de suspendre mon enquête pour la simple raison qu'elle énerve le citoyen le plus important de la ville ?

– Vous avez bien compris.

Kate se toucha la joue. Elle était chaude, preuve certaine que la moutarde lui montait au nez. À part son ex-mari, Burt Hammond était la seule personne capable de la faire sortir de ses gonds aussi rapidement.

– Eh bien, vous allez être déçu, lâcha-t-elle. Je ne renonce pas. Et sachez que je ne suis pas le seul flic sur l'affaire. La police d'État est au courant et vous n'allez pas tarder à recevoir une convocation.

– La police d'État ? bredouilla le maire dont l'embarras eut un effet apaisant sur l'humeur de Kate. Mais de quel nouvel élément s'agit-il, bordel ?

– Je ne suis pas autorisée à vous le dire. En revanche, je vous encourage à me confier vos souvenirs. Que pouvez-vous me dire sur la disparition du fils Olmstead ?

– Rien, dit Burt. Ça fait des dizaines d'années.

Kate avait le net sentiment qu'il mentait. Il essayait de gagner du temps, chose à éviter quand on s'adresse à un flic. Ces gens-là reniflent la duplicité comme un chien un os.

– Mais vous étiez né, à l'époque. Quel âge aviez-vous en 1969 ? Dix-sept ? Dix-huit ans ?

– J'avais dix-neuf ans, dit le maire. Et je me souviens seulement que le gosse est tombé dans la rivière et qu'on ne l'a jamais retrouvé.

– Certaines personnes ont des souvenirs plus précis, répondit Kate. Voilà pourquoi je ne suspendrai pas cette enquête, quoi que vous en pensiez.

– Vous êtes le chef de la police, fit Burt d'un ton sarcastique. Vous agissez comme bon vous semble. Mais je vous préviens, n'importunez plus les Santangelo.

Sur ces bonnes paroles, il raccrocha. Son portable encore collé à l'oreille, Kate s'aperçut qu'Éric venait d'entrer dans le commissariat et qu'il la regardait, planté sur le seuil de son bureau.

– Tiens, ça me rappelle quelque chose, dit-il. Ce matin, j'ai passé une heure pendu au téléphone pour rien, moi aussi.

– J'en déduis que tu n'as toujours pas réussi à joindre ton père.

Éric confirma d'un hochement de tête puis il entra. Il avait recouvré son calme. Même ses gestes semblaient plus déterminés.

– Mais je t'ai promis de te rendre une réponse au sujet de la tombe de mon frère.

– Alors ?

Éric la regarda avec un petit sourire triste. Cette situation lui pesait, c'était évident. Pourtant il fallait bien qu'il prenne une décision, ce qu'il fit en lui annonçant d'une voix de circonstance :

– Allons voir ce qui est enterré là-dessous.

16

Depuis quelque temps, Nick détestait les parcs. Or, comble de malheur, celui qui l'attendait était cent fois plus grand que le carré de verdure de Fairmount. La belle et vaste nature, des sentiers, des arbres et encore des sentiers. Tout ce qu'il voyait, c'est qu'il allait devoir marcher.

– Tu es prêt ? demanda Tony quand Nick descendit de voiture.

– Non.

Le trajet entre Fairmount et le parc national de Lasher Mill leur avait pris à peine quinze minutes. Tony avait conduit mais, en si peu de temps, la jambe de Nick n'avait pas pu se reposer. Il forçait beaucoup trop sur son genou depuis deux jours. Mais peu importait la douleur, il devait continuer.

Tony partageait sa théorie sur l'enlèvement de Dennis Kepner. Un individu caché dans le petit bois avait attrapé l'enfant avant de le traîner jusqu'à son véhicule garé juste derrière, au bord du trottoir. Nick espérait découvrir dans le parc national un dispositif similaire susceptible d'expliquer également la disparition de Noah Pierce.

Quelle ne fut pas sa déception.

Le parking rectangulaire était aménagé au cœur d'une vaste prairie. Sur trois côtés étaient disposés des tables de pique-nique, des foyers à barbecue. Cet après-midi, personne ne s'en servait. Sur le quatrième côté, une pente herbeuse descendait jusqu'à un grand lac, plusieurs centaines de mètres plus bas. Sur la rive au loin, Nick repéra la rampe qui servait au lancement des bateaux. Personne, là non plus. Au-delà, sur la droite, un bâtiment écroulé, autrefois de couleur rouge aujourd'hui vaguement ocre, semblait surgir de l'eau, juché sur une base en pierre.

– C'était une minoterie, dit Tony avec l'autorité d'un guide touristique. Dans le temps, il y avait une usine sur ce terrain. Elle a fermé durant la Grande Dépression et c'est devenu un parc national.

Ils descendirent la pente qui menait au lac. Exercice que le genou de Nick n'apprécia guère, d'emblée. Pour endormir la douleur, Nick imagina le paysage recouvert de neige. Un joli panorama, pour qui aimait ce genre de cartes postales. Des arbres ployant sous la neige. Le lac tout blanc, figé sous une épaisseur de glace. Et cette pente qui n'en finissait pas, que son genou détestait mais qui faisait les délices de tous les gosses en hiver, surtout s'ils disposaient d'une luge.

– Noah a disparu un vendredi, reprit Tony. Il avait neigé la nuit précédente. L'école était fermée. Et cet endroit était connu pour sa piste de luge.

Mentalement, Nick fit surgir une foule joyeuse du manteau de neige. Des enfants, des parents glissant ensemble le long de la pente jusqu'au lac gelé – un vrai conte de Noël pour enfants sages. Sauf que le conte avait tourné à la tragédie pour l'un d'entre eux. Caché au milieu de la foule, sous une parka, un bonnet et des gants, un individu anonyme scrutait les visages heureux. Il n'était pas là pour s'amuser. D'autant plus que l'échec de la mission *Apollo 13* avait prolongé son attente.

Parvenus au bord du lac, les deux hommes s'arrêtèrent un instant sur la berge rocailleuse, laissant les petites vagues mourir sur leurs chaussures. L'autre rive semblait éloignée de plus d'un kilomètre. Une distance trop importante pour qu'on la parcoure sur une luge, quelles que soient sa vitesse et l'épaisseur de la glace. Le ravisseur de Noah Pierce avait opéré dans un périmètre plus proche.

– Quels sont les éléments du rapport ? demanda Nick à Tony. Puisque tu sembles les connaître déjà.

Il se posa sur un rocher et, la jambe en extension, écouta le compte-rendu exhaustif de Tony. Noah Pierce, âgé de neuf ans, fils unique, séjournait chez ses grands-parents pendant que son père et sa mère mettaient la dernière main à un divorce particulièrement pénible. En ce vendredi de malheur, ils partirent en voiture vers le parc national de Lasher Mill avec une thermos de chocolat chaud et une luge de marque Flexible Flyer fixée sur la galerie de leur break. Il faisait si froid que les grands-parents de Noah restèrent dans la voiture à écouter la radio pendant que le gosse, sous leurs yeux, faisait des allers-retours sur sa luge.

– Ils l'ont perdu de vue, ajouta Tony.

Nick l'avait déjà deviné. Les histoires de kidnapping commençaient toujours ainsi.

– Ils ont dit qu'il portait une combinaison de ski noire, comme tous les autres gamins.

Les grands-parents de Noah étaient sortis de la voiture pour se lancer à sa recherche. Des gens leur avaient prêté main-forte, dont un garde forestier. Comme personne ne l'avait remarqué, personne ne savait où il était parti. Ils trouvèrent sa luge abandonnée près du vieux moulin.

– Ce soir-là, dit Tony, après plusieurs heures de recherches, le garde forestier est parti sur le lac gelé à bord d'une chenille. Il a découvert un trou dans la glace, à quatre cents mètres de la rive. Il en a conclu que Noah était tombé dedans et s'était noyé.

– Fin de l'histoire ? demanda Nick.

– Pas vraiment. Au printemps, la police a commencé à douter de cette version. La glace avait fondu et on n'avait pas trouvé de corps dans le lac.

Nick secoua la tête. Bien sûr. Il suffisait de remplacer le lac par une chute d'eau et on obtenait l'histoire de Charlie Olmstead.

– Tu disais que ses parents étaient en train de divorcer et que ça se passait mal, repartit-il.

– Ils ne se disputaient pas pour la garde de l'enfant, si c'est à cela que tu pensais.

L'un comme l'autre savaient qu'un bon nombre de kidnappings avaient pour auteurs des parents auxquels on refusait la garde de leurs enfants. Certains quittaient le pays et faisaient les gros titres des journaux. La plupart étaient repris par la police locale.

– Ses deux parents étaient en Floride au moment des faits, dit

Tony. Leurs amis, leurs collègues et les avocats du divorce l'ont confirmé.

– Et ses grands-parents ?

– Ils sont clean. On les a vus descendre de voiture avec Noah, lui donner sa luge et une tasse de chocolat avant de se rasseoir au chaud dans le véhicule. Pendant une heure, aucun des deux n'a bougé jusqu'à ce qu'ils réalisent qu'ils ne voyaient plus leur petit-fils.

– Ils ne connaissaient personne, dans ce parc ? demanda Nick.

– Non.

– Alors le coupable n'était sûrement pas du coin. Qu'en a dit la police ?

– Ces connards ont quand même conclu qu'il s'était noyé.

Nick aurait préféré rejeter la faute sur la police locale mais honnêtement, on ne pouvait guère leur en vouloir. Après tout, le ravisseur était un cinglé amateur de petits garçons, obsédé par le programme spatial de la NASA. En plus, l'Amérique était bien différente, à cette époque-là. En 1971, les gens laissaient encore leurs portes ouvertes, la nuit. Ils faisaient confiance à leurs voisins. Ils ne mettaient pas leurs enfants en garde contre les étrangers trop entreprenants. On ne trouvait pas sur les cartons de lait les portraits de personnes disparues.

– Donc nous avons une colline remplie de gamins et un inconnu au milieu, dit Nick. À la fin de la journée, il y avait un gamin en moins et l'inconnu était parti.

– Comment s'y est-il pris, d'après toi ?

Nick ficha l'extrémité de sa canne dans le sol et poussa sur la poignée. Une fois debout, il se retourna vers la colline qu'ils venaient de descendre. La voiture de Tony était garée tout là-haut.

– Ça fait quelle distance ?

– Deux cents, peut-être deux cent cinquante mètres, fit Tony en plissant les yeux.

– Quel âge avaient papi et mamie ?

– Il avait soixante-trois ans et elle soixante.

– D'après les experts, l'acuité visuelle commence à diminuer autour de l'âge de soixante ans, dit Nick. Quand ce n'est pas déjà fait. L'un d'entre eux n'y voyait peut-être pas très bien. Ajoute à cela toute cette neige aveuglante, tous ces gamins qui couraient en tous sens dans leurs combinaisons noires.

Tony réagit au quart de tour.

– Ils ont pu se braquer sur un autre gosse pendant un moment et rater l'instant où Noah est parti avec son ravisseur.

Le ravisseur en question aurait eu du mal à le traîner jusqu'à sa voiture sans que l'enfant se défende en donnant des coups de pied, en criant. Même un vieillard aveugle l'aurait remarqué. Sinon, d'autres promeneurs auraient donné l'alerte.

– Il fallait qu'il agisse en toute discrétion, dit Nick. Il a dû commencer par l'attirer quelque part. Peut-être en lui disant qu'il était un ami de la famille.

Les ravisseurs savaient depuis longtemps que les enfants se méfiaient des inconnus. Mais ils faisaient confiance aux gens que leurs parents fréquentaient. Un individu se présentant comme un ami de la famille avait une chance sur deux de réussir son coup.

– Ça tient debout, dit Tony. Mais où a-t-il bien pu l'attirer ?

Nick porta son regard au loin, derrière l'épaule du lieutenant. Ses yeux se fixèrent sur le moulin en ruines, posé sur la rive du lac.

– Je ne vois pas d'autre endroit.

Cette minoterie était l'image même du délabrement. On aurait dit qu'elle allait s'écrouler comme un château de cartes au prochain courant d'air. Pour l'attester, un avis cloué au mur annonçait qu'elle avait été condamnée pendant l'administration Clinton. Et pour les incrédules impénitents, on avait bloqué la porte au moyen d'un cadenas.

Nick chercha en vain d'autres issues. Les fenêtres étaient trop petites pour qu'il se faufile à travers. Le soubassement de pierre qui surgissait du lac comportait deux grilles en fer forgé pour permettre à l'eau de s'écouler. Ils ne pouvaient donc même pas se glisser en nageant par-dessous.

– Qu'est-ce qu'on fait, à ton avis ? dit Tony en regardant Nick d'un air interrogateur. Si on entre, on viole la loi.

– Oui, mais nous enquêtons sur six enlèvements d'enfants, répliqua Nick. À côté de cela, une violation de propriété privée…

– Je dirais même un acte de vandalisme.

Tony sortit son pistolet et tira deux fois sur le cadenas. La première balle l'endommagea. La seconde finit le travail.

Bizarrement, la minoterie resta debout. C'était peut-être un signe encourageant, après tout.

La porte s'ouvrit en grinçant. Du bout de sa canne, Nick écarta une bonne partie des toiles d'araignée qui formaient un genre de filet de sécurité dans l'encadrement. Ils entrèrent dans une pièce sombre sentant le moisi et la fiente d'oiseau, au sol jonché de plumes et de feuilles mortes. Contre un mur, une volée de marches menait au premier étage. Dans un coin, tout au fond, une trappe percée dans le plancher donnait directement dans le lac – l'ancêtre du vide-ordures.

– Ça m'a l'air dangereux, dit Tony. Peut-être que je devrais passer en premier.

– Tu ne devrais pas y aller du tout, répliqua Nick.

Des deux, Tony était le plus susceptible de passer à travers un plancher vermoulu. C'était comme si un éléphant essayait de traverser un pont en allumettes.

– En plus, les vieilles usines, ça me connaît.

Nick fit un pas. Le plancher ne grinça pas, il hurla. Mais il en fallait davantage pour l'arrêter. Tout doucement, il avança jusqu'au centre de la pièce. Entre les lattes, on apercevait l'eau qui clapotait quelques centimètres en dessous. Quant au plafond, son bois était tellement pourri qu'il s'était effrité par endroits, ouvrant de grandes brèches par lesquelles on apercevait les combles de l'usine et encore d'autres trous, ceux-là dans le toit.

D'ici, on comprenait mieux ce qui pouvait attirer un enfant. Cette ruine coincée entre ciel et eau était le plus vaste et le plus dangereux terrain de jeu jamais créé. Sans parler de tous les coins et recoins où l'on pouvait grimper, fureter, se blesser. Le ravisseur n'avait sans doute pas eu besoin d'insister pour convaincre le jeune Noah Pierce d'entrer ici.

Tony l'appela depuis le seuil.

– Tu vois quelque chose d'intéressant ?

– Intéressant oui, dit Nick. Utile non.

Arrivé au fond de la pièce, il constata que le couvercle de la trappe, cadenassé lui aussi, paraissait légèrement plus solide que le plancher. Nick en eut la confirmation dès que Tony osa faire un pas vers lui. L'édifice frémit comme une feuille morte.

– Tu crois que c'est ici que le gosse a été enlevé ?

– Peut-être bien, dit Nick. Je doute que nous sachions un jour la vérité.

Tony fit un autre pas. Comme tout à l'heure avec Nick, les lattes manifestèrent bruyamment leur contrariété.

– Je suis bien d'accord.

– Alors sortons d'ici. Nous aurons peut-être…

Nick allait dire qu'ils auraient peut-être plus de chance ailleurs ; il en fut empêché par un grand plouf. À dire vrai, il y eut d'abord une sorte de jappement – Nick ayant eu le temps d'exprimer sa surprise avant de tomber. Une fraction de seconde avant le jappement, on avait entendu le plancher soumis à trop forte pression gémir puis claquer violemment, en même temps que se fendait en deux la trappe sur laquelle Nick se tenait.

Aussitôt, il disparut sous l'eau. On aurait pu s'attendre à une immersion progressive mais non. Un instant avant il était au sec, un instant après il buvait la tasse.

L'eau était plus froide qu'il n'aurait cru. Plus profonde aussi. Quand il toucha le fond, Nick leva les mains au-dessus de la tête dans l'espoir de mesurer la distance qui le séparait de la surface. Comme ses mains n'émergeaient pas, il comprit qu'il y avait au moins deux mètres d'eau, à cet endroit. Sans doute plus.

De chaque côté de lui, les grilles scellées dans le soubassement l'enfermaient sous le bâtiment. Seul aspect positif, elles laissaient passer la lumière, bien qu'avec parcimonie. Nick vit des tentacules de varech onduler vers le haut. D'autres algues recouvraient un rocher arrondi, à quelques centimètres de son pied. Là-haut, quelques dizaines de centimètres au-dessus de sa tête, il y avait la surface et, au-delà, le plancher du moulin.

Avec sa bonne jambe, Nick donna une impulsion. Il remonta comme une flèche mais pas tout droit. Aussi, quand il atteignit la surface, le plancher l'arrêta tout de suite. Il se cogna le crâne contre le bois et ses poumons déjà peu remplis se vidèrent d'un coup.

Quand il retomba tout au fond, sa poitrine avait commencé à se contracter. En suffoquant presque, il recommença. Coup de pied, remontée. Cette fois, il leva les bras pour amortir le choc. Quand ses paumes touchèrent le bois râpeux, il redressa la tête.

Les quelques centimètres qui séparaient l'eau du plancher lui permirent d'avaler une goulée d'air salvatrice. Hors d'haleine, il aperçut entre deux lattes le visage de Tony couché à plat ventre au-dessus de lui.

– Donnelly ? Ça va ?

– Je crois que oui.

Il croyait mais il n'en était pas sûr du tout. La soudaineté de son plongeon dans l'eau glaciale lui avait fait perdre une partie de ses moyens. Son corps était tellement engourdi qu'il ne sentait même pas la douleur dans son genou droit. Il n'avait plus mal, mais il était toujours handicapé. Incapable de se maintenir à la surface, alourdi par ses vêtements gorgés d'eau, Nick se sentit aspiré.

Il se mit à brasser l'eau mais l'espace réduit jouait contre lui. Il émergea de nouveau, respira et très vite fut entraîné au fond. Pendant ce temps, il entendait Tony ramper sur le plancher. Ce bruit qui lui parvenait déformé ne fit qu'aggraver sa sensation de vertige. Vu d'ici, tout était à l'envers. Le haut, le bas s'inversaient ; la gauche, la droite se confondaient. Et l'air lui manquait de plus en plus, les quelques bouffées qu'il avait grappillées n'ayant rien arrangé, au contraire.

Pour la troisième fois, il toucha le fond du lac, les fesses dans la vase. Quand il voulut prendre appui pour remonter, les lianes de varech s'enroulèrent autour de ses poignets, de ses chevilles. Nick se débattit.

Il eut beau faire, la vase était trop visqueuse. Il se retrouva couché sur le côté, l'épaule coincée dans un étau gluant. Comme si elle était vivante, la chevelure de l'algue lui couvrait les joues, le nez. Il s'en débarrassa et du même coup, dégagea le rocher sur lequel elle poussait. Une pierre étonnamment légère, à voir la manière dont elle se mit à flotter en tournant sur elle-même avant de retomber à l'envers dans la boue.

Sur ce côté-là, en plein milieu, la pierre était percée de deux trous ronds. Nick regarda mieux. Un troisième trou s'ouvrait en dessous. Plus bas encore, comme une protubérance obscène, Nick découvrit une rangée de dents.

Un crâne.

Avec de grands gestes désordonnés, Nick entreprit d'arracher le varech collé à la mâchoire inférieure qui, s'étant détachée du crâne, dépassait à peine de la couche limoneuse. Juste à côté, trois côtes formaient des arcs de cercle et la main d'un squelette reposait sur la vase, ses phalanges ornées de filets verdâtres.

Une autre main appuya sur la poitrine de Nick. Celle-là était bien vivante et reliée au bras musclé qui s'enroulait autour de lui pour le hisser vers la surface.

Tony Vasquez avait sauté dans l'eau. Une seconde plus tard, Nick repéra l'orifice carré de la trappe. Tony le poussa vers le haut. Tête la première, Nick surgit à l'air libre puis il agrippa des deux mains les rebords de la trappe et se hissa, suivi de près par Tony.

Le temps de reprendre haleine, les deux hommes restèrent côte à côte, affalés sur le dos, les jambes trempant dans le lac. Leurs poitrines se soulevaient à l'unisson. Dès qu'il récupéra sa voix, Nick en profita.

– Il y a un squelette en bas.

Tony se redressa, abasourdi.

– Sérieux ?

– Sérieux. Et je suis sûr qu'il appartient à feu Noah Pierce.

17

KATE SE GARA DEVANT L'ÉCOLE PRIMAIRE et vérifia l'heure. Une fois n'était pas coutume, elle avait quinze minutes d'avance. Elle profita de cette pause inespérée pour se relaxer et repasser dans son esprit les derniers éléments de l'enquête. Quand elle mit la radio en fond sonore, le bulletin d'informations commençait à peine.

« Pour l'instant tout va bien pour les trois astronautes chinois, disait la journaliste avec ce débit précipité qui semble être le lot commun autant qu'obligatoire des gens de radio. D'après des responsables de la NASA ayant collaboré à la préparation de cette mission, le deuxième jour après le lancement se déroule comme prévu. Il est encore impossible de déterminer précisément l'heure de l'alunissage, mais si l'on en croit la télévision nationale chinoise, il y a tout lieu de penser que les astronautes poseront le pied sur la lune vendredi, en tout début d'après-midi. »

Kate passa sur une station qui diffusait de la musique des années 1980 – un supplice pour Nick, s'il avait été là. Elle n'avait pas envie d'entendre que les astronautes se rapprochaient iné-luctablement de la lune. Cela ne faisait que souligner le fait que son enquête était au point mort. Elle se prit à regretter d'avoir programmé l'exhumation dans la soirée. Quelle perte de temps !

Sur l'instant, Kate avait cru bien faire. Comme Carl Bau-ersox était de service la nuit, il lui prêterait main-forte. De plus, l'obscurité permettrait d'agir sans attirer l'attention des curieux qui, sinon, ne manqueraient pas de se demander ce que diable le chef et son adjoint étaient en train de déterrer dans le cimetière d'Oak Knoll.

Évidemment, Kate ignorait ce qu'elle allait trouver dans cette tombe. Elle espérait seulement que cela ferait avancer l'enquête. De son côté, Nick avait peut-être découvert quelque chose, bien qu'elle n'y crût pas trop. Elle avait essayé de le joindre à deux reprises dans l'après-midi, sans obtenir de réponse. Son dernier message datait de ce matin. C'était un texto disant : Tony est là ! merde !

Elle allait refaire une nouvelle tentative quand on cogna au carreau. C'était Jocelyn Miller, la directrice de l'école primaire de Perry Hollow. Un petit bout de femme en tailleur-pantalon gris. Elle lui fit signe de descendre sa vitre.

– Désolée de vous déranger, chef. Mais j'ai un mot à vous dire.

En tant que chef de la police, Kate était souvent invitée à rencontrer les élèves dans des réunions d'information. Elle leur donnait des consignes de sécurité, leur expliquait l'importance de la loi et de la police municipale chargée de la faire appliquer. À de rares occasions, on recourait à elle pour passer un bon savon à tel ou tel garnement que les heures de colle n'impressionnaient plus. Et puis, il y avait la réunion annuelle portant sur les risques d'enlèvement, où elle mettait en garde les enfants contre les inconnus trop gentils pour être honnêtes. Pour sa prochaine intervention, Kate comptait leur apporter les coupures de presse rassemblées par Maggie Olmstead. Si un tel support visuel n'avait pas d'effet dissuasif sur les gosses, alors rien n'en aurait.

– Vous ne me dérangez pas, dit Kate. C'est quand la date de la prochaine réunion ?

– En fait, je voulais vous parler de James. Je sais qu'il a vécu une très mauvaise passe en octobre dernier.

– En effet, répondit Kate. Mais son thérapeute dit qu'il s'en sort bien.

– Excellente nouvelle.

La directrice n'avait pas l'air convaincue. Son ton dubitatif poussa Kate à se redresser sur son siège et à éteindre la radio.

– Quelque chose ne va pas ?

– C'est possible, admit Jocelyn. Avez-nous noté des

changements dans son comportement quand il est à la maison ?

Kate n'avait pas besoin de réfléchir à la question. James se comportait bizarrement, c'était un fait. Il était silencieux. Plus réservé. Il y avait cette histoire de boîte-repas soi-disant perdue, à laquelle s'ajoutait la scène de la poubelle, le matin même.

– Oui, avoua Kate. J'ai remarqué des changements dès le jour de la rentrée. Comment se tient-il en classe ?

– Personnellement, je n'ai rien vu de précis. Ses professeurs non plus. Mais nous pensons qu'il a peut-être des problèmes.

– Quel genre de problèmes ?

– Avec un camarade, dit Jocelyn. En fait, il s'agirait de harcèlement.

Kate resta impassible, comme il se doit. Mais à l'intérieur, elle sentit son cœur se décrocher et tomber au fond de son estomac. Depuis que James était entré au cours préparatoire, elle savait que c'était un risque presque inévitable. Elle y pensait sans arrêt et voilà qu'à présent, la directrice confirmait ses soupçons : son fils était victime de harcèlement.

– Qui est le camarade en question ?

– Je n'ai pas le droit de le dire, fit Jocelyn en secouant la tête.

– Si vous me disiez qui c'est, je pourrais lui parler, aller voir ses parents. Peut-être que j'arriverais à arranger les choses. Je suis le chef de la police, après tout.

– C'est bien pour cela que je ne vous dirai rien.

Comme pour souligner sa détermination, Jocelyn croisa les mains devant elle. Elle ne voulait pas que Kate débarque au domicile de l'enfant, lui passe les menottes et le cuisine jusqu'à ce qu'il promette de ne plus embêter son fils. Or c'était exactement ce qu'elle comptait faire.

– Dites-moi au moins ce qui s'est passé.

– Comme les deux enfants refusent d'en parler, dit Jocelyn, nous ne connaissons pas toute la situation. Il s'agirait d'un vol de nourriture.

Voilà pourquoi James avait jeté son déjeuner avant d'entrer à l'école, ce matin, se dit Kate. C'était une mesure préventive – il voulait faire disparaître son repas avant qu'on le lui vole. Ainsi donc, ses soupçons étaient fondés. James lui avait bien menti en prétendant avoir perdu sa boîte-repas la veille. En réalité, on la lui avait prise. Sans doute parce que les CM2 n'amenaient pas leur déjeuner dans une boîte. Malheureusement, elle n'avait pas écouté son fils, le premier jour. Elle avait insisté pour qu'il prenne cette boîte. Elle avait donc joué un rôle dans cette histoire, un rôle mineur certes, mais un rôle quand même. D'une voix tremblante de culpabilité, elle demanda :

— Que dois-je faire ?

— Parlez-lui, dit Jocelyn. Essayez de voir s'il se confie. Dans ce genre de situation, la plupart des enfants ont besoin de parler. Ça les soulage d'un poids. Mais ils ont peur d'aborder le sujet par eux-mêmes. C'est donc à vous qu'il revient de le faire.

Kate attendit le dîner pour mettre le conseil de Jocelyn en application. Le repas avait commencé dans le silence quand elle prit le taureau par les cornes.

— As-tu des problèmes à l'école ?

James, qui venait d'enfourner une cuillerée de purée, secoua négativement la tête.

— C'est vrai ce mensonge ? insista Kate.

Cette fois, James ouvrit la bouche. Une couche de purée collante apparut sur sa langue.

— Je mens pas. Je te jure.

Au temps pour la directrice et sa grande théorie sur les gosses qui ont besoin de se confier. Kate fit un deuxième essai.

— Tu sais que tu peux me parler de ces choses-là, petit ours. Si tu as des problèmes à l'école, il ne faut pas les garder pour toi.

— Tout va bien.

Dans son boulot, Kate était assez douée pour faire la part entre mensonge et vérité. Les dissimulateurs évitaient le contact oculaire. Ils restaient figés sur place en parlant et faisaient des efforts désespérés pour que leurs déclarations aient des accents de vérité. Voyant que l'attitude de James répondait à ces trois critères, elle reposa la question.

— Vrai de vrai ?

— Vrai de vrai.

— Alors, raconte-moi comment s'est passée ta rentrée. Tu ne m'as pas dit grand-chose, hier soir.

— J'ai pas eu l'occasion.

Kate ressentit de nouveau un pincement au cœur. Elle avait mauvaise conscience. La veille au soir, Nick et elle n'avaient cessé de parler de Charlie Olmstead et des autres enfants disparus, pendant que son fils s'ennuyait ferme.

– L'occasion est arrivée. Je suis tout ouïe.

– C'est pas pareil, cette année, dit James.

– Comment ça, pas pareil ? Plus difficile ? Plus intimidant ?

Elle savait qu'elle parlait trop, mais elle était si heureuse d'avoir réussi à engager le dialogue qu'elle n'arrivait plus à s'arrêter.

– Les maths, c'est plus difficile, lâcha James.

Le portable de Kate, qui s'était tu pendant le temps du dîner, se réveilla soudain. Posé à portée de main sur la table, il vibrait si fort qu'il faisait trembler les couverts à proximité. Elle l'ignora. C'était sûrement Nick mais tant pis.

– Tu crois que ce sera trop difficile pour toi ? demanda-t-elle à James.

– Je vais m'y faire.

Le téléphone continuait à s'agiter. À chaque nouvelle vibration, il se rapprochait de Kate. Elle dut se faire violence pour ne pas sauter dessus. Ni tenant plus, elle se pencha pour voir qui appelait. Mais la personne en question venait de raccrocher et l'écran n'affichait ni nom ni numéro. Le portable redevint un objet inerte et silencieux.

– Et les sciences naturelles ? reprit-elle. Tu vas apprendre des choses marrantes cette année.

– J'espère. Je crois qu'on va disséquer une grenouille.

Tout à coup, le téléphone se remit à glisser en direction de son coude. Quelqu'un essayait désespérément de la joindre. C'était une urgence. Il fallait qu'elle réponde.

– Je suis désolée, mon cœur, dit-elle à James. Je dois vraiment prendre cet appel.

James croisa les bras sur la poitrine en fixant son assiette.

– Vas-y.

Kate saisit l'appareil, se leva de table et alla répondre dans la cuisine.

– Allô ?

– On l'a trouvé. C'était Nick, bien sûr. Enfin, on en est quasiment sûrs.

– Trouvé qui ?

– Noah Pierce. Nous avons découvert un squelette dans le parc national où il avait disparu.

Il lui exposa brièvement les événements de la journée avant de conclure par leur macabre découverte, sous une minoterie abandonnée. Kate entendait un bourdonnement continu derrière la voix de Nick.

– Où es-tu ?

– En voiture avec Vasquez, répondit Nick. Nous nous rendons à la morgue du comté. La police d'État a demandé à une experte judiciaire d'examiner les ossements. Nous devons la retrouver sur place. Et toi, de ton côté ?

Kate avoua qu'elle n'avait rien d'exaltant à lui apprendre. Elle allait lui parler de Becky Santangelo, de l'étrange Glenn Stewart et de l'abri antiatomique des Clark, mais elle se ravisa. Tout cela n'avait guère d'intérêt, surtout comparé à ce que Nick venait de découvrir.

– Il faut que j'y aille, dit-elle. Carl et moi avons du pain sur la planche. Préviens-moi si tu trouves quelque chose d'autre ce soir. Sinon, je t'appelle demain.

Quand elle repassa dans la salle à manger, James n'avait pas bougé un cil.

– Tu as le bonjour de Nick.

– C'est pas vrai, fit James dans un murmure à peine audible.

Kate soupira. James lui en voulait d'avoir interrompu leur conversation pour répondre au téléphone. Il lui ferait payer sa maladresse en boudant toute la soirée.

– Je suis désolée. Mais tout ne s'arrête pas quand je rentre à la maison. Mon travail continue parfois.

– Tu travailles tout le temps, répondit James avec le même filet de voix.

Être l'enfant du chef de la police n'avait rien d'une sinécure. Kate était bien placée pour le savoir. Quand elle repensait à sa propre jeunesse, elle voyait une longue série de matchs de foot ratés, des baisers posés sur son front au milieu de la nuit, alors qu'elle dormait déjà à poings fermés. Son père avait raté presque tous les dîners familiaux et, au moment du coucher, il avait rarement été là pour la border. Mais il y avait une différence notable entre ce qu'elle avait vécu et ce que James vivait actuellement. Sa mère avait toujours pallié l'absence de son père. James ne pouvait en dire autant.

– Je suis désolée, petit ours. Franchement.

Elle était d'autant plus désolée que ce soir, elle était de service, une fois de plus. Et comme on ne trouvait pas de baby-sitter au débotté, James allait devoir sortir avec elle. En temps normal, elle l'aurait emmené chez Lou van Sickle où il aurait pu jouer avec l'un de ses petits-enfants. Mais Lou n'était pas disponible, ce soir. Elle n'avait donc pas le choix.

– Pourquoi je peux pas rester ici ? demanda James après qu'elle lui eut annoncé qu'ils sortaient pour une heure ou deux.

– Parce que je n'ai pas trouvé de baby-sitter et que tu n'es pas assez grand pour rester seul à la maison.

– Si, je suis assez grand.

Kate n'avait pas l'intention de transiger. Elle qui passait ses journées à enquêter sur la disparition de petits garçons n'allait quand même pas laisser son propre fils sans surveillance. Si elle l'avait pu, elle l'aurait emmené partout avec elle.

– Dépêche-toi d'aller prendre tes devoirs à faire pour demain, dit-elle. Il faut qu'on y aille.

– Où ça ?

– Chez un ami à moi. Un très vieil ami.

Kate Campbell avait un fils.

Éric n'en revenait toujours pas. Plusieurs années auparavant, il avait appris par sa mère son mariage avec un collègue policier. Et presque dans la foulée, la rumeur avait couru qu'elle divorçait. Mais il n'avait jamais entendu dire qu'elle avait un fils, et encore moins que cet enfant souffrît d'un syndrome de Down.

Et voilà qu'il était ici, devant lui, assis sur son canapé. James soutenait son regard comme s'il l'avait déjà rangé dans la catégorie des adultes stupides racontant des choses stupides. Cette expression – tu-me-fais-pas-peur – commune à beaucoup d'enfants l'énervait souverainement.

– Ta maman a dit que tu avais des devoirs à faire.

– C'est fait.

– Alors tu pourrais regarder la télé. Y a-t-il quelque chose qui t'intéresse, ce soir ?

– Pas vraiment.

En déposant l'enfant chez lui, Kate avait promis de revenir le chercher dans deux heures maxi. Abasourdi de découvrir ce fils inconnu, Éric s'était entendu répondre automatiquement : « oui, pas de problème ». Après tout, il pouvait bien lui rendre ce service, puisqu'elle enquêtait sur son frère. Préférant l'exhaustivité à la rapidité, il lui avait conseillé de prendre son temps. Mais cinq minutes après son départ, il regrettait déjà ses paroles.

– Comment ça se fait que vous la connaissez, maman ?

– On était amis, dit Éric. Il y a longtemps.

– Vous n'êtes plus amis maintenant ?

– Si. Mais pas aussi proches qu'avant.

– Vous étiez son petit copain ?

Éric consulta sa montre. Une minute s'était écoulée depuis la dernière fois qu'il avait vérifié l'heure. La soirée promettait d'être longue et ennuyeuse. Bien qu'il se fût éloigné pour regarder par la fenêtre, il sentait encore les yeux du petit garçon braqués dans son dos.

– Oui, dit Éric. Quand on était au lycée.

– Vous vous embrassiez ?

– Bon, ça suffit avec les questions.

Éric surveillait la maison de Glenn Stewart. Son voisin était chez lui, comme en témoignait l'unique fenêtre éclairée, au premier étage. James le rejoignit près de la vitre et se mit à contempler la tache de lumière rectangulaire perçant la façade sombre de la maison d'en face.

– Pourquoi maman est sortie ? demanda-t-il.

Cette question-là, Éric savait y répondre.

– Elle est allée déterrer un truc.

– Quel truc ? fit James en plissant le nez.

– Un indice.

– De quoi ?

Éric gémit d'exaspération. Décidemment, ce gosse était bien le fils de Kate. Aussi entêté qu'elle, aussi avide d'obtenir des réponses.

– C'est au sujet de mon frère, dit-il. Il a disparu voilà de nombreuses années. Ta mère essaie de m'aider à comprendre ce qui lui est arrivé.

Comme James ne rebondissait pas, Éric crut que l'interrogatoire était terminé. Puis la lumière s'éteignit à la fenêtre de Glenn Stewart.

– Je pense que les gens qui vivent en face sont allés se coucher, annonça James.

Pour sa part, Éric n'aurait pas été étonné d'apprendre que son voisin était un vampire. Plaisanterie mise à part, l'enfant devait avoir raison. Après l'extinction de cette lumière, aucune autre ne s'était allumée ailleurs dans la maison.

– Pourquoi vous regardez chez le voisin ? demanda James.

– Parce que je crois que cet homme possède des indices sur mon frère.

– Quoi par exemple ?

– Je l'ignore.

Éric revit la scène du jardin, la veille. Glenn Stewart, debout sous la pluie, muni d'une pelle, déposant le carton à chaussures dans la terre, prononçant une prière silencieuse au cœur de la nuit.

– Mais je crois qu'il les a enterrés.

– Et maman est partie les déterrer.

– Non, elle est ailleurs.

– Alors, pourquoi vous ne le faites pas ?

Cette remarque tombait sous le sens. Éric pouvait profiter du sommeil de Glenn pour s'introduire dans son jardin et déterrer ce qu'il avait enfoui la veille. Cette idée était à la portée d'un enfant de onze ans. Surtout si ce garçon était le fils de Kate Campbell.

– Je vais peut-être le faire, dit Éric.

– Je peux vous aider ?

– Bien sûr que tu peux m'aider.

Ils allèrent chercher une pelle dans le garage. En chemin, Éric se surprit à sourire. Pendant que Kate et son adjoint creusaient la terre du cimetière, il s'apprêtait à faire de même avec son fils dans le jardin du voisin. Ne restait plus qu'à espérer que leurs deux expéditions nocturnes aboutissent à l'exhumation d'un élément valable.

18

LA PÉNOMBRE DU CRÉPUSCULE avait envahi le cimetière d'Oak Knoll au moment où Kate franchit la grille. On discernait encore des formes mais pas les détails. Sur les stèles dressées, l'obscurité avait effacé les noms et les dates, créant un paysage lugubre, quadrillé par des rangées de pierres anonymes. Kate s'enfonça entre les tombes, sa torche braquée devant elle.

– On y est, dit-elle en s'arrêtant devant la dernière demeure de Maggie Olmstead.

Derrière elle, Carl Bauersox et Earl Morgan, le gardien du cimetière, posèrent leurs pelles.

Avec son jean taché de terre et sa casquette verte, Earl ne ressemblait guère à son sinistre prédécesseur. On le sentait impatient de savoir ce qu'il faisait là.

– Qu'est-ce que vous cherchez, cette fois-ci ? demanda-t-il.

À dire vrai, Kate l'ignorait. Si elle avait décidé de creuser cette tombe, c'était surtout par acquit de conscience. Elle ne s'attendait nullement à déterrer la clé de l'énigme mais, avec un peu de chance, elle trouverait un petit indice permettant de faire progresser les recherches.

– De l'espoir, répondit-elle. Nous cherchons de l'espoir.

Elle s'agenouilla et tâtonna dans l'herbe jusqu'à trouver la dalle marquée au nom de Charlie. Puis elle l'éclaira avec sa torche. Earl plongea la main dans la sacoche qu'il portait en bandoulière, en retira quatre piquets en bois qu'il planta aux quatre coins de la surface à creuser. Enfin, avec une ficelle blanche, il relia les piquets entre eux.

– Ça devrait suffire, non ?

Carl regarda le carré d'herbe à ses pieds.

– Tout dépend de ce qu'on trouve en dessous, marmonna-t-il.

– J'aimerais bien quelque chose de petit et de pas trop profond, dit Kate. Je n'ai pas envie qu'on passe la nuit à creuser pour rien.

Toujours dans sa sacoche, Earl pêcha une petite bêche dont il se servit pour enlever la couche herbeuse, tâche peu enviable s'il en était, mais qu'il exécuta avec célérité en retirant des cubes de terre bien réguliers avant de les entasser proprement sur le côté.

Kate sortit le sac-poubelle en plastique noir qui dépassait de la sacoche et l'étala sur le sol, à droite de la tombe. Ils avaient prévu d'y jeter la terre pelletée afin de la récupérer facilement quand viendrait le moment de reboucher le trou.

Ces préparatifs achevés, Earl ramassa une pelle et tendit l'autre à Carl. Ils se postèrent de chaque côté du carré à creuser, comptèrent jusqu'à trois et se mirent au travail.

Éric souleva la pelle remplie de terre. Son contenu alla rejoindre le tas. Il ne faisait aucun effort pour dissimuler son intervention. Comme le sol avait déjà été retourné la veille, Glenn ne remarquerait rien. L'essentiel était d'aller vite.

Et de ne pas se faire prendre, évidemment.

– Tu continues à faire le guet ? demanda-t-il à James qui se tenait à deux mètres de lui, face à la maison de Glenn Stewart.

– Ouais, dit l'enfant. Pas d'embrouilles à l'horizon.

– Bien. Continue à regarder. Si tu vois une lumière, tu rentres en courant. Je me débrouillerai.

Éric était embêté d'avoir embarqué James dans cette aventure. Si jamais elle l'apprenait, Kate n'allait pas apprécier du tout, raison pour laquelle Éric lui avait fait promettre de ne rien dire. Mais deux paires d'yeux valaient mieux qu'une et James semblait prendre très au sérieux son rôle de guetteur.

– J'ai l'impression d'être un pirate, murmura l'enfant. C'est rigolo.

– Ravi que ça t'amuse, répondit Éric sur le même ton. Bon, on arrête de parler. Il pourrait nous entendre et se réveiller.

James hocha la tête, tira une fermeture Éclair invisible en travers de ses lèvres – geste universel signifiant motus et bouche cousue – puis se retourna vers la maison, la main en visière sur le front, comme le capitaine Jack Sparrow observant la mer.

Pour plus de précautions, Éric jeta un œil lui aussi. Depuis le rez-de-chaussée jusqu'au toit-terrasse, tout était sombre. Deux bruits trouaient le silence de la nuit : le grondement continu des chutes et le crissement de la pelle qui venait de replonger dans la terre.

C'est alors qu'Éric remarqua un léger raclement – l'acier frottait sur une surface en carton.

James tourna vivement la tête vers Éric. Il l'avait entendu, lui aussi.

– C'était quoi ?

– La chose que nous cherchons, dit Éric.

Ce fut Carl qui tomba dessus le premier. Ils creusaient depuis vingt bonnes minutes quand sa pelle heurta un objet dur et résistant. L'impact causa une vibration qui se propagea dans le manche.

– Vous avez cogné sur un truc, annonça Earl Morgan comme si c'était nécessaire.

Carl laissa tomber la pelle et secoua ses bras engourdis.

– Ça m'en a tout l'air.

D'après le bruit, le truc en question paraissait lourd et volumineux. Earl se mit à évacuer la terre à grands coups de pelle. De son côté, Kate s'agenouilla et l'aida à déblayer en se servant de ses mains. Elle finit de dégager une surface plate. Un cercueil d'enfant.

– Vous disiez qu'il n'y avait personne là-dessous, s'écria Earl.

– Il n'y a personne. Normalement, du moins.

La moitié supérieure était presque intacte, le couvercle bien fermé. En revanche, dans la partie inférieure, le bois n'avait pas résisté à l'épreuve du temps. La terre avait pénétré. Quand elle se pencha dessus, Kate eut un instant l'impression de revivre le cauchemar de l'année précédente, quand elle avait dû ouvrir les cercueils fabriqués par l'Ange de la mort, dont chacun contenait de bien macabres surprises.

Elle souleva légèrement le couvercle mais ne vit rien, faute de lumière. Pour bien faire, elle allait devoir l'ouvrir complètement. Elle inspira à fond et tira. Le couvercle produisit le même bruit strident que la porte menant à l'abri antiatomique des Clark. Et, comme cette fichue porte, il finit par céder.

D'abord, elle ne vit que de la terre. Elle s'était déversée en vagues brunes sur l'îlot nacré de l'oreiller. Puis se détachant sur le satin, Kate reconnut une boîte métallique ne portant aucun signe distinctif.

Elle était bien conservée pour un objet ayant passé quarante ans sous terre. Quand elle la souleva, Kate remarqua quelques petites taches de rouille. Quelque chose remua à l'intérieur.

– Vous allez l'ouvrir ou pas ? demanda Carl.

C'était tentant, bien entendu. Les doigts de Kate tremblaient d'impatience. Mais le contenu de cette boîte était de nature privée. Et il devait signifier énormément pour Maggie Olmstead, sinon elle ne l'aurait pas enterré à la place de son fils. C'était à sa famille que revenait le droit de l'ouvrir.

– Non, répondit-elle. Éric s'en chargera.

Assis en tailleur dans l'herbe humide, Éric tenait le carton à chaussures entre ses genoux. Le coup de pelle avait un peu enfoncé le couvercle mais à part cela, il était intact. Tant mieux.

Debout derrière lui, James trépignait d'impatience.

– Allez. Ouvrez-le.

Éric souleva le couvercle. James tendit le cou pour mieux voir. La chose qu'ils découvrirent leur causa autant de surprise que de peine.

– C'est quoi ? s'enquit James.

– Un furet, répondit Éric.

Des taches blanches parsemaient son pelage marron clair. Un bandeau de poils noirs couvrait ses yeux clos. Sa position au fond de la boîte, roulé en boule, le dos appuyé contre un bord, donnait l'impression qu'il dormait. Éric savait qu'il n'en était rien.

Toujours curieux, James demanda :

– Qu'est-ce qui lui est arrivé ?

– Il est mort.

– Comment ?

– Je ne sais pas.

Éric commençait à regretter son geste. Il n'aurait jamais dû s'introduire dans le jardin de Glenn Stewart. Ce furet avait été son animal de compagnie. La nuit précédente, il avait bravé l'orage pour lui donner une sépulture. D'où la courte prière. La veille, derrière sa vitre, Éric n'avait vu qu'un pauvre bougre solitaire en train de dire adieu à son compagnon bien aimé. Comment avait-il pu tomber si bas dans la méchanceté ? Tout à coup, il eut tellement honte de lui-même qu'il se mit à transpirer.

James se pressait contre son dos.

– Je peux le toucher ?

– Non.

Éric écarta la boîte d'un geste brusque. Le furet glissa dans un autre coin et, avec lui, un objet qu'Éric n'avait pas encore remarqué car il était caché sous l'animal.

Il avait la forme d'un disque et la taille d'une assiette à dînette. Éric le déposa au creux de sa paume. Modelé dans l'argile, l'objet le surprit par son poids. L'une de ses faces ne portait aucune marque tandis qu'une fine couche de peinture blanche recouvrait l'autre, en laissant parfois apparaître l'argile en transparence, d'où l'aspect marbré de l'ensemble. Éric dut l'éloigner à longueur de bras pour comprendre ce qu'il avait devant les yeux.

C'était une pleine lune.

– Qu'est-ce que c'est ? demanda James sur un ton émerveillé et craintif à la fois. Pour lui, l'aventure prenait l'allure d'une vraie chasse au trésor.

– Juste un bout d'argile.

– Je peux l'avoir ?

– Non, désolé, dit Éric. On doit le remettre où on l'a trouvé et enterrer de nouveau ce pauvre animal. Vite.

Éric déposa le disque dans la boîte, referma le couvercle et se releva. Avec la pelle, il agrandit le trou, déposa la boîte au fond et, la mort dans l'âme, entreprit de réparer sa bêtise.

Il avait presque terminé quand James le tira par la manche.

– Il est réveillé, chuchota l'enfant.

En effet, une lumière venait de s'allumer au premier étage. Éric aperçut derrière la vitre une silhouette tournée vers le jardin.

– Allez, souffla Éric à James. Sauve-toi.

Le garçon prit ses jambes à son cou. Éric l'imita sans lâcher sa pelle. Quand il retrouva son jardin, James l'attendait à la porte de derrière, un sourire de ravissement collé sur le visage.

– C'était carrément cool ! dit-il à bout de souffle. Vous croyez qu'il nous a vus ?

– Non.

Éric mentait. Il savait pertinemment que Glenn Stewart les avait vus. Pire encore, il avait l'horrible pressentiment que son voisin savait exactement ce qu'ils manigançaient.

19

COMME LES PIÈCES D'UN PUZZLE avant qu'on les assemble, les ossements gisaient sur la table en aluminium. Au bout, le crâne que Nick avait trouvé au fond du lac. Juste en dessous, la mâchoire inférieure avec son râtelier de dents jaunies. Le reste des os collectés par les plongeurs de la police d'État avait été grossièrement agencé, pour restituer l'idée d'un squelette humain. Les côtes au centre. Deux bras – l'un des deux brisé au niveau du coude – posés de part et d'autre. Des jambes dans le prolongement.

Récurés par leur long séjour aquatique, ils ne portaient plus aucune trace, ne serait-ce de tendons. Le temps avait fait son œuvre, les poissons aussi.

Nick examinait la dépouille en tournant lentement autour de la table. La main du bras droit, celui qui était en un seul morceau, reposait à plat, doigts légèrement écartés. La main gauche refermée sur elle-même n'était qu'un nœud de phalanges serrées les unes contre les autres. Il voulut la toucher quand une femme déboula dans la salle d'autopsie. Après son passage, les doubles portes continuèrent à battre un certain temps. Regardant le squelette puis Nick, elle demanda :

– C'est vous le responsable ?

Assis tranquillement dans un coin de la salle, le lieutenant Vasquez se leva d'un bond. Comme Nick, il était encore trempé comme une soupe mais contrairement à lui, il avait eu la bonne idée d'enlever sa veste et sa chemise. Il s'approcha de la femme en bombant le torse. Le grand jeu.

– Non c'est moi, dit-il en tendant la main pour se présenter.

– Lucy Meade. On s'est parlé au téléphone.

À sa grande déconvenue, Tony la vit se retourner vers Nick.

– Et lui, c'est qui ?

– Nick Donnelly. Il nous donne un coup de main sur cette enquête.

– Si vous voulez vraiment nous aider, dit Lucy en s'adressant directement à Nick, je vous conseille de ne pas toucher mes putains d'ossements.

À la manière dont elle prit verbalement possession du squelette, Nick l'identifia comme l'anthropologue médico-légale envoyée par la police d'État pour examiner les restes. Il la trouva trop jeune – une petite trentaine, maxi – et trop jolie pour passer le plus clair de son temps en compagnie de macchabées. Elle avait des yeux bleus, des cheveux auburn tirés en queue de cheval, un jean, des baskets Nike et un T-shirt marqué CIA.

– Vous avez fait partie de la CIA ? demanda Nick.

Lucy Meade fit disparaître le T-shirt sous une blouse blanche de laboratoire qu'elle décrocha d'une patère, près de la porte.

– Oui, mais pas de celle que vous croyez.

– Je n'en connais pas d'autre.

– Si. Le *Culinary Institute of America*, rétorqua Lucy. J'ai étudié la cuisine. Je voulais devenir chef.

– Et que s'est-il passé ?

– Finalement, je préfère les os.

Avec un petit geste de la main, elle écarta Nick avant de prendre sa place au bord de la table d'examen, absorbée par la vision du squelette disposé devant elle.

– C'est un garçon, déclara-t-elle. Si j'osais, je dirais même qu'il n'avait pas plus de onze ans.

– À quoi voyez-vous cela ? fit Nick, impressionné.

– Les os du pubis.

Lucy lui montra plusieurs os reliés ensemble, en forme de papillon.

– La symphyse du pubis n'est presque pas usée, ce qui m'amène à penser que ce squelette appartient à un individu jeune. Le pelvis étroit et profond prouve qu'il s'agit d'un garçon.

– On dirait le nôtre, intervint Tony qui, ayant renfilé sa chemise, venait de les rejoindre à la table.

– Et comment se nomme « votre garçon » ? demanda Lucy Meade en traçant dans l'air des guillemets avec les doigts, geste qui d'habitude avait le don d'agacer prodigieusement Nick. Fait par elle, il le trouva charmant. Elle pouvait se le permettre. Elle était intelligente. Et jolie. Et elle savait s'imposer.

– Noah Pierce, dit-il. Neuf ans. Porté disparu en 1971.

– Où l'avez-vous trouvé ?

– Dans un lac, près du parc national où il avait disparu.

– Nous aurons besoin d'un anthropologue dentaire pour voir si sa mâchoire correspond aux registres dentaires, dit Lucy, mais j'ai l'impression qu'il s'agit bien de votre garçon.

– Seriez-vous en mesure de déterminer la cause de sa mort ? demanda Nick.

Comme les deux autres, il tendait à penser que ces ossements appartenaient à Noah Pierce. Maintenant, ce qui l'intéressait c'était qui l'avait tué et pourquoi. Mais comme Lucy n'avait aucun moyen de le lui dire, Nick se contenterait de savoir comment.

– Peut-être bien, dit-elle sans quitter la table des yeux. Elle regardait le squelette comme un critique d'art examine un Picasso – avec curiosité, expertise et sens du détail. Puisque vous l'avez trouvé dans l'eau, ne serait-il pas logique de déduire qu'il s'est noyé ?

Nick et Tony avaient évoqué cette possibilité pendant qu'ils s'épongeaient à l'arrière d'une camionnette du service de maintenance, dans le Parc national de Lasher Mill. Ceci étant, les tueurs en série noyaient rarement leurs victimes – pour la bonne et horrible raison que les noyades ne les amusaient guère. Quand on retrouvait la victime d'un tueur en série dans l'eau, c'était qu'il l'y avait balancée après son forfait.

Lucy enfila prestement une paire de gants en caoutchouc, se plaça en bout de table et souleva le crâne. Elle le tint un instant à la hauteur des yeux puis le fit pivoter dans tous les sens.

– Je ne vois aucun signe de fracture ou de contusion, dit-elle. Cette nuit, j'effectuerai un examen plus approfondi mais d'emblée, je dirais qu'il n'y a pas eu traumatisme.

Lucy reposa le crâne aussi délicatement qu'elle l'avait ramassé. Puis elle passa sur le côté, ramena une boucle de cheveux derrière son oreille et se pencha sur les autres ossements qu'elle inspecta méthodiquement l'un après l'autre.

– Que cherchez-vous ? demanda Nick.

– Des dommages produits par une arme. Les os des victimes poignardées conservent des traces de coupure. Ceux des personnes tuées par balle présentent des sortes d'entailles causées par la pénétration du projectile. L'avantage avec les individus jeunes, c'est que leur squelette est quasiment dépourvu de marques dues à des blessures reçues au cours de la vie. On les déchiffre ainsi plus facilement.

Nick eut une pensée morbide pour sa propre jambe. Il se demanda à quoi elle ressemblerait après une trempette de quarante ans. Les crochets en titane seraient encore là, à moins d'avoir fait les délices de poissons particulièrement voraces. Face à une jambe pareille, même une scientifique aussi talentueuse que Lucy Meade perdrait son latin.

– Avec les enfants, poursuivit-elle, les os sont plus nets, on a moins de fractures à gérer. En revanche, le problème…

Nick l'interrompit.

– C'est qu'ils appartiennent à un enfant ? proposa Nick.

– Oui, c'est tout à fait cela, dit Lucy avec petit air triste.

Elle reprit son examen en pressant du bout des doigts sur les os de la jambe droite. Quand elle arriva aux orteils, elle passa de l'autre côté de la table et répéta les mêmes gestes sur la jambe gauche, en partant du bas, cette fois-ci.

Dites-moi, Monsieur Donnelly, dit-elle. Cette enquête entre-t-elle dans le cadre de votre fondation ?

Le regard de Nick passa des mains de Lucy à son visage impassible, ses yeux rétrécis par la concentration. Elle le connaissait ? Si elle avait levé la tête à ce moment-là, elle aurait vu Nick écarquiller les paupières de surprise.

– En partie, répondit-il. Disons que ce cadavre-là n'était pas prévu, au départ. C'est presque un hasard.

– Voilà pourquoi vous prêtez main-forte à la police d'État.

– Exactement.

Lucy se décida à le regarder.

– J'ai lu quelques articles sur vous et votre mission. J'admire ce que vous faites. Si jamais vous avez besoin d'aide pour une enquête, appelez-moi. Je serais heureuse de vous offrir mon expertise.

– C'est très aimable à vous.

– Et si vous avez juste envie de boire une bière un de ces quatre, appelez-moi aussi, ajouta Lucy. Je ferai l'impossible pour me libérer.

Tony, qui se tenait derrière elle, leva le pouce en souriant. Geste auquel Nick ne put pas répondre. Mais au-dedans de lui, il exultait littéralement. Dès qu'il en aurait terminé avec cette enquête, il ne se ferait pas prier pour lui téléphoner.

– Je me garderai bien d'oublier cette proposition, dit-il.

Trop occupée à examiner les os du bras gauche, Lucy ne répondit rien. Quelque chose dans la main serrée avait attiré son attention. Elle se pencha tant que son nez frôla les phalanges de l'index.

– Je crois qu'il tient un objet, dit-elle.

Elle retourna le bras. De sa main gauche, elle maintint le poignet contre la table et de la droite, entreprit d'écarter les doigts.

Elle commença par l'auriculaire. Quand Lucy sépara les articulations les unes des autres, on entendit un claquement écœurant. Nick grimaça. Lucy lui demanda d'enfiler des gants en caoutchouc.

– Tenez bien ce doigt déplié sur la table.

Nick s'exécuta pendant que Lucy s'occupait de l'annulaire. Dès qu'elle eut tiré dessus, il se redressa et claqua contre le métal.

– Merde.

– C'est une manière de procéder, supposa Nick.

– Oui mais pas la bonne, rétorqua Lucy.

Malgré sa contrariété, elle redressa le majeur qui produisit le même claquement, en plus violent. Quand ses articulations furent dépliées, Nick le plaqua contre la table. Même chose pour l'index. À présent, la main était ouverte.

À première vue, l'objet ne ressemblait à rien. Après des dizaines d'années passées à moisir dans la vase, grignoté par les algues, il avait l'air d'un excrément plus que d'autre chose. Quand Lucy le récupéra en le faisant glisser sous le pouce, il laissa une trace de boue sombre derrière lui.

– Il est lourd pour un objet si petit, dit-elle.

Aussitôt, elle le passa sous le robinet de l'évier. Pendant cinq bonnes minutes, elle le brossa, le récura. De temps en temps, des croûtes de terre tombaient sur l'émail avec un bruit sourd. Quand il fut aussi propre qu'un sou neuf, Lucy se retourna et le leur montra.

– Qu'est-ce que c'est ? demanda Nick.

– Honnêtement, je ne vois pas.

L'objet passa entre les mains de Nick. Long d'environ huit centimètres, il était nettement plus lourd qu'il n'en avait l'air. Si on lui avait demandé en quoi il était fabriqué, il aurait dit en fer. Heureusement, personne ne lui posa la question.

– C'est une fusée miniature, fit-il.

La peinture avait disparu. Ne subsistait qu'une tige terminée par un bout arrondi. À la base, on voyait dépasser deux petits ailerons. Mais le détail qui permettait à Nick de l'identifier sans risque d'erreur ne tenait ni à sa taille ni à sa forme. C'était les lettres gravées dessus.

Il leva la fusée vers la lumière et l'inclina de telle manière que Tony et Lucy puissent déchiffrer un prénom et un nom.

Dennis Kepner.

20

Après la pénible expérience qu'il venait de vivre dans l'arrière-cour de Glenn Stewart, une heure plus tôt, Éric hésitait à ouvrir la boîte que Kate lui avait rapportée du cimetière. Bourrelé de remords, il s'en voulait d'avoir déterré le furet et violé la vie privée de son voisin. Le regard fixé sur cette boîte en fer-blanc posée sur la table de la salle à manger, il songeait à la leçon qu'il avait reçue : certaines choses doivent rester enfouies.

– Je me demande si nous avons raison de faire cela, dit-il.

Assise près de lui, Kate hocha doucement la tête.

– N'est-ce pas ce que voulait ta mère ?

Sa mère voulait qu'il retrouve Charlie. Ce qui ne l'autorisait pas forcément à fouiller dans des affaires personnelles qu'elle avait enterrées, autrefois. Mais peut-être que si. À présent, c'était à lui de décider s'il voulait continuer ou pas.

Kate attendit patiemment qu'il règle ce dilemme. Elle avait renvoyé James à la maison avec Carl Bauersox en demandant à son adjoint de le garder jusqu'à son retour. Éric la devinait impatiente de retrouver son fils. Il devinait aussi qu'après s'être donné la peine d'exhumer cette boîte, elle avait hâte d'en découvrir le contenu.

Après une autre minute de silence, Éric se lança :

– Je pense qu'il faut le faire.

Sans réfléchir davantage, il ôta le couvercle. Une photo de son frère lui rendit son regard. Encore le portrait scolaire qu'Éric avait vu et revu au cours des derniers jours. Il le prit, l'examina en s'attardant sur les yeux tristes, les oreilles décollées et le sourire méfiant de Charlie.

– Il y a autre chose, l'avertit Kate.

Éric posa la photo et regarda de nouveau dans la boîte. Au fond, il vit une clé. De couleur bronze à l'origine, la crasse l'avait ternie. Elle était plus petite que les clés modernes, avec des saillies plus marquées, des encoches moins profondes. Rien n'indiquait à quelle serrure elle correspondait.

Là-dessus, Éric avait sa petite idée.

Il s'en empara, se leva d'un bond et sortit de la salle en courant. Kate le retrouva à l'étage, devant la chambre de Charlie. En tremblant comme une feuille, il introduisit la clé dans la serrure. Elle tourna sans problème. À l'intérieur, on entendit un léger déclic.

La chambre de Charlie était enfin ouverte.

Éric poussa un cri de joie, suivi par quelques sauts de cabri. Saisissant Kate par les épaules, il l'entraîna dans une danse endiablée.

– C'est la bonne ! hurla-t-il. On a réussi !

Il serra Kate contre son cœur. Leurs visages se rapprochèrent. Puis, à brûle-pourpoint, il l'embrassa.

Ce baiser, Kate ne s'y attendait pas, mais elle réalisa en le recevant qu'elle en avait envie depuis la seconde où elle avait revu Éric. Et plus encore depuis qu'elle l'avait surpris nu en débarquant chez lui à l'improviste. Cette vision l'avait enchantée bien plus qu'elle ne voulait l'admettre.

Alors, quand elle sentit s'éloigner les lèvres d'Éric, elle lui fit nettement comprendre qu'elle en voulait davantage. Plaquant la main sur sa nuque, elle l'attira vers elle, leurs lèvres se confondirent et elle lui rendit son baiser.

Ils s'étaient déjà embrassés, bien sûr. Autrefois. Quand ils sortaient ensemble, l'un de leurs passe-temps favoris consistait à dénicher des endroits tranquilles, inconnus de son père et de son adjoint, où se peloter sans être dérangés. Mais ils étaient gosses à l'époque. Aujourd'hui, à l'âge adulte, Kate mesurait les progrès accomplis. Éric embrassait mille fois mieux. À la fois plus tendre et plus puissant, son baiser avait quelque chose de vorace qui la ravissait.

Éric glissa son bras autour de sa taille et la serra contre lui. Ce mélange corporel engendra chez Kate une faiblesse soudaine. Pour ne pas tomber, elle dut reculer un bras et s'accrocher à la poignée de la porte. Et lorsque les lèvres d'Éric s'aventurèrent au creux de son cou, elle ressentit un tel plaisir qu'elle tourna la poignée.

Autant que leur premier baiser, l'ouverture de la porte fut une surprise pour l'un comme pour l'autre. Comme ils s'appuyaient dessus de tout leur poids, lorsque le battant pivota brusquement, ils tombèrent à la renverse et s'écroulèrent sur le parquet de la chambre, bras et jambes emmêlés.

Kate atterrit sur le dos. Sa tête heurta durement le sol. Comme Éric n'avait pas eu le temps de dégager son bras, Kate ressentit un choc douloureux au creux des reins. Quand il le récupéra enfin, il était gris de poussière.

À chacun de leurs mouvements, des nuages pulvérulents s'élevaient du sol. Ils s'entraidèrent et finirent par se relever au milieu de ce brouillard grisâtre.

– Seigneur, s'écria Éric en agitant la main pour disperser les particules flottant devant son nez. J'arrive à peine à respirer.

Pareil pour Kate. L'air était proprement irrespirable. Elle glissa la main dans le col de son uniforme et tira son T-shirt jusqu'à son nez. Éric l'imita. Une fois protégés, ils examinèrent l'espace autour d'eux.

On aurait dit que la chambre et tout ce qu'elle contenait avaient été repeints en gris. Le dessus-de-lit. Les rideaux. Les jouets éparpillés sur le sol. Kate s'avança vers une commode. Quand elle passa le doigt dessus, la couleur originelle apparut – un bleu vif dont la poussière omniprésente faisait ressortir la luminosité, par effet de contraste.

Les araignées s'en étaient donné à cœur joie. Leurs ouvrages suspendus reliaient le lit à la table de nuit, s'accrochaient au radiateur, décoraient le plafond comme des bandes de papier crépon qu'on aurait fixées là et oubliées après la fête.

– Ça fait combien de temps que personne n'est entré dans cette pièce, à ton avis ? demanda-t-elle.

– La dernière fois c'était en 1969, je suppose.

Éric essaya l'interrupteur près de la porte mais les ampoules avaient rendu l'âme depuis bien longtemps.

– Et juste après, ils ont enterré la clé.

En regardant autour d'elle, Kate prit conscience que rien ici n'avait changé depuis la disparition de Charlie. La pièce avait cette aura particulière des lieux soudainement abandonnés, figés pour l'éternité. Les objets eux-mêmes n'avaient pas bougé. On n'avait rien rangé ni nettoyé depuis le fameux soir. Les affaires de Charlie s'étalaient un peu partout, comme si l'enfant allait revenir, comme s'il vivait encore ici.

Kate s'avança vers un bureau adossé au mur. Les stylos débouchés, les crayons mal taillés qui dormaient dessus avaient servi à dessiner sur les feuilles posées à côté. Elle en prit une entre le pouce et l'index et la secoua un peu pour faire tomber la poussière. Sous la fine pellicule grisâtre, elle devina des étoiles, une fusée et, bien sûr, la lune.

Son obsession pour les voyages spatiaux se retrouvait dans la plupart des menus objets parsemant la chambre. Une planète en papier mâché pendait à un fil de pêche, à la verticale du bureau. Sur la commode, une série de fusées miniatures s'alignait par ordre de taille et près de la fenêtre, un trépied supportait un petit télescope.

Éric se pencha sur la table de nuit surmontée d'une autre fusée, d'une lampe et une photo encadrée dont il entreprit d'essuyer le verre.

Kate fit de même pour la fenêtre. Ayant dégagé un rond propre sur la vitre, elle découvrit le jardin, la rue et au-delà, la résidence Santangelo dont presque toutes les pièces semblaient éclairées. Sachant que rien n'avait changé dans cette impasse depuis 1969, elle supposa que Charlie avait bénéficié de la même vue, à l'époque. Elle imagina l'enfant passionné de conquête spatiale, l'œil collé à son télescope, observant le ciel, la rue, les voisins.

La poussière avait épargné la lentille du télescope, heureusement protégée par son cache. Kate souffla sur l'œilleton. Quand le nuage fut retombé et l'œilleton nettoyé, elle se pencha, plissa les yeux et regarda dedans.

En tout premier lieu, elle vit Lee Santangelo. L'objectif braqué directement sur la fenêtre de sa chambre offrait un gros plan de son visage hagard. La lueur de la télévision nimbait sa peau d'une teinte bleu pâle. Seuls ses yeux bougeaient. Ils coulissaient de droite à gauche et de gauche à droite selon l'action qui se déroulait sur l'écran.

Kate régla la focale jusqu'à ce que le reste de la pièce devienne net. En découvrant le fauteuil de Lee, la télévision et un coin du lit d'hôpital, elle se demanda si le ciel et les étoiles étaient vraiment les seuls points d'intérêt du jeune Charlie. Apparemment, il aimait aussi espionner ses voisins.

Soudain, derrière elle, Éric s'exclama :

– Kate, regarde un peu ça !

Il tenait en main le cadre débarrassé de sa poussière. Quand il le tourna vers elle, Kate aperçut un groupe d'écoliers assis par terre, regardant avec admiration l'homme qui s'exprimait face à eux. Lee Santangelo dans sa toute gloire passée – jeune, viril, rayonnant. Il semblait sourire à un garçonnet placé devant. Charlie Olmstead.

– La photo est dédicacée, précisa Éric en désignant l'inscription. Regarde toujours vers le ciel. Ton ami, Lee.

Kate replongea sur le télescope qu'elle abaissa légèrement vers l'étage inférieur et l'étrange musée dédié à la carrière du grand homme. Comme le reste de la maison, cette pièce était vivement éclairée. Kate fit le point sur les photos couvrant les murs. L'une d'entre elles attira particulièrement son attention, alors que, ce matin, elle était passée devant sans s'y arrêter.

– Comment ai-je pu rater ça ?

– De quoi tu parles ?

– Les photos, dit Kate. Chez Lee. Il suffit de les regarder pour tout comprendre.

Elle sortit de la chambre en trombe. Une minute plus tard, elle était dans la rue. Éric la rattrapa alors qu'elle foulait la pelouse des Santangelo.

– Je ne saisis pas ce qui se passe, dit-il.

Kate empoigna le gros heurtoir de cuivre et cogna à la porte. Attends une minute, tu vas comprendre.

Becky Santangelo portait un déshabillé de satin et une chemise de nuit assortie. Comme la robe de mousseline jaune qu'elle leur avait exhibée ce matin-là, cette tenue cadrait mal avec son âge. Comble du ridicule, elle l'avait complétée par des mules mauves à petits talons, garnies d'une houppette blanche.

– Encore vous, soupira-t-elle.

Elle n'essaya même pas de donner le change, cette fois-ci.

– Vous revenez pour m'interroger ?

– Je veux voir les photos, dit Kate. De votre mari.

– Après votre comportement de ce matin, j'estime que votre intrusion…

Kate lui coupa la parole.

– Je me fiche éperdument de ce que vous estimez.

Elle exerça une pression sur la porte. Becky dut s'écarter. Une fois entrée, Kate s'engouffra dans le couloir et fonça droit sur la salle d'honneur. En voyant les dizaines de photos sur les murs, elle eut un instant d'hésitation. Il y en avait tant, elles montraient tellement d'endroits différents. Après avoir tourné dans la pièce, histoire de se repérer, elle trouva le pan de mur qui l'intéressait.

La première photo qu'elle cibla était un autre exemplaire du tirage qu'Éric avait trouvé sur la table de nuit de Charlie. La plaque fixée au bas du cadre indiquait qu'elle avait été prise à l'école primaire de Perry Hollow en 1969.

Le cliché suivant montrait une scène similaire. Devant une église en pierre, Lee serrait la main d'une femme âgée devant un groupe d'enfants attentifs. La plaque annonçait : ÉGLISE MÉTHO-DISTE ST PAUL, 1972. Le nom de l'église était inscrit sur une pan-carte, à droite de Lee Santangelo. Et en dessous, tracée en petites lettres blanches : Centralia, Pennsylvanie.

– Centralia ? s'étonna Éric. Mais c'est la ville où ont disparu deux des garçons, non ?

– Gagné, acquiesça Kate d'un air sinistre.

– Quels garçons ? intervint Becky Santangelo dont le visage arborait une expression horrifiée. Mais que se passe-t-il ici ?

– Six jeunes garçons ont disparu entre 1969 et 1972, dit Kate. Et nous pensons que votre mari pourrait avoir trempé dans cette affaire.

– Tiens, regarde, ici aussi, l'interrompit Éric, debout derrière elle.

Ce cliché-là ressemblait étrangement aux deux précédents, à ceci près que les enfants assemblés devant Lee ne semblaient nullement transportés d'admiration. Certains parmi eux avaient même l'air renfrogné. Ils étaient assis dans une sorte de baraquement, percé d'une fenêtre qui donnait sur des arbres et des toits en rondins. La plaque disait : *Camp du Croissant*, 1971.

Kate se rapprocha. Au deuxième rang, elle vit un petit garçon de douze ans environ, dont les yeux perçants et le sourire narquois ne lui étaient pas inconnus.

Dwight Halsey.

– Bingo, cria-t-elle en tapotant le cadre d'un doigt vainqueur. Il est sur la photo ! Lui et Lee se sont rencontrés.

– Je ne vois rien d'étrange à cela, dit Becky. Mon mari sillonnait la Pennsylvanie. Cela faisait partie de son travail.

– Savez-vous s'il est passé un jour par la ville de Fairmount ?

– C'est probable. Il a visité presque toutes les villes de cet État.

– Madame Santangelo, nous savons que votre époux n'était pas seul la nuit où Charlie a disparu.

Becky leva le menton avec un air de défi.

– C'est un mensonge éhonté.

– Je crois que vous ne saisissez pas la gravité de la situation, reprit Kate. Six enfants ont disparu au cours des différentes missions Apollo. Or, votre mari, un astronaute raté, a eu des contacts avec au moins deux d'entre eux.

– Cela n'implique pas qu'il les ait tués.

– Non mais cela fait de lui le suspect numéro un. Donc, à moins qu'il y ait eu quelqu'un avec lui, la nuit en question, quelqu'un qui soit en mesure de lui fournir un bon alibi, ajouta Kate, je vais devoir l'arrêter pour l'enlèvement de Charlie Olmstead.

Becky tourna un regard apeuré vers le grand tableau montrant Lee en uniforme. Elle semblait attendre une réponse, un conseil de sa part. La main crispée sur l'encolure de son déshabillé, les yeux fixes, elle faisait des efforts désespérés pour retenir ses larmes.

– Je ne peux pas vous le dire, bafouilla-t-elle. Je suis désolée mais je ne peux pas.

Kate passa devant elle et sortit dans le couloir.

– Dans ce cas, je ne peux plus rien pour lui. Navrée.

D'un geste éperdu, Becky la rattrapa par la manche. Kate se débarrassa d'elle et se rua dans les escaliers. D'un pas déterminé, tête droite, dos raide, elle parcourut le couloir du premier étage. Ce qu'elle s'apprêtait à faire la révulsait, mais c'était son devoir. Puis elle entra dans la chambre de Lee Santangelo.

Toujours perdu dans son immense fauteuil, son visage était comme une toile blanche servant de support aux éclairs colorés jaillissant de la télévision. Kate se planta devant lui en se disant qu'il ne s'apercevrait même pas qu'on lui passait les menottes.

– Beck, piailla-t-il. Beck.

Quand sa femme fit son apparition, à bout de souffle, les yeux agrandis par l'inquiétude, Kate referma d'un coup sec l'un des bracelets sur le poignet de Lee.

– Lee Santangelo, vous avez le droit de garder le silence.

Becky eut un hoquet.

– Que faites-vous donc ?

– Je l'arrête, dit Kate en emprisonnant l'autre poignet de Lee. Pour l'enlèvement et peut-être le meurtre d'au moins quatre jeunes garçons.

– C'est de la folie.

Becky courut vers son mari entravé.

– C'est un homme malade. Vous ne pouvez pas le jeter en prison. Il en mourrait.

Kate le savait pertinemment. Elle n'avait d'ailleurs pas l'intention de l'arrêter mais plutôt d'obliger sa femme à cracher la vérité. Le stratagème s'avéra payant.

– Je peux prouver qu'il n'a pas fait de mal à ces enfants, dit-elle.

– Comment ?

– J'ai des preuves. Des preuves qu'il ne les a pas touchés.

– Montrez-les-moi.

– Il faut d'abord que je les trouve, répondit Becky. Je vais vous les montrer. Je le promets. Mais je vous en prie, enlevez-lui ces horribles menottes.

Kate se laissa fléchir. Lee eût été plus vaillant, elle aurait hésité à le libérer derechef. Mais elle voyait mal Becky et son mari s'enfuir à toutes jambes. Même si Lee avait trempé dans la disparition de ces gosses, la justice pouvait bien attendre encore un jour. Une preuve tardive valait mieux que pas de preuve du tout.

— Je vous donne vingt-quatre heures, dit-elle à Becky. Si demain à la même heure, vous ne les avez toujours pas trouvées, je n'hésiterai pas à jeter votre mari en prison.

21

POUR LA DEUXIÈME NUIT D'AFFILÉE, Éric dormit mal. Les heures s'égrainaient et lui, en équilibre précaire entre sommeil et veille, n'osait s'assoupir par crainte des cauchemars. Il en fit pourtant. Il vit par exemple Lee Santangelo, plus jeune de quarante ans, sauter sur son lit pour l'étrangler. Dans une autre scène, Charlie – ou du moins son fantôme, difficile à préciser – arpentait sa chambre poussiéreuse en balançant des coups de pied dans les moutons.

Il fit quand même un rêve agréable. Kate et lui s'embrassaient devant la chambre de Charlie, mais cette fois-ci, ils étaient nus. Quand la porte finit par s'ouvrir, ils tombèrent non pas sur le sol mais dans une douce lumière blanche, si sensuelle qu'il se réveilla.

Il ouvrit les yeux d'un coup en essayant d'ignorer son érection pourtant manifeste. Après avoir quitté le domicile des Santangelo, Kate et lui n'avaient pas eu l'occasion d'évoquer leur étreinte, bien réelle celle-là. Il y avait eu d'autres questions à régler, plus urgentes. Mais à présent, seul dans sa chambre obscure, il n'arrêtait pas de repasser la scène dans sa tête. Que fallait-il en penser ? Comme il n'avait pas fait l'amour depuis qu'il avait quitté Brooklyn, Éric se demandait avant tout si – et quand – il pourrait de nouveau la prendre dans ses bras.

Ces prises de tête étaient une habitude chez lui. Surtout quand il passait ses journées à sa table d'écriture. Souvent, en plein processus créatif, il se retrouvait allongé sur son lit, le cerveau fourmillant de pensées délirantes, peu propices au sommeil. À la différence près que cette nuit-là, Éric ne travaillait sur aucun livre. La voix de Mitch Gracey se taisait depuis des mois.

En revanche, il entendait nettement celle de Charlie. Et de Monsieur Stewart. Il revoyait l'expression paniquée de Becky Santangelo à l'instant où Kate avait passé les menottes à son mari. Après une bonne demi-heure d'élucubrations, son esprit s'embruma et glissa doucement dans le sommeil – quitte à cingler vers d'autres territoires cauchemardesques.

C'est alors qu'il entendit un bruit.

Il se redressa sur son séant, l'oreille aux aguets. Ce bruit n'avait rien de commun avec celui de la pelle de Glenn Stewart s'enfonçant dans la terre sous le murmure de la pluie. Il était plus net, plus puissant.

Quand il retentit de nouveau, Éric ne parvint pas à l'identifier. Mais il venait du rez-de-chaussée. C'était certain.

Il y avait quelqu'un dans la maison.

Éric se glissa lentement hors de son lit en prenant garde de ne pas alerter l'intrus. Traversant la chambre sur la pointe des pieds, il s'arrêta devant la porte. Elle était fermée. Par précaution, Éric donna un tour de clé. Mieux valait prévenir que guérir.

L'oreille collée au battant, il écouta. Quand le bruit recommença, Éric l'identifia.

Des pas.

Qui se rapprochaient.

Qui se dirigeaient vers l'escalier.

Éric se racontait que s'il ne bougeait pas, l'intrus s'en irait, croyant la maison inoccupée. Il aspira une bonne goulée d'air et retint son souffle.

À l'étage inférieur, les pas se firent plus feutrés.

Quelqu'un montait les marches à pas lents et irréguliers. Les pauses plus ou moins longues faisaient penser à de l'hésitation. Lorsqu'Éric entendit le fameux craquement signalant la cinquième marche, il sut que l'intrus venait de gravir la moitié de l'escalier.

Son regard fouilla la chambre. Il cherchait un objet pouvant lui servir d'arme défensive. Le choix était mince – un sac de marin, une paire de baskets, une tasse à café qu'il avait oublié de ramener à la cuisine, ce matin. Rien de lourd, rien de dangereux. Sauf une chose : son ordinateur portable.

À pas de loup, Éric alla le prendre sur son bureau. Il l'attrapa par la tranche, comme s'il comptait écraser une araignée avec un livre, et revint se poster derrière la porte en brandissant l'ordinateur. Il se sentait ridicule. Si Mitch Gracey l'avait vu se comporter ainsi, il aurait levé les yeux au ciel, avec un rictus méprisant.

Mais Éric se fichait de Mitch Gracey, de même qu'il se fichait de sacrifier cet ordinateur qui coûtait les yeux de la tête. Le fait qu'il n'ait rien écrit de valable sur cette machine durant un mois acheva de le convaincre.

Éric tourna la clé dans l'autre sens. L'inconnu avait atteint le palier ; il marchait dans le couloir d'un pas toujours aussi heurté. Dans le silence de la maison, les craquements du parquet résonnaient contre les murs.

La main sur la poignée, Éric attendait. De l'autre côté de la porte, quelqu'un respirait bruyamment. Un homme.

Éric ignorait qui c'était et ce qu'il voulait. Mais il savait ce qu'il lui restait à faire.

Attaquer.

L'ordinateur levé au-dessus de sa tête, il ouvrit la porte à la volée et fit irruption dans le couloir, prêt à assommer l'intrus. Quand il le vit, toutes ses intentions belliqueuses fondirent comme neige au soleil.

L'intrus ne constituait pas une menace. Il tenait à peine debout. Appuyé contre le mur, il avait même du mal à soulever les paupières pour regarder Éric. Il empestait l'alcool et d'autres choses encore plus désagréables – transpiration, urine, autant de signes révélateurs de la dégradation physique.

– Papa ? s'écria Éric. Qu'est-ce que tu fais là ?

Ken Olmstead était trop ivre pour répondre. Ivre mort, plus exactement. Sa posture venait confirmer l'odeur qui émanait de lui. Éric avait peine à croire qu'il ait réussi à monter jusque-là. Quand son père commença à glisser le long du mur comme un spaghetti mal cuit, Éric l'empoigna par les bras et le guida vers l'ancienne chambre de sa mère.

Il l'aida à s'écrouler sur le lit. En voyant sa tête crasseuse

dodeliner sur l'oreiller blanc, il ressentit un pincement de culpabilité. Sa mère n'aurait jamais permis qu'il entre chez elle, et
encore moins dans la chambre qu'ils avaient autrefois partagée.
Elle l'aurait laissé cuver dans la véranda, derrière la maison.

Mais il était trop tard pour changer d'avis. Son père était
couché sur le lit, les draps s'imprégnaient de son odeur et Éric
était crevé. Il allait regagner sa propre chambre quand il entendit
Ken bouger. Il se retourna, le vit s'asseoir et − chose incroyable
pour quelqu'un dans son état − le regarder d'un air presque
lucide.

− Éric, dit-il. Je suis désolé.

− Désolé de quoi ?

Son père avait fait tellement de trucs dégueulasses dans sa vie
qu'Éric attendait de sa part autre chose que des regrets exprimés
à la va-vite et censés tout absoudre en bloc. Si Ken voulait vraiment lui présenter ses excuses, il allait devoir entrer dans les
détails.

− Pour Charlie, dit son père.

− Je ne comprends pas.

Ken Olmstead retomba sur le dos, bras en croix. Il avait les
yeux fermés, mais il ne dormait pas encore. Pas vraiment. Juste
avant de sombrer, il murmura quatre mots.

− Ne le cherche pas.

Vendredi

22

Nick passa la nuit dans un motel Super 8, à dix minutes de Fairmount. Tony fit de même mais aux frais de la police d'État. Nick, lui, avait payé avec sa carte Visa déjà plombée. Heureusement, la chambre était bon marché. Dans un hôtel de catégorie supérieure − un Days Inn, par exemple −, il aurait fait exploser son plafond de crédit. En plus, ici, le café était compris. Tony le lui apporta dans sa chambre à six heures du matin.

− Tiens, dit-il en lui tendant sa tasse. J'imagine que tu en auras besoin pour conduire.

− Je vais où ?

− Au *camp du Croissant.*

Nick avait du mal à aligner les idées. Il mit cela sur le compte du manque de caféine. Mais deux gorgées plus tard, il ne pigeait toujours rien.

− Tu ne viens pas ?

− Je ne peux pas, répondit Tony. On a reçu les dossiers dentaires de Noah Pierce et Dennis Kepner. Un anthropologue dentaire doit arriver ce matin de Harrisburg. Avec un peu de chance, cet après-midi, nous saurons lequel des deux garçons nous avons retrouvé sous le moulin.

Jusqu'à la découverte de la fusée miniature, Nick avait cru que le squelette appartenait à Noah Pierce. À présent, il n'en était plus si sûr.

Et Tony non plus.

– J'ai appelé Gloria, dit-il. Elle a ordonné une fouille complète du parc national, juste au cas où les ossements seraient ceux de Dennis. Il y a de bonnes chances pour que les autres garçons soient enterrés dans le coin, eux aussi.

Nick n'eut pas besoin de lui demander si Gloria était au courant de sa participation à l'enquête. Si elle avait su, ils ne seraient déjà plus là en train de discuter.

– Pendant que vous fouillez le parc national de Lasher Mill, tu veux que j'aille jeter un coup d'œil dans le camp où Dwight Halsey a disparu, c'est cela ?

– Exactement, dit Tony. Mais pas un mot à personne.

Conseil inutile. Nick buvait du petit-lait à l'idée qu'il continuerait l'enquête pendant que Tony et ses collègues ratisseraient les buissons d'un parc national. Ce changement de programme lui redonna du cœur au ventre.

Il se doucha, se rasa et décrocha ses vêtements de la tringle où ils les avaient mis à sécher, la veille au soir. Ils étaient raides comme du carton et leur odeur nauséabonde résultait du mélange de trois ingrédients : vase, moisissure et hôtel minable. Tant pis. Il roulerait vitres baissées pour les aérer.

Au sud-est sur la carte, le *camp du Croissant* était niché au cœur d'une vaste forêt, à deux heures de Fairmount. Au lieu d'allumer son lecteur de CD, Nick passa le temps en écoutant les nouvelles à la radio. Les Chinois devaient alunir vers seize heures et poser le pied sur la lune une heure après, *grosso modo*. Si quelqu'un avait prévu d'enlever un gosse pour l'occasion, il était un peu tard pour l'en empêcher.

L'entrée du camp se trouvait à huit bons kilomètres de l'autoroute, au bout d'une allée forestière creusée de nids-de-poule. Quand Nick s'arrêta, il ne vit aucun panneau indicateur. Un portail métallique interdisait d'aller plus loin. Au moins quatre écriteaux différents mettaient en garde les éventuels contrevenants. Estimant qu'il n'entrait pas dans cette catégorie, Nick descendit de voiture et, s'aidant de sa canne, rampa sous le portail.

De l'autre côté, la route s'enfonçait dans une épaisse forêt. Puis elle se divisa. À l'embranchement, une pancarte délavée l'accueillit enfin dans le *camp du Croissant*. À côté, un panneau fléché indiquait les divers aménagements du camp – cabanes, cantine, toilettes. Nick suivit la direction des bureaux administratifs.

En fait de bureaux, Nick découvrit une cabane de trappeur haute d'un étage reposant sur un soubassement en pierre brute. Des rondins débarrassés de leur écorce soutenaient l'avancée du toit. La véranda qui se prolongeait sur le flanc du bâtiment accueillait un rocking-chair. La cabane avait connu des jours meilleurs, mais la présence du fauteuil prouvait qu'elle n'était pas totalement abandonnée. Supposition confirmée par les meubles non couverts qu'on apercevait à travers les vitres sales. Mais quand il frappa, personne ne répondit.

Il passa à l'arrière de la cabane en suivant la véranda. Une prairie plantée d'herbes hautes s'étendait jusqu'à la rangée de résineux, une centaine de mètres plus loin. À travers les arbres, Nick aperçut le lac et un antique ponton à moitié immergé.

Au milieu de la prairie, quelques bancs entouraient un cercle de pierres servant de foyer. Un seul était encore d'aplomb. Sans doute une aire de pique-nique datant de l'époque où le camp recevait encore du monde. De toute évidence, ce n'était plus le cas. Nick ignorait quand et pourquoi, mais il avait fermé ses portes depuis un bout de temps.

Il descendit de la véranda et traversa la prairie en direction du brasero. À peine avait-il fait trois pas qu'il perçut un bruit familier derrière lui. Ce bruit lui rappela son ancien métier. Il suffisait d'entendre une fois le déclic du chien d'un fusil calibre douze pour s'en souvenir toute sa vie.

Une voix d'homme retentit dans la seconde qui suivit.

– Qui êtes-vous et qu'est-ce que vous foutez ici ?

– Je suis de la police d'État, répondit Nick, figé sur place.

Même si ce n'était pas l'exacte vérité, il savait que cette déclaration était le meilleur moyen d'éviter le pire. Quand un type vous visait à la tête avec un calibre douze, on pouvait se permettre quelques approximations sémantiques.

– Retournez-vous.

Nick fit ce qu'on lui disait. Calmement. Il se retrouva face à un septuagénaire au crâne chauve, à la barbe broussailleuse. L'homme avait dû être costaud dans sa jeunesse. Il était encore solidement charpenté, mais ses muscles avaient fondu. La peau de ses bras pendouillait.

– C'est quoi votre nom ?

– Nick Donnelly. Et vous ?

– Avant qu'on cause, vous allez me dire pourquoi la police d'État vient fourrer son nez par ici.

– Le nom de Dwight Halsey vous évoque-t-il quelque chose ? demanda Nick.

– Vous lui voulez quoi ?

– Vous l'avez connu ou pas ?

Dans un même mouvement, l'homme baissa le fusil et pencha la tête.

– Ouais, je l'ai connu. Ce foutu gamin a détruit ma vie.

Il s'appelait Craig Brewster et c'était le propriétaire du terrain qui accueillait le *camp du Croissant* dont il avait été le directeur, au temps où cet endroit était encore un camp d'ados et pas un tas de bois pourri. À présent, Craig vivait dans ses anciens bureaux durant les mois d'été et en hiver, louait un appartement à Philadelphie. Âgé de soixante-douze ans, célibataire, son cœur avait besoin d'un pacemaker pour continuer à battre.

Sur la véranda, derrière la cabane qui lui servait de logis, Craig raconta sa triste histoire. En l'écoutant, Nick imaginait le vieillard assis là pendant des heures chaque jour, le regard posé sur son domaine – et ses rêves brisés. Tout cela, selon lui, par la faute d'un gosse disparu en 1971.

– Vous étiez ici la nuit où Dwight Halsey a disparu ? demanda Nick.

– Évidemment.

– Vous souvenez-vous d'avoir remarqué des allées et venues, des comportements inhabituels ?

– Non, Monsieur. Rien avant le matin, quand j'ai constaté qu'il s'était tiré.

– Cela vous ennuie si je jette un coup d'œil dans le coin ?

– Pas du tout, dit Craig en s'extirpant de son fauteuil. Je vais vous faire le tour du propriétaire.

Ils contournèrent la prairie avant de prendre sur la gauche un sentier de terre qui s'enfonçait dans la forêt. Parmi les arbres, les autres bâtiments du camp jaillissaient du sol comme des champignons géants.

– Mon père adorait la vie au grand air, dit Craig. Il m'a beaucoup appris. Tout petit, je savais déjà que pour affronter la vie, un homme a besoin de deux choses : la discipline et la nature. J'ai toujours agi en ce sens.

Craig s'était engagé dans l'armée à l'âge de dix-neuf ans. Après l'avoir quittée avec les honneurs, il avait trouvé du travail dans une maison de redressement pour adolescents. En 1969, son père était mort en lui laissant une somme rondelette dont il s'était servi pour acheter une centaine d'acres de forêt.

– J'ai croisé pas mal de voyous dans ma vie. La plupart n'étaient pas de si mauvais bougres. C'est juste qu'ils n'avaient pas eu la chance de recevoir la même éducation que moi. Je me suis dit que sur ce bout de terrain, ils pourraient pêcher, randonner, redevenir des gosses comme les autres. Y a rien de tel que la vie au grand air pour former un homme. C'est comme ça que le *camp du Croissant* a vu le jour.

– Curieux comme nom, intervint Nick.

– Un symbole. Un croissant de lune, c'est juste une petite tranche de rien du tout mais, avec le temps, ça devient une belle lune bien ronde qui brille dans la nuit. Pareil pour les gamins de ce camp. Au début, c'étaient des petites frappes mal dégrossies, mais ils avaient tout pour devenir des lumières éclatantes.

Ils s'arrêtèrent devant une cabane en rondins, basse et trapue. La cantine, si l'on en croyait l'écriteau, au-dessus de la porte. La moitié du toit s'était écroulée voilà des lustres. Un érable avait trouvé le moyen de pousser entre ce qui restait des poutres.

– J'ai ouvert ce camp en 1970, reprit Craig, pour accueillir des gamins ayant eu des démêlés avec la justice ou sur le point d'en avoir. La vie au grand air leur faisait le plus grand bien. Se lever à l'aube, se coucher avec le soleil, apprendre à vivre en communauté. Ils s'amélioraient et j'en étais fier. Et puis le jeune Halsey a débarqué.

– Ça remonte à quand ? demanda Nick.

– Juin 1971. Celui-là, il ne s'est jamais habitué à la vie du camp. Mais vraiment pas.

– Le grand air ne lui disait rien ?

– J'aime pas dire du mal des morts, fit Craig, mais ce petit voyou de banlieue avait le vice dans le sang. Un culot, une insolence, vous pouvez pas savoir. À douze ans à peine, il avait un casier long comme le bras. Vol à l'étalage. Vandalisme. Viré de l'école pour usage d'arme blanche.

Craig n'avait pas besoin d'en dire plus. De toute évidence, Dwight Halsey n'était pas un ange.

– Comment s'entendait-il avec les autres gosses ? demanda Nick.

– Pas terrible. Dès le départ, il a causé des problèmes.

Nick se remémora le visage de Dwight sur les photos de Maggie Olmstead. Le garçon avait l'air de défier le photographe.

– Quel genre de problèmes ?

– Le genre habituel. Vous savez comment sont les garçons à cet âge. Ils s'envoient des vannes, ils s'insultent. Quelques bagarres. Le jour où il s'est enfui, il s'était battu. Il avait un sacré coquard, si je me souviens bien.

Il emmena Nick un peu plus loin. Les autres installations ne se portaient guère mieux que la cantine. Quand ils passèrent devant les anciennes latrines, Nick vit une rangée de cuvettes à ciel ouvert. Les murs et le toit gisaient tout autour, en tas sur le sol.

– Comment savez-vous que Dwight Halsey s'est enfui ?

– Parce qu'il détestait ce camp, dit Craig. Il n'arrêtait pas de le répéter toute la sainte journée. Alors quand ses compagnons de chambre ont signalé son absence le lendemain matin, j'ai aussitôt pensé qu'il avait fugué.

– Et qu'il s'était perdu dans les bois ?

– C'est ce qu'on s'est dit. Les policiers qui sont venus enquêter pensaient comme moi. La forêt est très épaisse dans le secteur, Monsieur Donnelly. On s'y perd facilement. Et une fois que c'est fait, on a toutes les chances d'y rester.

– Mais s'il voulait s'enfuir, pourquoi n'avoir pas simplement suivi la route ?

– Des fois, on ne sait pas trop ce qui se passe dans la tête des gosses.

Ils avaient atteint un périmètre entouré de cabanes, la plupart effondrées. Celles qui tenaient encore debout avaient cet air sinistre des maisons abandonnées. Craig lui indiqua l'une des rescapées. Nick observa son toit couvert de mousse et le trou béant de l'entrée privée de porte.

– C'est là qu'il dormait.

Nick franchit le seuil sans aller plus loin. Sa pénible aventure dans le moulin lui avait servi de leçon. En plus des nids, des toiles d'araignée et du cadavre de souris gisant au milieu du plancher, il repéra des couchettes fixées dans les murs. Les anciens occupants avaient gravé leurs noms dans le bois. Il y avait un Bobby, un Kevin, un Joe… Nick chercha un Dwight mais n'en trouva pas.

– Chaque cabane accueillait quatre garçons, dit Craig. Ils étaient un peu les uns sur les autres, mais ça leur apprenait à vivre ensemble. Dwight était dans son lit, à l'heure du couvre-feu. Je le sais parce que j'ai moi-même vérifié.

– À quelle heure, le couvre-feu ? demanda Nick.

– Dix heures. Le réveil était à six heures du matin. Quand il a sonné, sa couchette était vide. Il était parti.

– A-t-il emporté quelque chose ?

– Rien, à ma connaissance. Toutes ses affaires étaient encore entassées sous sa couchette.

– Si vous aviez l'intention de vous enfuir pour ne jamais revenir, dit Nick, vous laisseriez tout derrière vous ?

Craig Brewster réfléchit à la question en se caressant la barbe puis il rétorqua :

– Il risquait de réveiller ses camarades. Il devait partir sans faire de bruit.

– Donc les autres garçons n'ont rien vu ni entendu ?

– Non, Monsieur, soupira Craig. La police m'a déjà posé ces questions voilà bien longtemps. Ils ont interrogé les enfants, les moniteurs. Personne n'a rien vu, mais tout le monde pensait la même chose – Dwight s'est enfui dans les bois et c'est là qu'il est mort.

– Comment savez-vous qu'il est mort ?

– Parce qu'il n'est jamais réapparu, répondit Craig. Sinon, ma vie aurait été complètement différente.

Pendant qu'ils revenaient vers les bureaux, Craig lui expliqua que la disparition de Dwight Halsey avait ruiné la réputation de la colonie. L'été suivant, il avait perdu la moitié de sa clientèle. En 1973, ce fut pire encore. Dix ans plus tard, il mettait la clé sous la porte.

– Je ne pouvais rien faire d'autre, ajouta Craig. J'ai bien essayé de louer ou de vendre le terrain, mais personne n'en voulait. Cette histoire avec Halsey avait tout fichu par terre. J'étais ruiné.

Nick aurait aimé compatir, mais il n'y arrivait pas. Craig Brewster ne lui disait rien qui vaille. En plus, il avait du mal à accepter que ce type se plaigne de sa malchance sans accorder la moindre pensée à l'enfant disparu. Cette mauvaise impression se renforça dès que Craig lui fit remarquer :

– Vous ne m'avez pas dit pourquoi la police d'État s'intéresse encore à Dwight Halsey. Ça fait des années.

– Entre 1969 et 1972, six garçons de neuf à douze ans ont disparu dans des environnements similaires, répondit Nick. Toutes ses disparitions sauf une ont été classées comme des accidents. Toutes se sont produites à l'occasion d'un alunissage. Dwight Halsey fait partie de la liste.

Craig devint livide. Nick eut l'impression que même sa barbe changeait de couleur.

– Alors d'après vous, Halsey ne s'est pas enfui ?

– En effet, dit Nick. Nous penchons davantage pour un acte criminel. Il aurait été enlevé comme les autres.

– Et que sont devenus tous ces gosses ?

Nick cligna des yeux. En une fraction de seconde, il revit les ossements extraits du lac, la table d'aluminium et son sinistre étalage. Des os rongés par le temps, voilà tout ce qu'il restait de Dennis Kepner ou de Noah Pierce. Quant à Dwight Halsey, il devait être dans le même état. Quelque part.

– Ils ont été assassinés, lâcha Nick.

– Mais c'est complètement absurde. Pourquoi aurait-on kidnappé et tué Dwight Halsey ?

– Nous sommes loin de tout savoir, rétorqua Nick. Et vous, qu'en pensez-vous ?

– Ce gosse était costaud. Il savait se servir de ses poings.

– Mais vous disiez qu'il avait un œil au beurre noir, le jour de sa disparition.

– C'est vrai, répondit Craig, mais vous auriez dû voir l'autre gamin. Non, si quelqu'un avait voulu enlever un enfant de ce camp, il aurait pu choisir une proie plus facile.

Nick avait le sentiment que Dwight, comme les autres, avait été victime du hasard. Il s'était trouvé au mauvais endroit au mauvais moment. Il imagina différents scénarios. Dwight s'était levé dans la nuit pour aller pisser et son ravisseur l'avait cueilli à la sortie des toilettes. Ou alors il était tombé sur lui en allant griller une clope sur le ponton. Des tas de gens mouraient tous les jours par la faute à pas de chance.

– On n'est même pas sûrs que le ravisseur soit venu de l'extérieur, reprit-il. Il était peut-être déjà sur place.

– Vous croyez qu'il peut s'agir de quelqu'un qui travaillait ici ? demanda Craig, toujours plus pâle.

– Ça se pourrait, répondit Nick. Vous avez conservé les registres du personnel de 1971 ?

– Non, répondit Craig, un peu trop vite au goût de Nick. Ça fait longtemps que je ne les ai plus.

– Aviez-vous des problèmes avec tel ou tel de vos employés ? Je pense à un moniteur un peu trop lourd avec les gosses. Quelque chose dans le genre.

Le visage de Craig s'assombrit comme une prairie sous l'orage.

– Êtes-vous en train d'insinuer que ces enlèvements ont quelque chose à voir avec moi ? fit-il d'un ton furieux.

– Avec vous non, mais avec l'une des personnes que vous aviez engagées.

– Tous mes employés étaient de braves types, Monsieur Donnelly. Je m'en assurais personnellement. Parmi eux, il y avait d'anciens collègues à moi. Les autres étaient des étudiants. Pas des tueurs.

Nick leva les bras pour montrer qu'il capitulait.

– Je vous crois sur parole. Loin de moi l'idée de vous faire porter le chapeau.

Craig retrouva sa bonne humeur. À peine apparu, l'orage s'était enfui.

– Je vous fais confiance, dit-il, encore que Nick doutât de sa sincérité. Mais, voyez-vous, je suis un peu chatouilleux sur la question, même après toutes ces années. J'en ai bavé après la disparition de Dwight. Je suis désolé de ce qui s'est passé, et je le suis plus encore que ça se soit passé chez moi.

Ils avaient retrouvé la prairie et l'aire de pique-nique. En marchant vers la cabane principale, Nick lui demanda si on pouvait pénétrer facilement sur sa propriété, en 1971. Craig répondit en haussant les épaules.

— Je crois bien. On a beau être loin de la route principale, n'importe qui peut entrer ici, s'il en a vraiment envie. Surtout s'il connaît le chemin.

Nick savait au moins une chose. Le plus dur n'était pas d'entrer dans ce camp. Lui-même y était arrivé malgré sa patte folle et seulement deux gorgées de café dans l'estomac. Mais pour trouver le camp du Croissant, il fallait connaître son existence. Ce qui signifiait que le ravisseur de Dwight Halsey n'était pas arrivé par hasard. Il savait où il allait et ce qu'il trouverait sur place, à savoir un vivier de victimes potentielles.

23

Norm Harper souffla dans son mouchoir, en vérifia le contenu puis le renfonça dans sa poche de chemise d'un air satisfait. Les vieux messieurs pouvaient se permettre ce genre de choses. Et Norm était si vieux qu'il pouvait même faire ses cochonneries à quelques centimètres de son petit déjeuner sans que personne n'y trouve rien à redire.

– Stan et Ruth Clark. Je me souviens d'eux. De braves gens.

– C'est ce qu'on m'a dit, confirma Kate.

Elle était assise en face de Norm, dans la brasserie de Perry Hollow, un peu à l'écart de la banquette qu'il squattait avec sa troupe le reste du temps. Les autres membres du club des Percolateurs – cinq ancêtres en chemises écossaises et pantalons kaki, empestant l'Aqua Velva – lui lançaient de sales coups d'œil parce qu'elle avait eu le culot de leur voler leur bien-aimé bien qu'irascible leader.

Norm, lui, se fichait bien de les avoir laissés en plan. À en juger par la délectation avec laquelle il avait inspecté son mouchoir, il se sentait aussi à l'aise avec elle qu'avec ses potes. Kate ignorait si elle devait s'en féliciter ou pas.

– Vous les connaissiez bien ? reprit-elle.

– Comme je connais tous les habitants de cette ville. On se croise. On taille une bavette. On se raconte les derniers potins.

– Et que racontait-on sur les Clark ?

Norm s'arma d'une fourchette et attaqua son petit déjeuner, un assortiment d'œufs, de bacon et de toasts.

– Que Stan était un brin parano.

Kate l'avait compris d'elle-même. Un type capable de bâtir un abri antiatomique dans son jardin avait tendance à voir les choses en noir.

– Et Ruth ?

– Gentille femme, dit Norm. Elle faisait la meilleure tarte au citron meringuée du comté. Y avait pas photo.

Kate sirotait son café en se demandant si elle avait bien fait de s'adresser à Norm Harper. Jusqu'à présent, il ne lui avait rien appris. Elle avait l'impression de perdre un temps qu'elle aurait pu consacrer à des choses plus utiles.

À s'occuper de James, par exemple.

Ce matin, ils avaient encore dû courir pour être à l'heure. Elle avait préparé son sandwich en espérant qu'elle ne travaillait pas pour rien et qu'il finirait bien dans l'estomac de son fils. Elle était allée jusqu'à inscrire son nom sur le papier kraft avec un marqueur, pour dissuader les éventuels voleurs.

Mais hélas, après qu'elle l'eut déposé à l'école, James avait recommencé son petit manège de la veille. Kate n'en fut pas le témoin direct. James était trop futé pour agir devant elle. Discrètement garée au bord du trottoir, Lou van Sickle avait fait le guet à sa place.

Quand elles se retrouvèrent sur le parking de la brasserie, Lou confirma ses craintes – James balançait toujours son déjeuner à la poubelle avant d'entrer à l'école. Il semblait résigné à subir ce harcèlement. Et Kate n'y pouvait pas grand-chose.

– Je ne m'inquiéterais pas trop, à ta place, lui avait dit Lou avant de rejoindre son poste, au commissariat. Il faut que jeunesse se passe.

– Oui, mais pourquoi tant de méchanceté ? demanda Kate.

– C'est la nature humaine, répondit Lou.

Pourtant Kate sentait qu'elle devait intervenir. Certes, James avait besoin d'apprendre à affronter l'adversité, car viendrait un jour où elle ne serait plus là pour se battre à sa place. Mais elle souffrait à l'idée qu'en ce moment même, son fils vivait un enfer dans sa classe, alors qu'elle était coincée ici, à contempler ce spectacle peu ragoûtant. Norm Harper venait de gober son œuf frit avec un étonnant bruit de succion.

– Alors, c'est tout ce que vous avez à me dire ? fit-elle. Que c'étaient de braves gens ?

– Ouais, en gros. C'est bien dommage, ce qui est arrivé à leur fille.

Fille. Ce mot déclencha une curieuse réaction dans le cerveau de Kate, comme lorsqu'on jette une grenade dégoupillée dans l'eau. D'abord, il y eut un éclair, durant lequel elle revit la troisième couchette de l'abri antiatomique, puis une détonation qui fit jaillir une centaine de questions diverses, comme des bulles à la surface.

– Pourquoi ne pas m'avoir dit que Stan et Ruth Clark avaient une fille ?

– Vous m'avez rien demandé sur elle, marmonna Norm en attaquant son deuxième œuf.

– Bon, mettons. Comment s'appelait-elle ?

Norm leva l'œuf jusqu'à sa bouche et l'engloutit. Une tache jaune fluo resta figée au coin de ses lèvres. Kate se garda bien de l'en avertir, de crainte qu'il ne ressorte son mouchoir pour l'essuyer.

Ayant dûment mâché et avalé, Norm put enfin répondre :

– Jennifer. Je crois.

– Vous croyez ou vous en êtes sûr ?

– Quasiment sûr.

– J'ai besoin d'une réponse précise, dit Kate.

Norm se pencha vers ses copains, toujours massés à l'autre bout de la salle.

– Eh les mecs, comment elle s'appelait, la fille des Clark ? lança-t-il.

– Janice, répondit un vieillard.

– Janine, hasarda un autre.

– C'était Jennifer, conclut Norm. J'en suis sûr.

– Que lui est-il arrivé ? renchérit Kate.

– Elle est morte, évidemment, répondit Norm comme si c'était de notoriété publique.

– Comment est-elle morte ?

– La pauvre s'est noyée.

– Quand ?

– En 59, je crois. Ça s'est passé en Floride. Dans les Keys.

On raconte qu'elle était allée piquer une tête dans l'océan, un matin, et qu'elle n'est jamais revenue. Ils l'ont retrouvée quelques jours plus tard, échouée sur la plage comme un navire naufragé. Pauvre gamine. Elle avait à peine dix-neuf ans.

– Que faisait-elle en Floride ?

– Elle était partie là-bas quelque temps. Avec les Olmstead.

– Ken et Maggie Olmstead ?

– Eux-mêmes. Ils sont descendus ensemble. C'était début 59. Les Olmstead sont rentrés en juillet après la mort de Jennifer et la naissance de Charlie. Ils étaient complètement anéantis.

– J'ignorais qu'ils étaient si proches.

– Maggie et Jennifer étaient comme les deux doigts de la main, dit Norm en s'accompagnant du geste. Mieux que des sœurs.

– C'est tout ce que vous savez sur elle ?

Norm hocha la tête.

– Elle était jeune. Que voulez-vous que je vous raconte d'intéressant sur elle. Les jeunes partent avec leurs secrets.

Kate aurait eu du mal à le contredire. Les secrets de Jennifer avaient bel et bien été engloutis avec elle et toutes les personnes qui lui étaient proches. Mais il y avait quelqu'un d'aussi mystérieux qu'elle, dans cette impasse. Quelqu'un de bien vivant.

– Et Glenn Stewart ? Vous le connaissez, lui aussi ?

– Mouais, dit Norm. On fréquentait la même église. Avant la guerre, bien sûr. Après, je ne pense pas que quiconque puisse se vanter de l'avoir connu.

– Comment expliquez-vous cela ?

– Probablement parce qu'il a reçu une balle dans la tête.

– Ça s'est passé quand ?

– En 1968, je dirais.

Norm prit une moitié de toast en forme de triangle dont il plongea la pointe dans la flaque jaune stagnant au fond de son assiette.

– Mais chacun a sa version de l'histoire. Moi, j'en connais deux. La première : il aurait été flingué par les Viet Cong au cours d'une embuscade. La deuxième : il s'est tiré une balle après avoir pété un câble, en pleine jungle. Remarquez, je comprends que des gars soient devenus cinglés dans ce foutu pays. Du coup, je penche pour la deuxième version.

– Et il a survécu. Comment ?

– Un coup de bol, dit Norm. Enfin, ça dépend de la manière dont on voit les choses. En tout cas, ça l'a mis dans un état plutôt bizarre. Voilà pourquoi il ne sort plus de chez lui, à mon avis.

– Donc vous l'avez vu depuis son retour ? demanda Kate.

En effet, Norm l'avait revu une fois, c'est-à-dire une fois de plus que les autres habitants de Perry Hollow.

– C'était juste après sa démobilisation, dit-il. Je me suis arrêté chez lui, un jour. Il m'a laissé entrer, enfin pas longtemps.

– Comment se comportait-il ?

– Bizarrement. Mais il était calme.

L'autre jour déjà, quand ils avaient discuté par la fenêtre, Glenn Stewart lui avait paru étonnamment calme. Il n'avait donc pas changé d'attitude depuis quarante ans.

– De quoi avez-vous parlé ? demanda-t-elle.

Norm haussa les épaules en aspirant une gorgée de café.

– D'abord, de la pluie et du beau temps. On a passé en revue les gens qu'on connaissait. Et après, il a commencé à dire des trucs glauques.

– Glauques comment ?

– Ben, il arrêtait pas de parler de la lune.

Une deuxième grenade explosa dans la tête de Kate. Pendant qu'une myriade de points d'interrogation se déposait au fond de son crâne, elle s'étonna de ne rien ressentir. Pas de migraine, rien. Ce serait pour la prochaine grenade, sans doute.

– La lune ? Mais quoi exactement ?

– Il en disait beaucoup de bien. D'après lui, c'était la lune qui créait la vie sur la terre, pas le soleil. Dingue, non ? Mais il en parlait avec un tel sérieux qu'il devait y croire vraiment.

– Croire à quoi ?

– J'en sais trop rien. Je vous l'ai dit, c'était glauque. Je lui ai demandé s'il comptait retourner à l'église. Il a dit non, qu'il avait changé de croyance pendant qu'il était au Vietnam.

– De croyance religieuse, vous voulez dire.

– Oui. Pendant sa convalescence, il avait rencontré des Viet-namiens qui l'avaient converti. Il avait l'air complètement illu-miné. Il n'arrêtait pas de parler de…

– L'illumination glorieuse ? proposa Kate.

Norm claqua les doigts.

– C'est exactement cela.

Kate se dépêcha de sortir un billet de vingt de son portefeuille. Elle le posa d'un geste énergique sur la table devant Norm. C'était bien assez pour payer son petit déjeuner à lui, son café à elle et le généreux pourboire qu'avait amplement mérité la serveuse qui s'était occupée d'eux.

– Il faut que j'y aille, dit-elle. Merci pour les infos.

– Vous avez tout ce que vous vouliez ? demanda Norm.

Kate en avait plus qu'elle n'avait espéré. À présent, elle savait que Stan et Ruth Clark avait eu une fille, que celle-ci était avec les Olmstead le jour de sa mort et que l'ermite nommé Glenn Stewart vouait probablement un culte à la lune.

On aurait dit que la cuisine avait été visitée par un grizzly affamé. Quand Éric entra, il trouva la porte du frigo entrouverte et une brique de jus d'orange renversée, d'où le liquide collant répandu sur le lino. Deux placards étaient ouverts, ainsi que le tiroir contenant l'argenterie. Pourtant, tous les produits comestibles étaient encore là, à première vue. Son père ne s'intéressait qu'à l'alcool dont il ne restait plus la moindre goutte.

En nettoyant le gâchis, Éric découvrit une bouteille de vin vide, sous le comptoir de la cuisine. Du pack de six bières qu'il avait acheté deux jours auparavant ne subsistait que l'emballage. Toutes les bouteilles d'alcool que sa mère conservait dans les placards – des fonds dont la plupart avaient au moins dix ans d'âge – s'alignaient près de l'évier, totalement asséchées.

Quant à Ken, il dormait encore. Éric ne l'entendit bouger qu'une seule fois, pour courir ventre à terre dans la salle de bains où il régurgita une petite partie de ce qu'il avait consommé au cours de la nuit. Pour se changer les idées, Éric se remit à nettoyer la cuisine avec cette pitoyable résignation propre aux enfants d'alcooliques.

Éric ignorait lequel de ces deux événements avait précédé l'autre : le divorce de ses parents ou l'alcoolisme de son père. Quand Éric avait quatre ans, cette question n'était déjà plus d'actualité. L'un et l'autre étaient des faits établis. Chaque été, au mois de juin, Éric passait une malheureuse semaine avec son père. Ken venait le chercher au volant de son semi-remorque et l'installait dans le mobile home ou le taudis au fond des bois qu'il habitait suivant les années. Il avait du mal à se rappeler toutes les femmes qui avaient défilé dans la vie de son père. Des filles de rien avec le cœur sur la main, des cheveux teints, des visages et des noms interchangeables.

Ayant abouti à un résultat acceptable, Éric passa de la cuisine à la véranda où il alluma une Parliament. Comme prévu, le semi-remorque de son père était garé devant la maison.

Ken était trop vieux pour exercer encore le dur métier de routier, mais ce genre de considérations ne l'arrêtait pas. Il disait qu'il n'avait pas les moyens de prendre sa retraite, ce qui était vrai. Mais à soixante-treize ans, on ne pouvait pas continuer à sillonner les autoroutes, surtout dans un bahut aussi pourri que le sien.

C'était un camion proprement incroyable, avec des flammes orange étalées sur ses flancs noirs. Éric se souvenait surtout d'une balade, un jour, quand il était plus jeune. Le vrombissement, la puissance du moteur l'avaient terrifié. À moins qu'il n'ait commencé à avoir peur en constatant que son père avait un verre dans le nez. Il le soupçonnait de conduire bourré, la plupart du temps. Quand le téléphone d'Éric sonnait tard dans la nuit, il s'attendait toujours à ce qu'on lui annonce la mort de son père, sur la route.

Ce matin-là, le semi-remorque était soigneusement garé le long du trottoir. Éric en déduisit que son père n'avait commencé à s'imbiber qu'après être entré dans la maison. Piètre consolation.

Éric tira une dernière fois sur sa cigarette. Il allait rentrer quand il butta sur un objet posé à droite de la porte. C'était un carton à chaussures, semblable à celui qu'il avait déterré dans le jardin de Glenn Stewart, à ceci près qu'il était propre bien que surmonté d'une pile de courrier.

Éric n'avait pas trop envie de renouveler l'expérience de l'autre nuit. Il commençait à penser que toute cette enquête n'était qu'un jeu cruel consistant à ouvrir une boîte après l'autre. Mais la curiosité l'emporta – comme toujours – et il souleva le couvercle.

Le carton contenait une bobine de film et, collé dessus, un Post-it portant une écriture féminine.

Éric se retourna vers la maison de ses voisins, derrière le camion. Son regard se posa sur la fenêtre du rez-de-chaussée qui lui faisait face. Il savait à présent que cette pièce était entièrement consacrée à la magnifique carrière de Lee Santangelo, une démonstration d'égotiste que sa mère aurait jugée insupportable. Juste derrière la vitre, le visage pâle de Becky Santangelo était tourné vers lui.

Éric ramassa la boîte et la porta à l'intérieur. Dès qu'il eut fermé la porte, il vérifia la note que Madame Santangelo avait collée sur la bobine.

Votre preuve, lut-il. *Quand vous aurez fini, brûlez-la.*

24

KATE CONSIDÉRAIT SON TÉLÉPHONE AVEC APPRÉHENSION. Tout l'intimidait chez ce grand professeur. D'abord son nom – Luther Edmond Reid III – puis le fait qu'il enseignait à l'université de Princeton. En fait, c'était le grand spécialiste des religions du Sud-Est asiatique. Elle s'imaginait un vieux monsieur barbu, sanglé dans une jaquette de smoking, lisant pour se distraire d'épais manuscrits rédigés en sanskrit. Quand elle l'entendit répondre *Namasté* de sa voix profonde, Kate réalisa qu'elle s'adressait à un homme vivant à des années lumière de Perry Hollow.

Elle avait découvert l'existence du professeur Reid à l'issue d'une quête qui n'aurait rien donné avant l'avènement de Google. Désireuse d'en apprendre davantage sur la religion qui avait tant impressionné Glenn Stewart, durant son séjour au Vietnam, elle avait d'abord entré les mots Vietnam et Religion dans le moteur de recherches. Obtenant des milliers d'occurrences, dont la plupart concernaient la fête du Têt et celle des Âmes errantes, elle avait cliqué au hasard sans rien trouver au sujet du culte lunaire.

Le fait de rajouter le mot *lune* aux deux précédents raccourcit quelque peu la liste des résultats. Encore insatisfaite, elle essaya *lune glorieuse* et tomba sur un ouvrage intitulé *Religions du Sud-Est asiatique* dont l'auteur, le professeur Reid, possédait son propre site web. De là, elle aboutit sur le standard de Princeton où elle se balada de département en département pour aboutir enfin chez l'estimé professeur.

– Je dois admettre que votre coup de fil m'étonne, dit-il. La plupart des gens ne connaissent même pas l'existence des religions lunaires.

– C'était mon cas jusqu'à hier.

– Les cultes du soleil et ceux de la terre sont beaucoup plus répandus, sans parler des religions majeures comme le christianisme ou le judaïsme. Mais il y a dans ce monde une poignée de personnes qui croient au caractère divin de la lune.

Bien que relativement ignorante en matière de religion, Kate comprenait qu'on puisse vénérer le soleil, puissance de vie. La lune, c'était moins évident.

– Mais pourquoi la lune ?

– Il y a différentes raisons, répondit le professeur. Les cycles lunaires jouent un rôle non négligeable. Contrairement au soleil, la lune est changeante. On y voit l'œuvre d'une puissance supérieure. Pensez également à son aspect symbolique. C'est une lumière qui brille dans les ténèbres.

– Ce genre de religion est-il pratiqué au Vietnam ?

– Oui, mais très peu.

Le professeur fit une courte pause. Derrière lui, Kate entendit le cliquetis frénétique des touches sur un clavier.

– Elle n'a pas de nom officiel, mais on a coutume de l'appeler *mǎt tǎrang vinh quang*. Ce qui, une fois traduit, donne à peu de chose près, lune glorieuse.

Cette appellation évoquait fortement la fameuse illumination glorieuse à laquelle Glenn Stewart avait fait allusion devant Kate et Norm Harper. Elle avait le sentiment que le professeur Luther Edmond Reid III la menait dans la bonne direction.

– A-t-elle beaucoup d'adeptes là-bas ?

– Pratiquement pas. Une centaine de personnes. Probablement moins. C'est une ancienne religion agraire qui se pratique essentiellement dans des villages reculés.

– En quoi consiste cette pratique, exactement ?

Le professeur Reid cessa de pianoter sur son clavier. Kate entendit un dernier clic au bout de la ligne. Quelques secondes plus tard, un déclic similaire retentissait sur son ordinateur.

– Vous avez du courrier, annonça le professeur.

Kate ouvrit son message. Il ne contenait pas de texte mais

trois photos qu'elle examina pendant que le professeur commentait. Sur la première, une pleine lune scintillait sur fond de jungle vaporeuse.

– Le *măt tărang vinh quang* est basé sur la notion de pleine lune en tant que quintessence de la forme lunaire. Un enfant né pendant ces périodes est considéré comme béni, à tel point que certains adeptes tentent de ralentir ou d'accélérer le travail des parturientes.

La photo suivante montrait un disque d'argile peint en blanc reposant dans la paume d'une main.

– Qu'y a-t-il sur le deuxième cliché ? demanda Kate.

– C'est une amulette, dit le professeur. Une sorte de talisman qu'on place sur les morts pour sanctifier leur séjour dans l'au-delà. Ceux qu'on ensevelit avec une lune en argile trouvent leur place au paradis. Les autres deviennent des fantômes et ils errent éternellement sur la terre.

– Il ne s'agit pas du même paradis que celui des chrétiens, n'est-ce pas ? demanda Kate.

– Non, bien sûr. Le dernier séjour des adeptes du *măt tărang vinh quang* se situe ailleurs.

– Où vont-ils ?

– Mon courriel est toujours affiché sur votre écran ? demanda le professeur.

– Oui.

– Alors, regardez mieux la première photo.

Kate fit jouer la molette de sa souris et retrouva la photo de jungle au clair de lune. Il n'y avait pas d'étoiles, juste ce globe ventru dominant les ténèbres. Kate laissa les paroles du professeur se déposer sur elle, comme un voile crépusculaire.

– Attendez un peu, réagit-elle. Ils croient que la lune les accueille après leur mort, c'est cela ?

– Exact. Ils croient que leur esprit s'envole vers cet astre où il demeure pour l'éternité, dans un halo de lumière blanche.

Glenn Stewart avait qualifié les alunissages de violations. Sur l'instant, elle n'avait pas compris mais à présent, tout s'éclaircissait. Si Glenn était un disciple du *măt tărang vinh quang*, il ne devait pas porter la NASA dans son cœur. En fait, pour lui, les missions Apollo revenaient à envoyer un tas de ferraille au paradis. Et pour ne rien arranger, un autre alunissage allait avoir lieu dans quelques heures, cet après-midi même.

– En tant que spécialiste, considérez-vous cette religion comme légitime ? demanda Kate.

– Un universitaire ne porte pas de jugement de valeur sur les croyances d'autrui, dit le professeur Reid. Mais dans le cas qui nous occupe, je peux dire sans trop prendre de risques que le *măt tărang vinh quang* est plus une secte qu'une véritable religion.

Une secte. En entendant ces deux mots dans la bouche du professeur, Kate frémit. Quand elle réalisa que le voisin d'Éric faisait sans doute partie de cette confrérie, un second frisson courut le long de son dos. Mais ce n'était encore rien, comparé à la décharge électrique qu'elle reçut lorsque la voix profonde dans le combiné poursuivit en disant :

– J'avoue que vos questions m'inquiètent un peu. Car si la plupart de ces adeptes sont des gens pacifiques, il y a parmi eux des individus très dangereux.

– Dangereux comment ?

– Regardez donc la dernière photo.

Sur le cliché en noir et blanc, elle découvrit un jeune garçon endormi sur une plate-forme en pierre couverte de feuilles et branchages.

– Elle a été prise en mai 1940, dans un minuscule village près de My Lai, dit le professeur. Il y avait eu deux pleines lunes, ce mois-là.

– C'est bien ce qu'on appelle la lune bleue, n'est-ce pas ?

– Tout à fait, répondit le professeur Reid. Dans la plupart des pays, c'est le nom qu'on donne à la deuxième pleine lune. Les fidèles du *măt tărang vinh quang* en ont une conception différente. Ils l'appellent *xâu măt tărang* – lune de sang. Ils considèrent cette deuxième lune comme une imposture, un astre mauvais dont sont absents les esprits des défunts.

– Alors que contient-elle ?

– Des entités néfastes dont ils se protègent d'une seule et unique manière.

Kate regarda mieux la photo. Elle avait négligé certains détails. Par exemple, ces fleurs blanches posées sur la couche de l'enfant, un garçonnet d'une dizaine d'années, allongé sur le dos, les mains croisées sur la poitrine. Entre ses doigts, un objet était glissé. Une sorte de disque d'argile – le talisman lunaire réservé aux morts.

– Il ne s'agit quand même pas d'un sacrifice humain. Rassurez-moi.

– J'aimerais pouvoir le faire, dit le professeur. Mais hélas, vous avez raison. Ces gens-là croient que seule la mort d'un être jeune et innocent est capable d'apaiser la lune de sang.

D'un clic, Kate referma le courriel du professeur. Cette image lui était insupportable. Le simple fait d'y penser suscitait en elle des vagues de tristesse et d'horreur.

Ce fut l'horreur qui triompha lorsque le professeur ajouta :

– Si, comme je le soupçonne, vous connaissez l'un de ces adeptes, je vous conseille vivement d'agir avec prudence. Je le répète, la plupart d'entre eux sont non-violents. Mais les purs et durs, ceux qui croient à la lune de sang, sont capables de commettre des actes d'une sauvagerie inimaginable pour des gens comme vous et moi.

Une minute après qu'elle eut pris congé du professeur, Kate décrocha de nouveau son téléphone. Éric Olmstead voulait lui parler. Ça tombait mal. Franchement, elle n'avait pas le temps. Il fallait qu'elle retourne dare-dare chez Glenn Stewart pour discuter face à face avec lui et lui faire avouer ce qu'il avait trafiqué pendant sa convalescence, au Vietnam. Mais elle se ravisa en entendant le ton dramatique d'Éric.

– Il faut que tu viennes, insista-t-il. Tout de suite.

Lorsque Kate arriva chez lui, elle tomba sur deux choses insolites. D'abord un semi-remorque le long du trottoir ; ensuite un projecteur de cinéma dans le salon. Éric lui expliqua que le camion appartenait à son père qui se remettait d'une cuite au premier étage. Quant au projecteur, il l'avait trouvé dans la cave.

– Ce film m'a été remis par Becky Santangelo.

Kate examina le projecteur. C'était un appareil massif, comme la plupart des objets fabriqués dans les années 1950 et 1960. Éric avait essuyé le plus gros de la poussière, mais il en restait encore, s'étalant en bandes grises sur le métal marron. La bobine de film était encastrée à sa place. Il ne restait plus qu'à appuyer sur le bouton pour démarrer la projection.

– Tu l'as regardé ?

Éric fit non de la tête.

– Je t'attendais.

L'objectif était tourné vers un pan de mur blanc, près de la télévision. Kate ferma les rideaux et tira les tentures pour faire le noir total. Puis le film commença.

La première image cadrait un couloir. Les murs et le sol penchaient à droite. Après une légère secousse, ils se redressèrent un court instant avant de basculer à gauche. Ensuite apparurent des tâches de couleur saturées, floues. La caméra avança le long du couloir, descendit un escalier.

L'image tressautait. On aurait dit le point de vue d'un ivrogne ou d'un marin pris dans la tempête. Kate, elle aussi, commençait à avoir le mal de mer. Soudain, la caméra piqua du nez, comme si le cinéaste amateur l'avait laissée tomber. Kate eut un haut-le-cœur.

Elle finit par se stabiliser au pied de l'escalier. Kate reconnut le hall d'entrée de la villa des Santangelo. Pourtant la décoration évoquait plutôt le style en vogue à la fin des années 1960 – moquette haute laine, couleurs criardes, papier peint à motifs géométriques. Le seul objet sobre et élégant était un vase garni de lys blancs, posé sur une desserte près de la porte. Après un dernier bougé, causé par le glissement d'un lys sur l'objectif, la caméra s'immobilisa. On l'avait posée sur la desserte.

Depuis cet emplacement, elle cadrait un espace compris entre la porte d'entrée et environ le tiers du vestibule. Éric et Kate purent ainsi découvrir la personne qui avait tourné ce film. Lee Santangelo entra dans le champ par la gauche. On le vit se déplacer rapidement vers la porte. Vêtu d'un caleçon court et d'une chemise blanche déboutonnée, il l'ouvrit en restant à demi caché derrière le battant.

D'abord, Kate eut du mal à discerner les traits de la personne qu'on voyait à peine dans l'entrebâillement. Puis elle reconnut ses grands yeux inquiets, son visage tendu par l'angoisse.

Maggie Olmstead.

Éric eut un hoquet de surprise. Debout près du projecteur, il fit un geste comme pour toucher l'image de sa mère défunte.

Kate lui prit la main et la garda serrée pendant toute la scène. Maggie discutait avec Lee Santangelo mais, comme le film était muet, ils durent se contenter de ces images hachées. Des images vieilles de quarante-deux ans mais dont ils devinaient le sens.

Madame Olmstead était à la recherche de son fils Charlie.

Maggie pencha la tête comme pour voir ce qui se passait dans la maison. Lee, planté devant elle, l'empêchait d'apercevoir la caméra, bouchant du même coup la vue de la caméra sur Maggie. Au bout d'un moment, Lee voulut refermer la porte. Il n'y arriva pas, sans doute à cause de Maggie. Quelques secondes plus tard, la mère d'Éric disparut pour de bon derrière le battant.

Comme dans la réalité, le film se poursuivit sans elle. Lee reprit la caméra et s'éloigna de la porte. De nouveau, l'image slaloma dans des couloirs, perdit le point, le retrouva, suivant que l'objectif visait telle ou telle surface. Pendant une poignée de secondes vertigineuse, on devina les pieds de Lee qui montait l'escalier à toute vitesse. Puis on entra dans une chambre – celle que Lee Santangelo occupait toujours, mais disposée très différemment.

Quand la caméra finit par se stabiliser, Kate et Éric aperçurent un poste de télévision. Rien à voir, évidemment, avec le grand écran plat à haute définition qui trônait aujourd'hui dans cette pièce. C'était un appareil cubique diffusant des images granuleuses en noir et blanc. Lee ne bougeait plus. La caméra pointée vers la télé semblait elle aussi regarder la scène hallucinante qui se déroulait sur l'écran.

Deux astronautes faisaient des bonds prodigieux sur un terrain pierreux qui ne pouvait être que le sol lunaire. Malgré la neige sur l'écran et l'état moyen de la pellicule, ce spectacle était toujours aussi extraordinaire. Pas étonnant que Lee se soit arrêté pile pour le regarder et l'immortaliser. Kate n'aurait pas agi autrement.

Puis, tout d'un coup, l'image se déporta sur la droite, vers la fenêtre où une forme se tenait de dos à la caméra – sans doute la femme que la mère d'Éric avait aperçue depuis le jardin. Seulement, ce n'était pas une femme. Kate ne voyait pas son visage mais il n'était pas difficile de deviner qu'il s'agissait d'un jeune homme. Une femme n'était pas si large d'épaules. Une femme n'avait pas les hanches si étroites, une ossature si puissante, des muscles si développés. La seule touche vaguement féminine était cette chevelure abondante qui lui balayait les épaules.

– Mon Dieu, fit Éric. Et dire que pendant toutes ces années, ma mère a cru qu'il s'agissait d'une femme.

– Pas étonnant que Becky Santangelo redoutait d'en parler, ajouta Kate.

Quand il remarqua la caméra, le jeune homme se retourna et s'approcha de Lee en courant presque. Sa tête sortit du champ, sa main apparut en gros plan devant l'objectif. Il y eut encore quelques cahots, du flou, et l'appareil changea d'opérateur. Lee s'encadra au centre de l'image. Il retira vivement sa chemise et se laissa tomber à la renverse sur le lit. Avec un sourire lascif, il commença à se caresser le sexe. Puis de l'autre main, il attrapa la caméra qui repartit dans une série de loopings avant de s'immobiliser sur le corps du jeune homme.

D'abord, ce dernier se prêta au jeu, laissant Lee le filmer des pieds à la tête. Ses boucles tombaient en grand désordre devant ses yeux. La peau de son corps et, plus encore, celle de son visage étaient tannées par le soleil. Il avait dû passer l'été au grand air. Son bronzage, pour foncé qu'il fût, ne dissimulait pourtant pas la tache noire qu'il avait au menton. Une verrue grosse comme une pièce de dix centimes.

Le film s'arrêta, remplacé sur le mur du salon par un carré de lumière blanche. Le ronflement émis par le projecteur indiquait la fin de la pellicule. Éric l'éteignit pendant que Kate continuait de fixer le mur, abasourdie.

Le visage du jeune homme n'était apparu qu'un instant. Deux ou trois secondes, au plus. Mais c'était suffisant. Elle savait désormais ce que les Santangelo cachaient depuis toutes ces années. Elle connaissait aussi le nom de la personne qui avait passé la nuit avec Lee Santangelo, le 20 juillet 1969. Burt Hammond.

25

NICK ÉTAIT SUR LA ROUTE quand il reçut un appel de Tony Vasquez. Tenir un téléphone dans une main et le volant dans l'autre étant le plus sûr moyen de foncer dans le décor, il attendit pour répondre de s'être rangé sur le bas-côté. Après avoir éteint le lecteur de CD – où passait *Lucy in the sky with diamonds*, en l'honneur de sa nouvelle amie anthropologue – il saisit le combiné.

– Quoi de neuf ?

– L'examen des dossiers dentaires vient de confirmer l'identité du corps trouvé sous le moulin, dit Tony. C'est Noah Pierce.

– Lucy a-t-elle découvert la cause de la mort ?

– Elle n'en est pas certaine bien qu'elle ait procédé à une étude détaillée de la dépouille, répondit Tony. L'hypothèse de la strangulation est la plus probable. Quelque chose de plus violent aurait laissé des traces sur les os, sans parler du sang qui se serait répandu dans le moulin et que la police aurait forcément remarqué, à l'époque des faits. En plus, nous avons toi et moi écarté la thèse de la noyade accidentelle.

Ainsi donc, le jeune Noah n'avait pas été attiré dans le moulin puis embarqué dans une voiture. On l'avait étranglé sur place, dans le moulin, avant même que ses grands-parents remarquent sa disparition. Ensuite, il suffisait d'ouvrir la trappe, de balancer le corps à l'eau. Voilà comment cet enfant de neuf ans avait disparu à jamais.

– Pourquoi Noah tenait-il la fusée de Dennis Kepner ?

– J'en sais foutrement rien, dit Tony. À ton avis ?

– Je crois que Dennis l'avait sur lui quand il a été enlevé dans le jardin public, dit Nick. Ensuite, le malfaiteur s'en est servi pour attirer Noah dans le moulin.

Tony lança un trait d'humour pour alléger la tension.

– Pourquoi faut-il toujours que tu me fasses honte ?

– Tu n'as qu'à dire à Gloria que c'est ton idée, suggéra Nick.

– Et qu'en est-il du camp où a disparu Dwight Halsey ? Tu as trouvé quelque chose d'utile là-bas ?

Nick lui relata en quelques mots sa conversation avec Craig Brewster et l'étrange fait divers ayant eu pour cadre le camp du Croissant. Il ajouta que la police et le propriétaire des lieux avaient conclu un peu rapidement que Dwight s'était perdu dans la forêt environnante. Quand il eut terminé, Tony demanda :

– Et toi, qu'en penses-tu ?

– Qu'il a pu mourir dans les bois mais pas forcément par accident.

Il devenait on ne peut plus clair que la plupart sinon tous les crimes suivaient la même logique. Nick avait abandonné la thèse du kidnapping avec captivité. Pour lui, les enfants avaient été tués dans les minutes ayant suivi leur disparition, peut-être même sur les lieux de leur enlèvement. La seule exception était Dennis Kepner, ce que Nick expliquait par la présence des voisins, toujours susceptibles de voir ce qui se passait dans le jardin public.

– Écoute, dit Tony, on nage en plein délire, ici. La presse a eu vent de notre découverte et elle réclame des explications. Gloria n'arrête pas de me tanner, elle aussi. Et tiens-toi bien, je viens d'avoir des nouvelles du commissariat de Fairmount. Ils avaient oublié de me parler d'un autre dossier sur Dennis Kepner.

– Que contient-il ? Quelque chose de nouveau ?

– Tu crois peut-être que j'ai eu le temps de le consulter, soupira Tony. Comment tu faisais pour ne pas tomber dingue quand tu étais à ce poste ?

– Gloria, tu lui dis de se calmer, conseilla Nick. Les journalistes, tu leur balances un os à ronger. De quoi les faire baver pendant un jour ou deux. Et toi, tu vas me faire le plaisir d'aller regarder ce fichu dossier. De mon côté, je continue à rechercher le père de Bucky Mason.

Il espérait que cette dernière précision passerait comme une lettre à la poste. Il avait tort.

– Nick, je devrais peut-être envoyer un agent pour faire ça à ta place. Gloria…

– Qu'est-ce que je viens de te dire au sujet de Gloria ?

– C'est plus facile à dire qu'à faire, répliqua Tony. C'est encore mon patron, que je sache. Elle va devenir dingue quand elle apprendra que tu interroges des membres de la famille, dans le cadre de cette enquête.

– Très bien, répondit Nick. Envoie un agent. Mais il va falloir qu'il conduise pied au plancher.

– Putain, Donnelly ! Ne me dis pas que tu es déjà sur place ?

Nick n'était pas sur place mais pas très loin. À quelque chose comme un kilomètre de Centralia, Pennsylvanie.

– Laisse-moi lui parler, lança Nick. On est du même côté, tous les deux. Et je veux jouer mon rôle dans cette enquête.

– Bon, fit Tony. Mais soit professionnel.

– Je suis toujours professionnel.

Le lieutenant Vasquez ne put s'empêcher de ricaner.

– Nick, même quand tu étais flic, tu n'étais pas professionnel. Puis il raccrocha.

Quand Nick reprit la route, il vérifia le GPS encastré dans son tableau de bord en se demandant s'il fonctionnait correctement. Centralia n'apparaissait nulle part sur l'écran. En fait, il n'y avait rien du tout. Pas de routes, pas de maisons. Mais Nick faisait confiance à Vinnie Russo. S'il disait que Bill Mason Sr vivait encore et habitait Centralia, Nick pouvait y aller les yeux fermés.

Enfin, c'est ce qu'il espérait.

Un kilomètre plus loin, Nick s'aperçut que quelque chose clochait. Une pancarte avertissait les automobilistes de la présence de vapeurs toxiques dans le voisinage. Puis il sentit l'odeur – un mélange écœurant de fumée et de soufre rappelant le tabac froid et l'œuf pourri. Pris de nausées, Nick remonta sa vitre et coupa la climatisation. C'était inutile. Les miasmes avaient déjà envahi l'habitacle.

Sept cents mètres plus loin, un nuage l'accueillit à l'entrée de Centralia. Une brume insidieuse qui s'élevait du talus et serpentait à travers une forêt d'arbres morts en projetant parfois ses tentacules dans l'autre sens, sur la route. Nick dut ralentir en franchissant ces fausses nappes de brouillard.

En émergeant de l'autre côté, Nick vit que la route amorçait un virage en épingle à cheveux sur la droite. Un autre tronçon continuait jusqu'à un barrage matérialisé par des plots en ciment. Eut-il tenté de les contourner, un autre obstacle l'en aurait dissuadé. Il s'agissait d'une énorme brèche dans l'asphalte, qui courait sur toute la longueur de la chaussée, avec de part et d'autre, des tas de gravats. De la fumée s'élevait de cette crevasse.

N'ayant pas d'autre choix, Nick tourna à droite, à travers un paysage tout aussi désolé. Il passa devant un cimetière où la fumée tourbillonnait autour des tombes. Cet endroit ressemblait à l'enfer sur terre. Nick murmura une prière pour les malheureux qui étaient enterrés là-dessous.

La brume toxique finit par se dissiper mais pas les relents soufrés. L'air en était comme saturé. Nick étudia les alentours, à la recherche de points de repère. La ville qu'il avait devant les yeux semblait avoir été rayée de la carte. En parcourant les rues sans maisons, Nick remarqua d'anciennes traces de vie. Des panneaux stop montaient la garde aux carrefours. Une allée qui autrefois menait à un garage s'enfonçait dans un champ. Sur une autre parcelle, une boîte aux lettres béante, le drapeau levé, attendait un courrier qui ne viendrait jamais.

À gauche, un clocher dépassait des arbres. Nick bifurqua dans cette direction, espérant trouver un lieu habité. Mais quand il arriva à la hauteur de l'église, il comprit que Dieu – et ses fidèles – l'avait abandonnée depuis un bout de temps. Un cadenas fermait le portail d'entrée, bloqué par les ronces. Le toit était percé, la croix tombée du clocher plantée à l'envers dans la terre. Sa première impression était la bonne. C'était bien l'enfer sur terre.

Après l'église, il aperçut enfin une maison. Ou plutôt une moitié de maison. Autrefois composé de deux pavillons mitoyens, ce bâtiment solitaire n'était plus qu'une grosse boîte repeinte en gris par la fumée ambiante, trop étroite pour sa hauteur, dont l'un des côtés paraissait normal, avec ses fenêtres, ses volets et sa cheminée, tandis que l'autre, mal bouché par une bâche en plastique, laissait voir cinq conduits de cheminée s'élevant vers l'avant-toit. En fait de cheminées, Nick comprit qu'il s'agissait de renforts en brique, qu'on avait installés à l'époque où le logement mitoyen avait été rasé pour empêcher que le reste s'écroule.

Sans couper le contact, il se gara devant cette étrange demeure ne possédant ni boîte aux lettres ni numéro de rue. Pourtant, elle était habitée. Un drapeau américain pendait sur la rambarde de la véranda. En dessous, appuyé au soubassement, un message peint à la bombe sur du contreplaqué semblait hurler : Ne nous dérangez pas !

Nick n'avait pas vraiment le choix. Soit c'était la maison de Bill Mason Sr, soit c'était celle d'un voisin susceptible de lui montrer le chemin. Il espérait seulement qu'on ne l'accueillerait pas à coups de fusil. Il avait assez donné pour la journée.

Il gravit les marches de la véranda et s'apprêtait à frapper quand une voix retentit derrière la porte. La voix d'une femme âgée s'exprimant sur un ton ferme et vindicatif.

– Je sais pas qui vous êtes, mais je vous conseille de lire la pancarte et de retourner d'où vous venez.

– Je ne veux pas vous déranger, dit Nick. Juste vous poser quelques questions.

– Vous êtes du gouvernement ?

– Non. Je travaille avec la police d'État. Je cherche des renseignements sur un jeune garçon porté disparu en 1972, dans cette ville.

À ces mots, la porte s'ouvrit d'un coup, révélant une femme de petite taille vêtue d'un jean et d'un sweat-shirt.

– Quel garçon ? demanda-t-elle en levant vers Nick ses yeux bleu acier. Frankie ou Bucky ?

26

LA MAIRIE DE PERRY HOLLOW se donnait des airs de grandeur. La solide bâtisse, lourdement fichée dans le sol, se dressait fièrement tout au bout de Main Street. Kate n'avait rien contre ce genre d'architecture, mais dans une si petite ville, c'était un peu exagéré. Tout en grimpant les marches en marbre de l'édifice municipal, elle se disait que pour délivrer quelques permis de chasse et gérer le ramassage des ordures, des colonnes corinthiennes n'étaient pas indispensables.

Comme le bureau du maire se trouvait au premier étage, Kate dut encore escalader quelques marches, sa bobine de pellicule à moitié déroulée sous le bras. Ce vendredi matin étant particulièrement mort, personne ne remarqua le ruban de celluloïd qui pendait de son aisselle. Vive la bureaucratie !

Arrivée sur le palier, Kate tourna à gauche, dans la suite de bureaux occupés par les proches collaborateurs de l'édile. Personne dans la minuscule salle d'attente garnie aux couleurs des drapeaux des États-Unis et de la Pennsylvanie. Personne au comptoir de réception. Kate pénétra directement dans le saint des saints et balança la bobine de film sur le bureau de Burt Hammond.

Ce dernier la regarda d'un air ahuri.

– Mais qu'est-ce que cela signifie ?

– Vous reconnaissez cet objet ?

– Non.

Une bonne longueur de pellicule s'était répandue en boucles

sur son sous-main. Kate en attrapa l'amorce et la brandit devant le nez de Burt.

– Alors, je vais vous rafraîchir la mémoire.

Le maire plissa les yeux pour mieux examiner chaque image. Au bout de trois, il devint blanc comme neige. À la quatrième, il sembla sur le point de vomir.

– Où avez-vous trouvé ça ?

– Vous le savez très bien, dit Kate. Et je pense que vous savez aussi de quand date ce film.

– Ça fait un bout de temps.

– Juillet 1969. La nuit où Charlie Olmstead a disparu. Vous y étiez, Burt. Dans cette rue. À présent, vous allez tout me raconter, sinon ce film passera sur YouTube avant la fin de la journée.

Burt resta muet. On l'entendit juste gargouiller au moment où il réussit à déglutir. Il ferma les yeux et respira à fond. Quand il les rouvrit, ils étaient blancs, révulsés. Il s'écroula sur son bureau.

Kate se précipita, essaya de le redresser. Peine perdue. Le corps avachi de Burt pencha sur la droite et tomba du fauteuil, entraînant Kate avec lui. Quand ils roulèrent ensemble sur la moquette, Kate comprit un peu tardivement ce qui venait de se passer.

Le maire de Perry Hollow s'était évanoui.

Éric se doutait que Becky ne l'accueillerait pas à bras ouverts. Kate et lui n'étaient pas en odeur de sainteté chez les Santangelo. Et pourtant il se tenait là, planté devant sa porte, le heurtoir de cuivre dans la main.

Quand Becky apparut, Éric la salua d'un hochement de tête poli.

– Puis-je entrer ?

– J'aimerais mieux pas.

Coupé pour une jeunette, son survêtement noir griffé moulait ses fesses et lui remontait la poitrine. Bien qu'elle fût impeccablement coiffée et maquillée, elle semblait épuisée. Des cernes violets soulignaient ses yeux creusés.

– Je voulais juste vous remercier de m'avoir confié ce film, dit Éric.

Becky souleva ses épaules lasses.

– Comme si j'avais eu le choix.

– Vous n'aviez pas le choix, mais ce geste a dû vous coûter. Je voulais juste que vous sachiez que je ne dirai rien à personne.

À sa grande surprise, Becky sortit et alla s'asseoir sur les marches du perron. Elle lui fit signe de la rejoindre.

– Je vous ai vu fumer devant votre véranda, ce matin, dit-elle. Vous auriez une clope pour moi, voisin ?

Éric en sortit deux, alluma d'abord celle de Becky puis la sienne. Après avoir tiré quelques bouffées en silence, elle déclara :

– J'aurais dû dire la vérité depuis longtemps.

– Je comprends que vous ne l'ayez pas fait. Cela aurait détruit la carrière de votre mari.

Becky eut un petit rire dont l'amertume l'étonna.

– Il aurait dû y penser avant de se filmer en train de baiser avec ces types.

– Il y en a eu plusieurs, si je comprends bien.

– Quelques-uns, oui. Enfin, je veux parler des films. En dehors de Lee, Dieu seul sait combien d'amants il a accroché à son tableau de chasse. Les bobines, je suis tombée dessus voilà des années. Lee les gardait sous clé dans un coffre en bois, au grenier. Je parie qu'il les avait oubliés.

– Vous ne lui avez jamais demandé des comptes ?

Becky fit non de la tête.

– C'était hors de question. Nous formions un couple à l'ancienne. Malgré ses secrets, Lee était le type même du citoyen respecté, intègre. Et moi, je jouais l'épouse obéissante regardant ostensiblement ailleurs.

Au lieu de se révolter, elle avait continué à se pomponner, à décorer son foyer et à entasser des photos dans la salle d'honneur déjà trop encombrée.

– Mais vous saviez ce qu'il en était avant même de découvrir ces films, n'est-ce pas ? Vous l'avez compris le jour où ma mère a déclaré avoir vu une femme à la fenêtre de votre chambre.

Il regarda attentivement Becky qui mit un certain temps avant d'acquiescer.

– Oui, je suppose, dit-elle.

– Avez-vous jamais songé à le quitter ?

– Bien sûr que oui, dit Becky en soufflant un long filet

de fumée. Mais les années passant, j'ai fini par comprendre qu'épouser Lee Santangelo était ma seule vraie réussite. Je n'étais qu'une ancienne reine de beauté sans talent ni fortune. En divorçant, j'aurais tout perdu. Alors, je suis restée. Mieux que cela, j'ai tout fait pour préserver sa réputation. Tel était mon unique but dans la vie.

Éric préférait cette Becky Santangelo simple et sincère à la harpie tapageuse d'avant. En y songeant, il aurait aimé l'avoir pour voisine au lieu de l'étrangère glaciale qui ne lui adressait jamais la parole.

– Il faut que je vous pose une question, reprit-il. Vous croyez vraiment que ma mère était folle ?

– Je pense qu'elle était dépressive. Avant la disparition de votre frère et surtout après. Je regrette sincèrement de n'avoir rien fait pour l'aider.

Éric apprécia cette louable intention bien qu'elle arrivât un peu tard. Becky n'avait rien à se reprocher. La seule personne qui aurait dû aider sa mère était en train de ronfler dans son ancien lit.

Il ignorait pourquoi Ken l'avait abandonnée. Était-ce la même raison qui l'avait poussé à s'enfuir, lui aussi ? La vie à la maison était devenue insupportable pour le jeune Éric. Contrairement à son père, il ignorait ce qui s'était passé avant la disparition de Charlie. Mais le fait qu'il soit parti si vite et définitivement constituait à ses propres yeux la plus grande des trahisons.

– Vous les entendiez souvent se disputer, avez-vous dit. Savez-vous à quel sujet ?

– Je n'en sais rien, hélas, répondit Becky. Mais chaque fois que le ton montait, votre frère débarquait ici. Ou alors, il se réfugiait chez les Clark. Dès qu'on le voyait traverser, nous savions que quelque chose n'allait pas chez vous.

Éric repensa à la conservation qu'ils avaient eue ensemble, la veille.

– Vous disiez que les problèmes avaient commencé dès ma naissance.

Becky Santangelo détourna la tête, honteuse.

– Je n'aurais pas dû.

– Mais c'est vrai ?

– Oui, de mon point de vue. Ils semblaient heureux jusqu'à votre arrivée. Mais je ne dis pas que vous y êtes pour quelque chose.

Elle n'avait pas besoin de le dire. Éric pouvait en tirer lui-même les conclusions. Mais pourquoi sa naissance avait-elle causé une telle fracture entre ses parents ? Comme il avait passé toute sa vie à essayer de comprendre, sans y parvenir, Éric décida de poser enfin la question au principal intéressé.

Il regarda sa maison, de l'autre côté de la rue. Ken dormait encore. À moins qu'il ne soit en train de soigner sa gueule de bois. Éric n'avait plus envie d'attendre.

Il prit congé de Becky, traversa la rue, poussa la porte, s'engouffra dans l'escalier et trouva Ken couché en chien fusil, un filet de salive suspendu entre sa bouche et l'oreiller.

– Papa, fit Éric en l'attrapant par l'épaule. Réveille-toi.

Ken roula sur lui-même. Le filet de salive se colla sur sa joue. Il ouvrit les yeux, visiblement surpris d'être là. À la manière dont son regard fouillait la pièce, Éric supposa qu'il avait tout oublié de la nuit précédente.

– Où suis-je ?

– À la maison, dit Éric. Et tu vas me dire ce qui s'est passé entre toi et maman.

Burt Hammond reprit connaissance grâce à une canette de Mountain Dew et quelques claques bien appliquées. Le soda venait du distributeur de boissons, les claques étaient gracieusement fournies par Kate. C'était le moins qu'elle pût faire.

Quand le maire réintégra son fauteuil, il n'avait pas encore l'air très fringuant, mais son visage avait retrouvé des couleurs et ses cordes vocales leur souplesse.

– Que voulez-vous ? demanda-t-il à Kate. C'est à cause du budget de la police ? Si c'est ça, je peux faire quelque chose. Vous l'aurez, votre voiture de patrouille.

Kate résista à l'envie de le gifler encore une fois.

– C'est cela que vous pensez ? Que je veux vous faire chanter ?

– Vous en avez les moyens.

– Je veux savoir ce que vous avez vu, cette nuit-là. Le reste, je m'en contrefiche.

— Et vous n'en parlerez à personne, alors ?

— Non. À condition que vous soyez honnête envers moi.

— Très bien, fit le maire en prenant une bonne gorgée de soda. À l'époque, je tondais la pelouse des Santangelo. C'est comme ça que tout a commencé. On a sympathisé. Des fois, il m'invitait à boire un verre de limonade chez lui ou il me permettait de plonger dans leur piscine pour me rafraîchir. Un jour que je faisais trempette, Lee m'a rejoint.

— Combien de temps a-t-il fallu pour passer de la piscine à la chambre ? demanda Kate.

— Pas longtemps, dit Burt.

Ses joues se remirent à pâlir. Kate crut qu'il allait encore tourner de l'œil. Au lieu de cela, Burt se mit à pleurer, ce qui ne valait guère mieux. Au moins, quand il s'évanouissait, elle pouvait lui balancer des gifles. Là, elle ne voyait pas quoi faire, à part lui tendre un Kleenex.

Burt accepta le mouchoir et se mit à éponger ses yeux rougis.

— C'est tellement humiliant.

— Vous n'avez qu'à passer directement à la nuit du film, répliqua Kate. Pas besoin d'entrer dans les détails.

Kate ne voulait surtout pas les connaître. Tout ce qui l'intéressait, c'était ce que Burt Hammond avait vu en se rendant chez les Santangelo et en en repartant.

— On s'était donné rendez-vous pour la nuit de l'alunissage, poursuivit le maire. Je connaissais la carrière de Lee et je me disais qu'il aurait envie de le regarder à la télé. Mais il m'a dit qu'il s'en fichait. Et moi pareil.

— À quelle heure êtes-vous arrivé ?

— Vers dix heures trente, je crois. J'étais venu à pied et je ne portais pas de montre.

— Avez-vous croisé quelqu'un en chemin ?

— Oui, mais pas tout de suite, répondit Burt. Comme j'avais un peu peur d'entrer chez Lee, j'ai attendu quelques minutes dans la rue. Et c'est à ce moment-là que j'ai vu cet homme.

Kate ressentit le genre de secousse dont elle avait fait l'expérience plus tôt dans la journée, en parlant avec Norm Harper. Sauf que cette fois-ci, elle ressemblait moins à l'éclatement d'une grenade qu'à une explosion atomique. L'onde de choc fut si violente que son corps se vida de toutc son énergie.

– Vous l'avez reconnu ? balbutia-t-elle.

– Non. Mais ce n'était ni Ken Olmstead ni Stan Clark. Ce type-là, je ne l'avais jamais vu.

– Pouvez-vous le décrire ?

– Il faisait sombre.

– Il était seul ?

– Oui.

– Vous a-t-il remarqué ?

– Non. Il faisait les cent pas devant la maison, comme s'il n'avait pas le courage d'entrer. Comme moi, ajouta Burt avec un ricanement proche de la toux.

– Et c'est tout ce que vous avez vu ?

– En gros oui. À un moment, il s'est avancé jusqu'à la porte, il a voulu frapper mais il a changé d'avis et je l'ai vu retourner dans le jardin où il est resté sans bouger.

– Ce que je veux savoir, insista Kate, c'est pourquoi vous n'en avez pas parlé à la police. Vous avez vu un homme bizarre dans le jardin, la nuit de la disparition de Charlie, et pourtant vous n'avez rien dit.

Burt renifla en regardant le plafond. Il s'était remis à pleurer.

– Je n'imaginais pas qu'il y avait un rapport.

– Je ne vous crois pas.

– Je le jure. Les gens disaient que Charlie avait été victime d'un accident. Pour moi, c'était clair et net.

Par pur réflexe, Kate serra les poings. Elle fulminait. Elle avait envie de lui casser la figure. Plus que tout, elle avait envie de lui hurler que pendant qu'il pleurait de honte, six familles portaient le deuil impossible de leur enfant disparu. Il aurait pu leur éviter cela. Il aurait pu épargner à ces mères une vie gâchée par le chagrin et les questions sans réponse. Mais Monsieur le maire n'avait rien dit.

– Sur l'instant d'accord, reprit-elle. Mais le lendemain, vous avez dû entendre parler de la disparition.

– Je n'ai pas fait le lien, je le jure devant Dieu, braillait-il.

Cette dernière phrase agit comme un déclencheur. Kate lui sauta dessus, attrapa sa cravate et s'en servit pour rapprocher son visage du sien.

– Admettez-le, espèce d'ordure. Vous aviez tout compris mais vous avez préféré vous taire, alors même que vous aviez vu un étranger traîner devant la maison des Olmstead.

Le visage du maire vira au cramoisi. Sa bouche s'ouvrait et se refermait, comme celle d'un poisson qu'on vient de jeter sur le rivage.

– Vous ne comprenez pas, hoqueta-t-il. Ce n'était pas la maison des Olmstead.

Kate laissa filer la cravate. Le ruban de soie glissa au creux de sa paume et Burt Hammond retomba sur son fauteuil.

– Qu'est-ce que vous racontez ?

– Je savais ce qui était arrivé à Charlie, expliqua-t-il en se massant le cou. Mais comment imaginer que ce type était impliqué là-dedans ?

– Hein ?

– Il n'était pas devant la maison des Olmstead.

Kate sentit son corps se raidir.

– Vous disiez qu'il attendait dans le jardin.

– Oui mais pas dans celui des Olmstead. Il faisait le planton devant la maison de Ruth et Stan Clark.

27

C'ÉTAIT UNE JOLIE VILLE, AUTREFOIS, dit la femme. Jusqu'à l'incendie de la mine.

L'homme assis près d'elle renchérit.

– Même après l'incendie, c'était encore vivable. Et puis le sol a commencé à se fendiller et tout est parti à vau-l'eau.

Physiquement, ils étaient à l'opposé l'un de l'autre. Elle petite et mince comme un fil – toute en angles droits. Lui imposant, autant par sa taille que par son tour de taille. Quand il traversait la pièce, la maison tremblait sur ses bases. Pendant des années, ils avaient vécu chacun chez soi, en bons voisins mais sans plus. Puis leurs deux fils avaient disparu et leurs conjoints peu de temps après – la femme avait divorcé, l'homme avait perdu son épouse des suites d'un cancer du poumon. Marcy Pulaski et Bill Mason Sr s'étaient retrouvés seuls en même temps.

Nick connaissait des histoires d'amour plus romantiques. Le couple ne faisait d'ailleurs rien pour l'enjoliver. Ils étaient parfaitement lucides : leur relation était basée sur une douleur commune, un sentiment de perte et le faible espoir de revoir un jour leurs enfants. À présent, ils vivaient ensemble dans une moitié de maison, leurs deux vies pressées l'une contre l'autre.

Des photos de Frankie Pulaski et Bucky Mason tapissaient les murs comme si les deux enfants faisaient partie de la même famille unie. On avait mélangé les meubles aussi, les sièges de l'un jurant avec le canapé de l'autre. Recouvrant le tout, une fine pellicule grisâtre que Nick prit pour de la poussière. Il dut passer le doigt sur la table basse pour comprendre son erreur. C'était de la suie.

– Quand l'incendie s'est-il déclaré ?

– Au début des années soixante, dit Bill entre deux accès de toux. Personne ne connaît vraiment la date.

– Comment ça s'est passé ?

Marcy lui expliqua que Centralia avait été bâtie sur une mine d'anthracite abandonnée. La Pennsylvanie étant un pays minier, cela n'avait rien de surprenant. En revanche, on pouvait se demander pourquoi les habitants avaient décidé d'utiliser les anciens puits de mine comme décharges à ordures. Une situation qui avait perduré pendant de longues années.

– Un jour, dit Marcy, ça s'est enflammé.

Ayant atteint une veine d'anthracite non exploitée, le feu avait pris des proportions gigantesques.

– À partir de ce moment-là, la ville était fichue. Mais nous ne le savions pas encore, reprit Marcy.

– Ils ont tenté d'éteindre l'incendie un nombre incalculable de fois, ajouta Bill. Rien n'y faisait. Le feu ne cessait de gagner du terrain.

Nick apprit ainsi que pendant dix ans, les habitants de Centralia avaient pris leur mal en patience, continuant à mener une vie à peu près normale, entre l'école, l'église, le boulot et les loisirs. Le sol devenait de plus en plus chaud. En hiver, la neige fondait sur les routes et les trottoirs. Mais ils avaient tenu bon le plus longtemps possible.

– La première crevasse est apparue en 1971, dit Bill Mason. Elle s'est formée du jour au lendemain, dans l'arrière-cour d'un voisin. Une sorte de puits crachant de la fumée.

Marcy ferma les yeux en agitant la tête, comme si elle revivait cet affreux souvenir.

– Après, il y en a eu une autre, et puis une autre encore.

Plus le feu grossissait, plus il grignotait le sol au-dessus de lui. Alimentées par l'oxygène entrant par une première crevasse, les flammes en creusaient une deuxième, et ainsi de suite, dans une réaction en chaîne menaçant d'engloutir toute la ville.

– C'est à ce moment-là que les gens ont commencé à déguerpir, dit Marcy. Mon mari et moi envisagions de déménager, nous aussi. Nous ne savions pas où aller. Cette ville représentait tout notre univers. Mais nous nous faisions du souci pour Frankie.

Elle étouffa un sanglot. Quand Bill Sr lui prit la main et la serra doucement dans sa grosse paluche, Nick se dit qu'il n'avait jamais vu de geste plus tendre. Ceux-là s'étaient peut-être unis dans le chagrin et le désespoir, mais il y avait de l'amour entre eux. Et ça se voyait.

– Un jour, il est sorti jouer, reprit Marcy. Je lui ai dit de rester devant la maison, mais je ne me faisais pas d'illusions. Je savais qu'il irait explorer les fosses.

– Il n'y avait pas de barrières, de chapes ?

– Certaines crevasses étaient trop larges pour qu'on les recouvre, répondit Marcy. Il y avait des panneaux d'avertissement, des genres de clôtures autour. Mais les gosses s'en fichaient. Il en fallait plus pour les arrêter.

Bill acquiesça d'un hochement de tête.

– Chaque nouveau trou dans le sol les attirait plus qu'un bocal de bonbons. Bucky était comme les autres.

Nick aurait fait la même chose à leur âge. Pour ces jeunes garçons, un cratère fumant évoquait indiciblement l'aventure, le danger. Il enflammait leur imagination et les transportait loin de la vie monotone qu'ils menaient dans cette bourgade ouvrière. Nick voyait la scène dans son esprit. Une bande de garnements, massés autour du puits, jetant des cailloux dedans pour tester sa profondeur, se lançant des défis à qui s'approcherait le plus près de la gueule infernale. Frankie et Bucky avaient peut-être été plus imprudents que les autres. Toutefois, Nick n'en était pas convaincu.

– À quel moment avez-vous commencé à penser que Frankie était tombé ?

– Immédiatement, répondit Marcy. Quand il n'est pas rentré dîner, j'ai tout de suite compris qu'un malheur était arrivé. Un enfant s'était fait happer deux semaines plus tôt. Mais il avait réussi à s'agripper aux racines d'un arbre et appelé au secours. Il avait eu de la chance.

– Et la police ? demanda Nick. Ils ont pensé comme vous ?

À la mention de la police, Marcy agita la main avec mépris.

– Ils ne savaient quoi penser. La première chose qu'ils m'ont demandée c'était si Frankie était du genre fugueur.

– Et alors ?

– C'était un enfant heureux, répondit-elle. Il n'était peut-être pas le plus intelligent ni le plus populaire mais il était heureux. Et je l'aimais.

Quand elle se remit à sangloter, Nick vit que cette fois-ci, elle ne se calmerait pas facilement. On aurait dit qu'une bulle de tristesse surgissait du plus profond d'elle-même. La gorge serrée, incapable de se maîtriser, elle quitta la pièce précipitamment.

– C'est encore dur d'en parler, dit Bill quand elle fut sortie. Je sais que ça fait longtemps, mais la plaie est encore à vif.

Nick connaissait bien ce sentiment. La plupart du temps, il faisait avec. Mais il y avait des jours plus sombres que les autres où la moindre broutille – comme entendre la chanson préférée de sa sœur à la radio, voir sa couleur préférée – déclenchait en lui des accès de désespoir.

– Ça s'est passé de la même façon pour Bucky ? demanda-t-il. La police croyait-elle à une fugue ?

– Sur le moment non. Le contexte était le même. Il est rentré de l'école, il est sorti jouer et il n'est jamais revenu. Mais comme c'était arrivé à Frankie l'année d'avant, les flics ont fait la relation.

– Et vous, qu'en pensez-vous ?

Contrairement à sa compagne, Bill Mason semblait imperméable à la douleur. Pourtant il souffrait. Nick le voyait à ses yeux enfoncés, à sa manière de hausser les épaules d'un air accablé.

– J'ai pensé comme la police, reprit-il. Ils ont remué ciel et terre quand les deux gosses ont disparu. Des battues, des projecteurs, des chiens qui couraient partout. Ils leur ont donné à renifler les chemises de Bucky. Pour Frankie, c'était une paire de baskets. À deux reprises, les chiens ont suivi une trace qui les a menés au même endroit.

– Une crevasse, devina Nick.

– Exact, confirma Bill. Voilà pourquoi je pense qu'ils sont tombés dedans. Marcy n'en est pas si sûre.

– Quelle est sa version ?

– Elle croit qu'ils ont été enlevés. Raison pour laquelle nous sommes encore là.

La quasi-totalité des habitants de Centralia avait déménagé au milieu des années 1980. Les quelques rares qui restaient assistèrent à la démolition des maisons voisines. Quand la sienne fut condamnée, Marcy s'installa dans l'autre moitié du pavillon de Bill. Et quand cette moitié-là fut détruite à son tour, elle emménagea avec lui. Nick comprenait mieux pourquoi Vincent Russo n'avait pas trouvé son adresse. Marcy ne possédait plus rien à son nom.

– Comment se fait-il que vous n'ayez pas été exproprié comme les autres ? demanda Nick.

– L'État a essayé de nous déloger. La première fois, on leur a dit qu'on ne partirait pas. La deuxième, je leur ai mis les points sur les i.

Bill désigna une carabine Winchester accrochée au-dessus du manteau de la cheminée.

– Après ça, ils nous ont laissés tranquilles.

Nick admirait sa ténacité même s'il ne la comprenait pas.

– Pourquoi tenez-vous tant à rester ?

– Je me dis que Marcy a peut-être raison, que les gosses ont bien été enlevés. Et si jamais ils essayaient de rentrer à la maison ? Si nous quittions Centralia, comment feraient-ils pour nous retrouver ? Alors on reste.

– Savez-vous pourquoi Marcy ne croit pas à la thèse de l'accident ?

– Elle dit que Frankie était trop malin pour tomber dans une crevasse, répondit Bill. Pareil pour Bucky. Mais je penche quand même plus pour un accident que pour un kidnapping. Les accidents, ça arrive tout le temps. Les enlèvements, c'est plutôt rare.

Hélas, des enlèvements se produisaient aussi, et dans des endroits plus jolis que Centralia. À Perry Hollow, par exemple, ou à Fairmount, dans des parcs nationaux et des camps de jeunesse.

– C'était une ville agréable, poursuivit Bill, bien fréquentée. On s'entendait entre voisins. Les gens s'intéressaient les uns aux autres. Je ne vois pas comment un type aurait pu débarquer et s'en prendre à nos gosses.

– Avez-vous songé que le ravisseur pouvait habiter ici ? fit Nick.

– Un de nos voisins ? Jamais de la vie.

– On ne sait jamais, répliqua Nick. Qui occupait l'autre partie de votre maison ?

– Un tas de gens ont défilé. Je l'ai louée à des nouveaux mariés, des pères célibataires, des jeunes couples. Ce type de personnes. En général, ils ne restaient pas plus d'un an.

En d'autres termes, le même genre de population qu'on trouvait dans les pavillons des zones résidentielles de Fairmount. Nick ouvrit son répertoire mental et fouilla. En découvrant les adresses des enfants disparus, Kate avait réagi en disant que le ravisseur avait sans doute habité Fairmount et Centralia, où avaient vécu deux victimes consécutives. Elle n'avait sans doute pas tort. Ensuite, il creusa un peu plus dans sa mémoire et vérifia les années inscrites sur ses dossiers. Les garçons de Fairmount – Dennis Kepner et Noah Pierce – avaient été portés disparus en 1969 et 1971. Frankie et Bucky en 1972. Le ravisseur avait très bien pu quitter Fairmount pour Centralia entre-temps.

– Où vivaient Marcy et son mari ?

– Deux maisons plus bas, répondit Bill. Du même côté de la rue.

– C'était aussi un pavillon double ?

– Non, Monsieur. Celui-ci était le seul du bloc.

Nick n'était pas homme à tirer des conclusions hâtives, mais la réponse de Bill Mason le fit réagir aussitôt.

– Vous vous rappelez qui occupait l'autre moitié de votre pavillon, le jour où Bucky a disparu ?

– Vaguement, dit Bill. Je me souviens qu'il nous a beaucoup soutenus. Il a participé à la battue. Il m'a aidé à imprimer des avis de recherche. Il a été vraiment gentil avec ma femme et moi.

– Il était déjà là quand Frankie a disparu ?

Bill Mason, gloire lui en soit rendue, possédait une excellente mémoire.

– Oui, oui, il était déjà là.

– Vous vous rappelez son nom ?

– Je crois qu'il s'appelait Brewster, dit Bill. Craig Brewster.

28

LE PÈRE D'ÉRIC TENAIT SON MUG DE CAFÉ entre ses deux mains. Il prit une gorgée et fit tourner le liquide dans sa bouche avant d'avaler. Quand il enfourna son premier beignet, des miettes s'accrochèrent à la broussaille grise qui lui servait de barbe. Une fois le beignet englouti, il reprit une gorgée de café, la fit tourner dans sa bouche et l'avala.

– Papa, intervint Éric en écartant l'assiette de beignets pour interrompre le cérémonial. Arrête ce petit jeu.

– C'est pas un jeu. J'ai faim.

En effet, Ken Olmstead était maigre à faire peur. Son jean, son polo flottaient autour de sa carcasse comme les vêtements d'un épouvantail. Quand il essaya vainement d'attraper un beignet au passage, son poignet décharné apparut au bout de sa manche.

Éric s'inquiétait pour la santé de son père. En plus, quand il lui avait demandé si tout se passait bien avec Lorraine, son amie, Ken n'avait rien répondu. Et puis il y avait cette odeur corporelle si persistante qu'elle résistait même à la douche. Il en venait à se demander si Ken ne vivait pas dans son camion.

Le fait d'imaginer son père en SDF l'emplit de culpabilité. Il reposa l'assiette de beignets sur la table. Ken sauta dessus, en prit deux et se remit à mâcher consciencieusement. Éric attendit qu'il ait terminé pour lui demander :

– La nuit dernière, tu m'as dit de ne pas rechercher Charlie. Pourquoi ?

– Parce que c'est une perte de temps.

– Ce n'était pas l'avis de maman.

Le visage de Ken prit une expression douloureuse. Étaient-ce les habituels méfaits de la gueule de bois, ou autre chose ? Éric opta pour la deuxième solution. Un souvenir désagréable.

– Ta mère n'était pas bien, dit-il. C'était une femme solide qui avait beaucoup souffert, mais au fond, elle était dépressive.

C'était le mot que Becky Santangelo avait employé. Après folle, bien sûr. Éric se dit que folle et dépressive signifiait la même chose pour elle, et que sa voisine avait simplement mis des gants, la deuxième fois.

– Qu'est-ce qui n'allait pas chez elle ?

– Maggie était une femme comme il faut. Intelligente. Pleine d'allant. Jolie comme un matin de printemps. Mais elle ne se portait pas bien. Ça a commencé après ta naissance. Le docteur appelait cela le *baby blues*. Je ne voyais pas bien ce que c'était.

Le soleil de midi qui entrait par la fenêtre de la salle à manger se déversait sur la table entre eux deux. En écoutant son père, Éric regardait fixement les ombres projetées par les stores. Ces hachures ressemblaient à des barreaux de prison, impression que les paroles de son père ne faisaient qu'encourager. À l'entendre, on aurait dit que la maladie de sa mère avait emprisonné toute la famille.

– Elle était tout le temps triste, reprit Ken. Parfois elle ne s'intéressait même plus à ton frère et toi. Elle avait du mal à te nourrir, à te baigner. Il arrivait qu'elle oublie de le faire et, quand je rentrais, je te trouvais en train de brailler dans ton berceau et ta mère endormie sur le canapé ou dans notre chambre, au premier. La plupart du temps, Charlie était chez les voisins ou il jouait dehors. Surtout après ce jour du mois de mai.

– Que s'est-il passé ?

– Ta mère a failli te tuer.

Éric aurait apprécié un peu de délicatesse. Il s'attendait à tout ou presque de la part de son père, mais pas à ça. Si bien qu'il s'étrangla avec la gorgée de café qu'il était en train d'avaler.

– Elle n'a pas fait exprès, dit son père. Ce n'était pas de sa faute. Elle était malade.

Ken sortit de table et s'avança lentement vers le vestibule. Éric suivit sans comprendre jusqu'à ce que son père se tourne face à l'escalier. Il revivait ce jour de mai, vieux de quatre décennies.

– Dès que j'ai passé la porte d'entrée, j'ai entendu de l'eau couler, reprit-il en montrant le plafond. C'était la baignoire au premier.

Ken monta l'escalier sans hâte, comme s'il écoutait en même temps. Éric fit de même en essayant d'imaginer la scène. Une maison tranquille. L'eau qui coulait en continu dans la baignoire. Les marches qui grinçaient.

Sur le palier, son père s'arrêta devant la chambre de Charlie. La porte ouverte révélait un espace si poussiéreux que même la clarté solaire n'y entrait pas. Le regard de Ken balaya toute la pièce. Éric lut de la tristesse dans ses yeux. Le vieil homme avait sans doute cru ne jamais la revoir.

– Charlie jouait dehors. Je l'avais croisé dans l'allée en arrivant.

Ken longeait le couloir. D'abord il vit la chambre d'Éric.

– Tu étais censé être là mais ton berceau était vide.

La prochaine étape – du récit et de leur visite actuelle – fut la chambre parentale.

– La porte était ouverte, comme aujourd'hui. J'ai vu ta mère, endormie dans le lit.

– Où étais-je ? demanda Éric.

Son père revint sur ses pas et s'arrêta devant la salle de bains.

– Là-dedans. La porte était fermée, mais je savais que tu étais là.

En entrant, il vacillait comme un condamné au pied du gibet. Les yeux rivés sur la baignoire, il dit d'une voix qui résonna sur la cloison carrelée :

– Elle était à moitié pleine. Tu étais dedans. Sous l'eau. Je ne sais pas depuis combien de temps, mais tu commençais à devenir bleu.

Comme s'il se noyait de nouveau, Éric revivait les détails de l'incident – Ken sortant le bébé de la baignoire, le renversant tête en bas, l'enfant recrachant l'eau qu'il venait d'avaler, les gestes maladroits de son père pour le ranimer, les cris stridents du bébé qui reprenait vie – dans une sorte de brouillard cotonneux. Quand son père eut terminé, Éric suffoquait, accroché au lavabo pour ne pas s'écrouler.

– Ta mère a pleuré pendant deux jours d'affilée, poursuivit Ken. Elle était dans un état pitoyable. Elle jurait que jamais au grand jamais elle n'avait voulu te faire du mal. Je savais que c'était vrai. Mais je savais aussi que, quelque part au fond de son cerveau, il y avait une pulsion incontrôlable. Comme si une petite partie d'elle-même voulait se débarrasser de toi.

Éric devait sortir de la salle de bains. Il ne supportait pas de regarder ainsi la baignoire où il avait failli mourir ni ce papier peint bleu clair, angoissant comme le fond d'une piscine. Secouant ses membres engourdis, il fit volte-face et se rua dans l'escalier.

– Je suis désolé si je t'ai bouleversé, dit son père dès qu'ils eurent regagné la salle à manger. Voilà pourquoi je ne t'en ai jamais parlé.

Éric répondit qu'il allait bien mais il mentait. Il n'allait pas bien du tout. Cette histoire de fous allait certainement lui valoir des années de thérapie.

– Ta mère t'aimait plus que tout au monde, reprit Ken. Je veux que tu le saches. Elle n'était pas bien quand c'est arrivé. Mais ensuite elle a guéri. Elle a changé la nuit où Charlie a disparu. Dès qu'elle a vu qu'il était parti, elle t'a pris dans ses bras et ne t'a plus lâché. Le *baby blues* peut s'arrêter du jour au lendemain, il paraît. En perdant Charlie, elle a compris qu'elle pouvait te perdre aussi.

– Les dépressions *post-partum*, je vois ce que c'est, répondit Éric. Mais pourquoi seulement à ma naissance ? Est-ce que maman a vécu la même chose après avoir accouché de Charlie ?

Son père secoua la tête sans qu'on sache vraiment s'il répondait non ou s'il refusait de répondre.

– Je ne veux plus parler de tout cela. C'est trop dur pour toi.

– Je veux tout savoir. Pourquoi maman n'a-t-elle pas fait de dépression après avoir eu Charlie ?

– Parce qu'elle n'a pas accouché de lui.

Éric se figea en entendant ces mots. Décidemment, c'était la journée des révélations traumatisantes.

– Quoi ? Qu'est-ce que tu dis ?

– Je dis, répondit son père, que Charlie n'était pas notre enfant.

Le sous-sol de la bibliothèque municipale de Perry Hollow abritait les archives de la presse sur une centaine d'années. Les exemplaires de la *Gazette de Perry Hollow* étaient reliés par trimestres. Les volumes pesaient si lourd que Kate avait des crampes dans les bras quand elle les soulevait des étagères. Heureusement, comme elle avait ciblé sa recherche de janvier à décembre 1959, ses efforts se limitèrent à l'extraction de quatre pachydermes de papier.

Norm Harper ayant déclaré que les Olmstead étaient revenus de Floride en juillet, Kate commença ses recherches par le printemps. Elle avait envie d'éternuer. Les journaux dégageaient une odeur rance, causée par le temps et les mauvaises conditions de conservation. Pendant qu'elle feuilletait le numéro du 1er avril 1959, des grains de poussière s'envolèrent.

Elle trouva les avis de décès vers le milieu. Une simple colonne portant deux noms en tout et pour tout. Pas de Jennifer Clark.

Kate passa rapidement les mois d'avril et de mai. Les noms, les visages des personnes décédées défilèrent devant ses yeux – coupe militaire pour les hommes, lunettes papillon pour les femmes, autant de défunts oubliés depuis des lustres sous leurs dalles moussues, dans le cimetière d'Oak Knoll. Elle ralentit le rythme en approchant du jour du Souvenir, le dernier lundi du mois de mai, et poursuivit sa recherche méticuleuse jusqu'à la mi-juin. Sans succès. Puis soudain, dans l'édition du 20 juin, un article en première page attira son attention.

Le quotidien titrait sur la noyade de Jennifer, une jeune fille native de Perry Hollow séjournant avec des amis dans les Keys, en Floride. Le journaliste précisait que, deux jours auparavant, un ouragan avait balayé les côtes, causant des vagues immenses et beaucoup de dégâts matériels. La jeune Jennifer Clark avait commis l'imprudence de se baigner dans l'océan. On l'avait retrouvée morte sur la plage, rejetée par les flots.

La photo qui accompagnait l'article – empruntée au livre de sa promotion, à l'université – montrait une jolie jeune femme aux cheveux raides, au visage pâle et sympathique, au sourire un peu triste.

Une femme qui ressemblait beaucoup à Charlie Olmstead.

Kate eut un hoquet de surprise en observant la similitude de leurs traits. Ils avaient les mêmes yeux. Les mêmes oreilles. La même bouche. Quand elle revint de son étonnement, la vérité la frappa comme un poing. Maggie Olmstead n'était pas la mère biologique de Charlie Olmstead.

C'était Jennifer Clark.

Le souffle court, Kate survola les pages suivantes et s'arrêta sur la rubrique nécrologique. Jennifer Clark figurait tout en haut. Comme dans tous les avis de décès, on y donnait ses dates de naissance et de mort, le nom de ses parents, sans autre détail personnel. Pas de précisions concernant un éventuel service funèbre. Une courte phrase signalait qu'elle avait déjà été incinérée.

Néanmoins, la dernière mention atténua quelque peu sa frustration. En fait, c'était exactement l'information que Kate recherchait.

« En plus de ses parents, disait-on, Mademoiselle Clark laisse derrière elle, un fiancé, le soldat de premier classe Craig Brewster. »

29

Nick avait quitté Centralia mais n'arrivait pas à se débarrasser de cette horrible odeur de soufre. Au bout de quarante-cinq kilomètres, elle s'atténua légèrement bien qu'elle lui parvint encore par bouffées, comme un après-rasage de supermarché. Sa peau, ses vêtements en étaient imprégnés. Il avait envie de s'arrêter, de descendre de voiture et de faire quelques pas pour s'aérer.

Mais Nick ne pouvait pas s'arrêter.

Bien au contraire, il fallait qu'il arrive très vite à destination, sans se préoccuper des limitations de vitesse. Au bout de la route, il y avait un espace paisible, abandonné au milieu des bois. Le camp du Croissant.

Il était à environ dix minutes du camp lorsque son portable sonna. Sans lâcher la route des yeux, Nick l'attrapa de la main droite pendant que la gauche tenait le volant.

– Nick ? dit la voix de Kate.

En l'entendant, il réalisa qu'il ne lui avait pas parlé depuis la nuit dernière. Il n'avait pas eu une minute à lui. Kate ignorait donc tout ce qui s'était passé entre-temps. L'identification de Noah Pierce, la découverte de la fusée miniature de Dennis Kepner. Plus grave encore, elle ne savait pas que le propriétaire du camp du Croissant était à présent son suspect numéro un.

– J'ai de grandes nouvelles, lui dit-il.

– Moi aussi, répondit Kate. Je crois savoir qui a enlevé Charlie Olmstead. Il s'appelle Craig Brewster.

Nick était bluffé. Ainsi, Kate connaissait Craig Brewster.

– Comment sais-tu cela ? demanda-t-il.

Filant toujours aussi vite à travers la campagne, Nick l'entendit énumérer ses récentes découvertes : l'abri antiatomique, la projection très privée, la fille de Stan et Ruth Clark. Il ne suivait pas très bien – surtout le passage concernant le film cochon –, mais plus il écoutait Kate, plus il percevait comme une évidence que leurs deux enquêtes avaient abouti au même individu. Ce qui redoublait la présomption de culpabilité pesant sur Craig Brewster.

Kate termina son compte-rendu par une question :

– Et toi, comment as-tu fait pour le trouver ?

Nick était tombé à deux reprises sur le nom de Craig – trois si l'on comptait ce qu'il venait d'entendre de la bouche de Kate. D'abord, il y avait eu le témoignage de Bill Mason. Puis Tony Vasquez lui avait appris par téléphone que le rapport de police sur l'affaire Dennis Kepner, enfin retrouvé, faisait état d'un certain Brewster, ayant habité Fairmount, à deux pas de chez les Kepner.

– Tu retournes au camp ? demanda Kate après avoir écouté le récit de Nick.

Nick et Tony s'étaient donné rendez-vous à l'entrée du camp. Nick comptait sur des renforts de police, ce qui lui permettrait de se tenir en retrait – par nécessité plus que par choix – pendant que les autorités officielles donneraient l'assaut et procéderaient à l'interpellation de Craig Brewster. Avec un peu de chance, ils obtiendraient sa confession avant le coucher du soleil et les six crimes seraient enfin élucidés.

– Que puis-je faire ?

C'était du Kate tout craché – toujours aussi impatiente de se lancer dans la bataille.

– Pour l'instant, tu attends, dit Nick. Je t'appellerai dès que Tony lui aura passé les menottes.

Il raccrocha. Devant lui, la bande de bitume bifurquait en direction du camp du Croissant. Une voiture de la police d'État bloquait le passage. À l'intérieur, un agent peu loquace, les yeux cachés par des lunettes fumées de style aviateur, lui fit signe de passer dès qu'il eut décliné son identité.

Entre la grand-route et le camp, Nick franchit encore deux barrages de police. Leur mission était double – empêcher tous les véhicules non autorisés d'entrer et, plus important, empêcher Craig Brewster de sortir.

Devant l'entrée du camp, six autres voitures de patrouille étaient stationnées. Nick repéra le véhicule banalisé de Tony Vasquez à côté d'un fourgon de l'équipe d'intervention spéciale. Sanglés dans leurs gilets pare-balles, les SWAT étaient occupés à vérifier le chargement de leurs armes. Certains d'entre eux s'étaient massés autour de leur collègue occupé à démonter le portail métallique avec une scie circulaire.

Nick se gara un peu à l'écart et descendit de voiture. Tony le rejoignit presque aussitôt.

– On va y aller dans pas longtemps, dit-il en adaptant son gilet en kevlar aux mensurations de son torse. Toi, tu restes ici et dès qu'on aura coffré ce salaud, je viens tout te raconter.

– Je devrais venir avec vous, protesta-t-il. Je suis le seul à connaître la disposition des lieux. Ce Brewster m'a fait tout visiter, pas plus tard que ce matin.

– Désolé, Nick. Gloria péterait un câble si elle l'apprenait.

– Je comprends, dit Nick. C'est logique. Je te fais juste remarquer que je connais tous les endroits où Brewster est susceptible de se cacher. Mais avec ces trucs en kevlar, tout devrait bien se passer, même si Brewster décide d'utiliser son fusil de chasse.

Au lieu de répondre, Tony se dirigea vers l'équipe de SWAT et chuchota quelque chose à leur chef. Quand il revint, il tenait un gilet pare-balles.

– T'es vraiment chiant quand tu t'y mets, Donnelly, fit-il en lui jetant le gilet.

Nick l'enfila après avoir posé sa canne contre la voiture.

– Je sais, dit-il.

– Je ne vois pas trop ce que tu espères, reprit Tony en le regardant tirer sur les sangles latérales. Tu sais bien que tu ne seras plus jamais flic.

– Je ne fais pas cela pour moi, mais pour Charlie Olmstead.

Kate détestait attendre. Dans les aéroports, dans les cabinets médicaux. Et plus encore devant son téléphone, pendant que d'autres flics procédaient à l'arrestation d'un homme soupçonné d'avoir tué six petits garçons. Dès qu'elle eut raccroché, après sa conversation avec Nick, elle sentit sa tension nerveuse grimper en flèche. Pour tuer le temps, elle surfa sur Internet. Dès le premier clic sur le site de CNN, un bandeau triomphal s'afficha devant ses yeux.

Les astronautes chinois vont alunir
dans moins d'une heure

Elle ferma la fenêtre sans même lire l'article. Le titre lui suffisait amplement.

En tambourinant des doigts sur son bureau, elle passa en revue tout ce qu'elle avait appris sur Craig Brewster. Il avait été fiancé à Jennifer Clark. Et de cette union Charlie était né, si l'on se fiait à la ressemblance entre l'enfant et Jennifer. Puis, pour des raisons inconnues, le bébé avait échoué chez Ken et Maggie Olmstead.

Ensuite, il y avait les crimes en eux-mêmes. Le 20 juillet 1969, Craig avait débarqué à Perry Hollow pour reprendre Charlie. Il était relativement logique qu'un père privé de son enfant emploie les grands moyens pour le récupérer. Mais après, qu'en avait-il fait ? Et qu'étaient devenus les cinq autres disparus ? Quel rapport avaient-ils avec Craig Brewster ?

Quand le téléphone sonna, Kate se jeta dessus et répondit d'une voix hachée :

— S'il te plaît, dis-moi que vous l'avez arrêté.

Mais son correspondant n'était pas Nick, ni même un homme.

— Chef Campbell ? fit une voix hésitante.

— Elle-même.

— Je suis Jocelyn Miller.

— Désolée, dit Kate. J'attendais un appel important.

— Eh bien, considérez que le mien entre dans cette catégorie.

Le ton grave de Jocelyn provoqua chez Kate un étrange phénomène. Son cœur réussit à plonger au fond de son ventre tout en restant coincé en travers de sa gorge. Chose impossible physiquement mais très courante en psychologie.

— James a des problèmes ?

– Oui, dit Jocelyn. Il y a eu un incident. Je vous attends à l'école.

Tony avait fait monter Nick dans sa voiture. Ils roulaient au pas dans la forêt, derrière le fourgon des SWAT. Le convoi conserverait cette allure jusqu'au bout pour ne pas alerter Craig Brewster. La surprise était leur principal atout. Sinon, l'ancien propriétaire du camp du Croissant risquait de les accueillir à coups de carabine.

Leur plan d'attaque était le suivant : les SWAT entreraient les premiers dans les anciens bureaux du camp. Comme ce bâtiment servait de résidence à Craig, ils le trouveraient sans doute sur place. Tony et ses hommes arriveraient ensuite pour terminer le boulot – menottes, lecture des droits, embarquement du suspect.

Sauf en cas d'urgence, Nick devait rester dans le véhicule. Tony s'était montré intransigeant sur ce point. Tandis que le rideau d'arbres s'éclaircissait devant eux, il lui mit un Glock dans la main.

– Juste au cas où, précisa Tony.

Nick prit l'arme sans mot dire et l'enfonça dans sa ceinture.

Dès qu'ils atteignirent la pancarte annonçant les bâtiments, le convoi prit de la vitesse. Bientôt, les pneus du fourgon soulevèrent des gerbes de gravier qui rebondirent sur le pare-brise de Tony. Plusieurs commandos sautèrent du véhicule avant même qu'il ne freine à mort devant la cabane. Le premier défonça la porte comme un écran de papier. Deux autres le suivirent à l'intérieur. Un détachement s'engagea sur la véranda pour gagner l'arrière du bâtiment. Sous leurs bottes, le plancher faisait un bruit de tonnerre.

– J'y vais, dit Tony en ouvrant d'un coup la portière. Au dernier moment, il se tourna vers Nick. Rappelle-toi. Juste en cas d'urgence.

Nick lui adressa un sourire sarcastique.

– Va donc l'attraper, cow-boy.

Il regarda Tony et ses troupes disparaître dans la cabane. Par les fenêtres du bas, il vit les SWAT passer de pièce en pièce, vérifier derrière les portes, dans les placards, sous les meubles. Au premier étage, d'autres faisaient de même. En fond sonore se mêlaient différents bruits : ordres aboyés, portes claquées. La musique habituelle des chasses à l'homme.

Au milieu de toute cette agitation, Nick remarqua un mouvement, à soixante centimètres du sol, sur la gauche. Une lucarne donnant dans la cave venait de s'ouvrir en se rabattant. Deux cylindres d'acier passèrent au travers – le canon d'un fusil. Juste derrière, il vit une tête, puis des épaules, puis un torse. Craig Brewster s'enfuyait par le soupirail.

Son fusil coincé sous le bras, il rampa sur le ventre pendant quelques mètres puis se leva et se mit à courir vers la forêt. Nick descendit de voiture, le Glock en main, en se disant qu'il s'agissait d'une urgence entrant dans la définition donnée par Tony.

– Hé ! hurla-t-il à la cantonade.

Il espérait que son cri aurait pour double effet d'arrêter Craig et d'alerter les commandos qui écumaient la cabane. Il fut doublement déçu. Loin de s'immobiliser, le suspect prit ses jambes à son cou et l'équipe SWAT ne broncha nullement. Nick s'accorda un nouvel essai vocal avant d'opter, bien malgré lui, pour la pire des solutions.

Il se mit à courir.

Dès le premier pas, la douleur se réveilla. Les deux suivants accentuèrent le problème. Ensuite, chaque enjambée lui donna un avant-goût des tortures infernales. Des ondes incandescentes semblaient irradier depuis son genou dans tout son corps. Il en pleurait.

Mais ce n'était pas le moment de flancher. Si jamais Craig parvenait à atteindre les fourrés, ils ne le retrouveraient jamais. Il continua donc en ravalant sa douleur. Avec sa canne, il cinglait l'herbe au passage. Quand il constata que ce geste le ralentissait, il lâcha le pit-bull et continua sans appui.

La perte de sa canne ne fit rien pour le soulager, bien au contraire. En revanche, il courait plus vite. Les dents serrées, il progressait en poussant des grognements sauvages à chaque enjambée. Si bien qu'il finit par rattraper un peu son retard. Craig était entré dans la zone plantée de conifères où se dressaient les anciennes cabanes des pensionnaires.

Quand il y pénétra à son tour, son visage était couvert de sueur. Ses vêtements lui collaient à la peau. Ses poumons avaient du mal à suivre le rythme. Quant à son genou, Nick préférait ne pas songer aux dommages qu'il lui causait.

Il ralentit et se mit à sautiller maladroitement tout en regardant autour de lui. La petite clairière était cernée par cinq cabanes en rondins. Aucune trace de Craig. Soit l'homme s'était enfoncé dans la forêt en courant comme un cabri, ce qui lui paraissait impossible, soit il se cachait dans l'une de ces cabanes. Optant pour la seconde solution, Nick décida de les visiter l'une après l'autre.

Sur les cinq, deux n'étaient plus que des ruines – murs écroulés, toits défoncés, issues bouchées par des buissons d'épineux. Les trois autres offraient des abris plus plausibles. Bien qu'ayant subi les ravages du temps, elles tenaient toujours debout. Nick aurait aimé en dire autant de lui. Il pesait si fort sur sa jambe valide qu'il redoutait de basculer.

Avisant la cabane juste à droite, il hurla :

– Craig ! Je vous conseille de sortir tout de suite ! Les autres ne vont pas tarder et ils sont plus méchants que moi.

Il risqua un coup d'œil par-dessus son épaule. Les commandos SWAT venaient d'émerger des bureaux. Pour attirer leur attention, il leva son Glock et tira en l'air.

Craig Brewster se mit à tirer lui aussi.

Nick ne savait pas de quelle cabane venaient les coups de feu. Il les entendait – coups de tonnerre déchirant les frondaisons – et sentait le déplacement d'air qui semblait emprunter plusieurs directions, en fonction de la trajectoire des plombs. Nick se jeta par terre en se couvrant la tête.

Il perçut des cris au loin, des bruits de pas précipités. Tony et l'équipe SWAT avaient entendu la fusillade. Ils arrivaient à la rescousse. Mais quelle que soit leur vitesse, ils n'arriveraient pas à temps.

Nick se mit à ramper sur le ventre en se tortillant comme un asticot. Plus aucun bruit du côté des cabanes. Craig pouvait se trouver dans n'importe laquelle. Ou dans aucune.

Une nouvelle détonation retentit. Les plombs se fichèrent dans le sol à la droite de Nick. Des mottes de terre s'envolèrent et retombèrent en pluie sur son visage pendant qu'il s'écartait de la zone de tir en effectuant un roulé-boulé. Le coup de feu suivant l'accueillit sur sa gauche, si bien qu'il dut repartir d'où il était venu, toujours en roulant sur lui-même.

Pris de panique, il se renversa sur le dos, jambes écartées, genoux fléchis. Cela faisait un mal de chien, mais Nick garda la position et décolla la tête et les épaules du sol en braquant le Glock devant lui, entre ses cuisses.

Dans le prolongement de son arme, il voyait l'entrée de la cabane comme une bouche béante attendant de cracher une nouvelle décharge de chevrotine.

Nick tira le premier. Deux coups. En plein dans le mille.

Puis il entendit des bruits dans une autre cabane, à sa gauche. Un choc sourd. Un déclic. La respiration du tireur juste avant d'appuyer sur la détente.

Pivotant sur lui-même, il tira deux autres coups sans réfléchir davantage. Puis il braqua son arme sur la cabane de droite et fit la même chose.

Un coup.

Deux coups.

Il y eut un court moment de silence puis les commandos investirent la zone. Étendu sur le dos, Nick regardait leurs bottes marteler le sol de la forêt, entrer dans toutes les cabanes. Quand il leva les yeux, Tony Vasquez se tenait penché sur lui.

– Tu es blessé ? demanda-t-il.

Nick lui fit signe que non.

– Tant mieux.

Tony l'aida à se lever et lui rendit sa canne. Nick s'y agrippa comme un drogué s'accroche à sa toute dernière dose. Jamais plus il ne lâcherait ce brave toutou.

Autour d'eux, les SWAT émergeaient des cabanes en criant RAS. Il n'en restait qu'une, celle que Nick avait visée la deuxième fois. Un commando SWAT passa la tête par la porte ouverte et beugla :

– Il est ici !

Tony se précipita à l'intérieur. Nick le suivit en boitant. En entrant, il vit quatre couchettes, une souris morte et les noms de Bobby, Kevin et Joe gravés dans la cloison. C'était la cabane où Dwight Halsey avait séjourné avant sa disparition. Craig Brewster était affalé dans un coin.

Le fusil gisait sur le sol, à ses pieds. Tony le ramassa. Nick s'approcha de l'homme abattu. Il vivait encore mais à peine. Sa respiration sifflante filtrait péniblement entre les poils de sa barbe. Sa main était crispée sur son cœur.

Nick chercha du sang. Il n'y en avait pas. Aucune de ses balles ne l'avait touché. Craig avait été terrassé par autre chose.

– Il faut le conduire à l'hôpital, dit Nick. Il fait une crise cardiaque.

30

L<small>E CUBE EN VERRE ABRITANT LE BUREAU DE</small> J<small>OCELYN</small> M<small>ILLER</small> se trouvait à l'entrée de l'école primaire de Perry Hollow. Comme des spécimens dans une boîte de Pétri, les élèves qu'on y convoquait étaient visibles de tous et de partout. Quand Kate pénétra comme une flèche dans l'école, la première chose qu'elle remarqua fut la tête de James, assis de dos à elle, dans l'aquarium administratif.

Kate ne vit son visage qu'en entrant elle-même dans le bocal. James tenait sa tête en arrière, les narines bourrées de tampons censés épancher le sang qui coulait de son nez. Sa chemise était tachée.

– Petit ours ? Que s'est-il passé ?

Au fond d'elle-même, elle le savait déjà. Le harcèlement dont James faisait l'objet dans cette école avait grimpé d'un cran dans la violence.

– Chef Campbell ! appela Jocelyn Miller depuis la pièce plus discrète où elle recevait les parents. Puis-je vous parler deux minutes ?

Kate rejoignit la directrice et claqua la porte derrière elle.

– Qui lui a fait ça ?

Jocelyn lui offrit un siège. Kate resta debout, trop furieuse pour s'asseoir.

– J'aimerais qu'on parle de James, dit la directrice.

– Et moi je veux parler du voyou qui l'a frappé, répliqua Kate en arpentant le bureau à grandes enjambées nerveuses. Mon fils est là dehors, il saigne et vous allez me dire qui lui a fait ça.

— Je suis éducatrice depuis vingt ans, répondit Jocelyn avec un calme exaspérant. Pendant tout ce temps, j'ai pu observer de nombreux enfants. Je pense les connaître assez bien. Ce sont des créatures émotionnelles. Promptes à s'emporter. Promptes à s'attrister. Mais aussi, heureusement, promptes à retrouver la joie de vivre.

— Pourriez-vous juste me dire ce qui se passe, s'il vous plaît ?

Jocelyn leva la main pour lui demander un peu de patience.

— Parfois, les gosses commettent de mauvaises actions en toute conscience. Ils mentent. Ils trichent aux examens. Parfois ils volent. Et parfois, ils harcèlent leurs camarades. Pourquoi, à votre avis ?

— Aucune idée, répondit Kate.

— Il y a plusieurs raisons. La première, c'est qu'ils ne mesurent pas les conséquences de leurs actes. Ils en voient juste les bénéfices.

— Et les autres raisons ?

— Elles sont plus complexes. Et elles sont liées entre elles. Vous n'avez pas une petite idée ?

Kate n'en avait aucune et elle se fichait bien de comprendre les motivations de la petite ordure qui avait frappé son fils. Lui et très probablement ses parents n'étaient que des rebus de la société, un point c'est tout.

— La colère et la négligence des parents, suggéra-t-elle.

— Vous n'en êtes pas loin, répondit Jocelyn. Personnellement, je préfère employer les mots de contrôle et d'attention. Les enfants savent qu'ils n'ont aucun contrôle sur ce monde. On ne cesse de leur dire quoi faire, quoi manger, quand aller au lit. C'est pour leur bien, certes, mais ils n'en ont pas conscience. Alors, parfois, pour exercer leur besoin de contrôle, ils s'en prennent à leurs congénères. Et parfois, ils se comportent ainsi parce que chez eux, ils ne reçoivent pas toute l'attention dont ils ont besoin. L'indiscipline et le harcèlement cachent fréquemment des messages adressés aux parents.

Kate ignorait si la directrice voulait l'avoir à l'usure. En tout cas, si telle était son intention, elle avait réussi son coup. Kate se laissa tomber sur son siège en disant :

– Je veux juste savoir ce qui se passe. Donnez-moi le nom du harceleur et je m'en irai.

Jocelyn croisa les doigts, s'enfonça dans son fauteuil et se mit à contempler Kate.

– Je vois où se situe le problème.

– Je vous demande pardon ?

– Le problème, répéta Jocelyn. Avec James.

– James va très bien. C'est l'autre, le problème. Le petit salopard qui lui vole ses déjeuners et lui donne des coups. C'est quand même hallucinant de voir que c'est moi que vous convoquez. Et pourquoi ? Pour me faire un cours sur le profil émotionnel des harceleurs.

– Chef Campbell, intervint la directrice sur un ton assez péremptoire pour lui couper le sifflet. Votre fils a envoyé l'un de ses camarades à l'hôpital. Par conséquent, d'après moi, c'est James le harceleur.

Trop abasourdi pour bouger, manger ou même boire, Éric passa le reste de l'après-midi à fixer du regard le carré de lumière solaire qui se déplaçait en s'étirant peu à peu, sur la table de la salle à manger. Parfois, le silence durait assez longtemps pour que la tache avance de trois ou quatre centimètres. Mais la plupart du temps, la voix de son père emplissait la pièce. Il parlait sans s'arrêter. Il lui raconta, en autres choses, comment Maggie et lui avaient décidé d'élever le petit garçon qu'ils avaient prénommé Charlie.

Sa mère avait passé toute sa vie dans cette maison. Quand elle était petite, sa meilleure amie, Jennifer Clark, vivait juste en face. Elles étaient inséparables et partageaient tout, vêtements, maquillage, petits secrets. Plus tard, les deux jeunes filles s'échappaient parfois pour aller se promener à Sunset Falls où elles buvaient de la bière à s'en faire tourner la tête.

Une nuit, un garçon de Mercerville les avait accompagnées. Il s'appelait Ken Olmstead.

– Ta mère était la plus jolie fille que j'aie jamais vue, dit Ken. J'ai eu le coup de foudre.

Quand Maggie entra en terminale, ils sortaient déjà ensemble. Dès qu'elle décrocha son bac, en 1958, ils se fiancèrent. Le mariage fut célébré le mois d'août suivant et, dans la foulée, ils parlèrent de s'installer en Floride. Ken y avait de la famille, des parents éloignés qui possédaient une petite maison dans l'archipel des Keys. Ils avaient prévu de la louer à partir de janvier 1959. Ils comptaient bien se bâtir une vie ensemble, juste pour tous les deux.

L'histoire ne se déroula pas tout à fait comme prévu. Jennifer Clark les accompagna en Floride.

Elle venait de rencontrer un jeune militaire nommé Craig Brewster. Ils se voyaient rarement car Craig ne pouvait s'échapper que le week-end. Ce qui ne les empêcha pas de se fiancer et de mettre un enfant en route. La veille de Noël, Jennifer confia son désarroi à son amie Maggie.

Jennifer était terrifiée. Comment ses parents allaient-ils réagir ? Les femmes dévergondées étaient très mal vues. La mère d'Éric trouva la solution – Jennifer accoucherait en Floride et ferait adopter l'enfant. De cette façon, personne à Perry Hollow n'apprendrait jamais la vérité.

Jennifer accepta et ils partirent ensemble pour la Floride. Craig les rejoignit en mars, une fois dégagé de ses obligations militaires. Il y avait peu de place dans cette petite maison sur la plage. Les emplois étaient rares et l'argent difficile à gagner. Pourtant, Ken évoquait cette période avec une sorte de nostalgie qu'Éric ne lui connaissait pas. Il se disait que son père n'avait jamais été aussi heureux qu'à cette période.

Le bonheur ne dura point.

Comme les semaines passaient et que le ventre de Jennifer s'arrondissait, la future mère se mit à changer d'idée au sujet de l'adoption. Par ailleurs, Craig ne semblait pas très pressé de faire d'elle une honnête femme. Dans la petite maison sur l'île, des disputes éclataient le soir et duraient parfois jusqu'à l'aube.

– On entendait tout, dit Ken. Allongés dans notre lit, ta mère et moi nous sommes jurés que jamais nous n'en arriverions là. Tu parles ! Ça a fini par nous tomber dessus, à nous aussi. En pire.

Avec le mois de juin débuta la saison des ouragans. L'île essuyait une tempête particulièrement violente le jour où l'enfant de Jennifer Clark décida qu'il était temps de sortir. Il n'y avait pas d'hôpital sur l'île, ni aucun moyen de transport vers le continent, à cause du mauvais temps. Jennifer Clark dut accoucher à domicile. Dans le rôle de la sage-femme, Maggie n'en menait pas large.

Bercé par le récit de son père, Éric ferma les yeux et laissa l'imagination de l'écrivain prendre le relais. Il vit des éclairs déchirer le ciel en illuminant la pièce où Jennifer était allongée, couverte de sueur. Sa mère avait mis de l'eau à bouillir parce qu'elle avait dû voir quelqu'un faire cela dans un film. Mais elle ignorait pourquoi. Les deux filles – dont l'une s'était retrouvée mariée et l'autre enceinte sans avoir eu le temps de devenir femmes – pleuraient à chaudes larmes quand, à chaque contraction, la pauvre Jennifer se mettait à gémir. Maggie lui essuyait le front. La force du vent était telle que la maison semblait glisser sur le sol.

Éric imagina ensuite son père et Craig Brewster faisant les cent pas dans la pièce d'à côté. Sans rien dire. Craig était peut-être sorti sous la pluie battante en se demandant dans quel pétrin il s'était fourré. Puis il était rentré pour se remettre à arpenter le salon, toujours aussi mutique. Et puis soudain, à travers les murs aussi fins que du papier à cigarette, à la peinture écaillée par l'humidité, leur parvinrent les pleurs d'un bébé, entre deux coups de tonnerre.

Après la naissance, les parents d'Éric laissèrent la maison aux jeunes parents pendant quelques heures, le temps qu'ils prennent une décision. Devaient-ils garder le bébé et l'élever ensemble ou le faire adopter et partir chacun de son côté. Quand le soleil se leva sur une île battue par la tempête, ils avaient chacun pris une décision différente. Jennifer voulait se marier et fonder une famille. Craig lui annonça qu'il avait rempilé et qu'il avait quelques heures pour regagner sa base.

– Craig est parti sans même avoir pris le bébé dans ses bras, dit Ken. Jenny était anéantie. Le matin qui a suivi le départ de Craig, elle était déjà debout. Ta mère a insisté pour qu'elle se repose, mais Jenny est sortie. Elle avait envie de tremper les pieds dans l'océan, disait-elle. C'est tout. Juste marcher au bord de l'eau et réfléchir.

Jennifer a serré Maggie très fort dans ses bras, lui a donné un baiser sur la joue et elle est partie. Les deux amies se voyaient pour la dernière fois.

Nul n'a jamais su ce qui s'était vraiment passé. Personne ne l'a vue se jeter à l'eau et disparaître sous les vagues. Était-ce un accident ? Un suicide ? Toujours est-il que la mer a rejeté son corps le lendemain. Le reste n'avait pas d'importance.

Entre la disparition de son amie et la découverte de son cadavre, Maggie s'occupa du bébé comme s'il était sorti de ses propres entrailles. Elle le baigna, le nourrit, le langea avec des morceaux de drap et les quelques notions de couture qu'il lui restait de ses cours de travaux manuels. Quand la police débarqua pour leur parler de Jennifer, ils demandèrent à Maggie à qui appartenait l'enfant.

– Ta mère leur a dit qu'il était à nous, fit Ken.

Maggie n'en avait pas discuté avec lui. Elle ne l'avait même pas prévenu. Sans se démonter, elle expliqua aux policiers que le nourrisson était né au plus fort de l'ouragan et qu'ensuite, la disparition de Jennifer les avait empêchés de se rendre à l'hôpital le plus proche. Elle jugea inutile de leur parler de Craig Brewster, qui devait être en chemin pour Fort Rucker, Alabama.

Les policiers avalèrent tout cela sans broncher. Ils les conduisirent même à l'hôpital où le bébé fut dûment examiné. Sur son certificat de naissance, on nota les noms de Ken et Maggie Olmstead. Quand il fallut lui donner un prénom, ils choisirent Charles, comme le grand-père de Ken.

– Nous n'avons abordé le sujet qu'une seule fois, reprit Ken. En rentrant de l'hôpital. Pour ta mère, nous n'avions pas le choix. Elle disait que Jennifer aurait préféré que nous élevions son enfant, au lieu de le confier à des étrangers. Je n'étais pas sûr que ce soit une bonne idée. J'avais peur que quelqu'un s'en aperçoive.

La première épreuve de vérité eut lieu peu après, lorsque Stan et Ruth Clark débarquèrent en Floride pour incinérer leur fille et répandre ses cendres dans la mer. Maggie leur raconta l'histoire qu'elle avait servie à la police. Quand ils virent le nouveau-né dans ses bras, ils dirent qu'il lui ressemblait.

Quelques semaines plus tard, ils décidèrent de rentrer à Perry Hollow. Deuxième épreuve. Les parents de Maggie furent sidérés d'apprendre qu'ils avaient un petit-fils.

– Pour justifier notre silence, nous leur avons dit que l'enfant était né malade et que nous redoutions qu'il ne survive pas, dit Ken. J'ignore s'ils nous ont crus. En tout cas, ils n'ont jamais posé de questions.

Peu après, les parents de Maggie ont déménagé et leur ont laissé la maison. Charlie a grandi en face de chez ses véritables grands-parents. Maggie a fini par tomber enceinte pour de bon. Puis, Éric est né.

– La suite, dit Ken, tu la connais.

Ayant achevé son récit, il se leva et s'étira. Ses articulations craquèrent dans le silence de la salle à manger. Puis il rejoignit la porte d'entrée où ses bottes l'attendaient depuis la veille au soir. Le bruit qu'il fit en les enfilant poussa Éric à réagir.

– Mais non, je ne connais pas la suite, dit-il en se dressant face à Ken. Et ton histoire est pleine de trous.

– Je n'ai plus ma mémoire de vingt ans, je te l'ai dit.

Ken monta l'escalier. Éric le suivait comme son ombre. Ils entrèrent dans la chambre de Maggie.

– Qu'est devenu Craig Brewster ? Tu as eu de ses nouvelles depuis ?

– Juste une fois, répondit Ken. Le lendemain du jour où Jennifer a été retrouvée morte, je l'ai appelé à sa base pour lui apprendre la triste nouvelle. Quand il a demandé après le bébé, je lui ai avoué la vérité. Il a dit qu'on avait bien fait.

Il ramassa la veste en jean qu'il avait négligemment jetée par terre, la nuit dernière, et chercha ses clés au fond de ses poches. À présent qu'il s'était déchargé de tous ces secrets de famille, il reprenait la route, bien qu'il n'ait nulle part où aller et que son fils ait encore une foule de questions à lui poser.

– Pourquoi tu n'as pas dit à la police que tu n'étais pas le vrai père de Charlie ? Si tu l'avais fait, ils auraient soupçonné Craig à coup sûr.

– Craig ne voulait pas entendre parler de Charlie. Voilà pourquoi. Il a juré qu'il ne nous chercherait jamais d'ennuis.

Ken s'engagea dans le couloir, Éric sur les talons.

– Il a peut-être juré mais ça ne veut pas dire qu'il n'est pas revenu ensuite pour le prendre. Je ne comprends pas que tu t'obstines à le croire innocent.

– Charlie est mort, martela Ken. Il a marché jusqu'à la rivière, il est tombé dedans et les chutes l'ont emporté. Point final.

– Il a marché ? Je croyais qu'il était parti à vélo.

Ken tenta de se rattraper.

– Ça revient au même.

Le cerveau d'Éric se mit à fonctionner à plein régime. Les informations concernant la disparition de Charlie et le rôle joué par son père affluèrent toutes en même temps. Il y avait trop de détails troublants dans cette affaire. Comme le fait que Ken n'ait jamais dit à la police qu'il n'était pas le père biologique de Charlie ; comme le fait qu'il ait demandé au chef Campbell de cesser l'enquête. Et maintenant, ce lapsus. Éric n'osait pas encore tirer de conclusions. Il se sentait trop mal.

Ils s'étaient arrêtés devant la chambre poussiéreuse de Charlie. La porte était encore ouverte, la clé sur la serrure.

Éric fit un pas, obligeant son père à reculer d'autant. Au pas suivant, Ken se retrouva sur le seuil. Un troisième pas le fit entrer à reculons dans la chambre.

– Qu'est-ce que tu fais ? s'étonna Ken.

Éric saisit la poignée et lui claqua la porte au nez. Déjà, sa main tremblante cherchait la clé. Il sentit la poignée s'agiter au creux de son autre main. Son père essayait de sortir. Éric tint bon et donna un tour de clé.

Ken était enfermé.

– Pour l'amour du ciel, Éric, laisse-moi sortir !

De l'autre côté, Ken continuait à secouer la poignée. La porte vibrait. Éric s'appuya dessus en écoutant les grognements colériques de son père.

– Tu ne sortiras pas avant de m'avoir dit ce que tu as fait de Charlie.

Nick regardait la télé dans la salle d'attente des urgences. Sur l'écran, une surface gris clair tachetée de gris foncé se détachait sur un fond de ciel aussi sombre que la mort. À entendre sa voix, le commentateur paraissait aussi abasourdi que Nick lui-même.

« Nous sommes en direct de la lune, disait-il. Les trois astronautes chinois qui ont décollé dans la matinée de mercredi se sont posés voilà quelques minutes sur la mer de la Tranquillité.

Ils devraient quitter leur module lunaire dans une heure environ. Ce sera la première fois depuis bientôt trente-neuf ans que l'homme marchera sur la lune. »

Quelque part dans les profondeurs de l'hôpital, une équipe médicale tentait de sauver Craig Brewster. Dehors, une partie des flics ayant participé à l'expédition du camp du Croissant arpentait le parking en fumant, riant, parlant pour ne rien dire. Le reste de la troupe était resté sur place pour collecter d'éventuels indices sur le sort des autres disparus.

À part Nick, il n'y avait qu'une seule personne dans cette salle. Une infirmière au visage avenant, assise derrière le comptoir de réception, lisait un livre de poche corné. Le nom de l'auteur figurait en gros caractères sur la couverture – Éric Olmstead. Quand il le vit, Nick eut un petit rire amusé. L'infirmière leva les yeux et lui sourit. Elle le trouvait mignon, apparemment. Nick mit ce soudain intérêt sur le compte de sa canne. Les femmes aimaient les hommes fragiles.

Nick sortit son portable et composa le numéro de Kate. Il tomba tout de suite sur son répondeur. Il avait déjà tenté de la joindre sur le chemin de l'hôpital et après être arrivé. À chaque fois, il avait laissé un message. Ce silence persistant l'inquiétait.

L'infirmière intervint.

– Les téléphones portables sont interdits, ici.

Nick le rempocha.

– Désolé.

Il allait se retourner vers le reportage en direct de la lune quand Tony Vasquez émergea du saint des saints. En tant que membre de la police d'État, il avait le droit d'y accéder. Pas Nick.

– Craig est encore dans un état critique, lui apprit Tony. Il n'a aucune réaction. On ne va pas pouvoir l'interroger avant vingt-quatre heures, au bas mot.

– Quand tu le feras, demande-lui pourquoi il m'a choisi pour s'entraîner au tir, dit Nick.

– Je préférerais savoir ce qu'il a fait des cadavres des gamins.

Nick acquiesça d'un hochement de tête.

– Tu as raison. C'est mieux comme question.

Les portes automatiques s'ouvrirent sur l'extérieur. L'homme qui entra dans la salle d'attente portait l'uniforme gris taché d'huile des mécanos. Il devait avoir dans les cinquante ans. Le visage tendu par l'inquiétude, il fonça droit sur le comptoir des admissions.

– Je viens voir mon père. On m'a dit qu'il avait eu une crise cardiaque.

Nick et Tony se levèrent comme un seul homme. L'infirmière demanda :

– Le nom du patient ?

– Craig Brewster.

Ils s'approchèrent du mécano par derrière et l'entendirent prononcer son nom – « Kevin Brewster ». Nick lui tapota l'épaule.

L'homme pivota sur lui-même, l'air ébahi. Il avait un visage pâle, un petit nez, des oreilles décollées, des yeux tristes, un sourire en demi-teinte. Nick connaissait ce visage bien qu'il ne l'eût jamais vu qu'en photo, dans un journal, et en noir et blanc.

L'homme avait dit s'appeler Kevin Brewster mais Nick n'était pas dupe. Il se tenait en face de Charlie Olmstead.

31

T ONY POSAIT LES QUESTIONS. Le dénommé Kevin Brewster répondait. Quant à Nick, il était chargé d'écouter.

– Comment vous appelez-vous ?

– Kevin Brewster.

– Est-ce votre nom de naissance ?

– Je veux savoir ce qui est arrivé à mon père.

Ils s'étaient réfugiés dans un cabinet médical jouxtant la salle d'attente. Kevin était assis sur la table d'examen, mains posées sur les cuisses, jambes ballantes. Tony arpentait la pièce. Dans un coin, Nick prenait des notes sur le bloc d'ordonnances que l'infirmière s'était fait une joie de lui offrir.

– Il a fait une crise cardiaque massive, dit Tony. Il est en réanimation, en ce moment.

– Est-ce qu'il survivra ?

– On n'en sait rien.

– Je peux le voir ?

– Pas pour l'instant.

– Mais bientôt ?

– D'abord, veuillez répondre à mes questions, fit Tony. Kevin Brewster est-il le nom que vous avez reçu à la naissance ?

– Non. (Une légère hésitation.) Je m'appelais Charlie, autrefois.

– Charlie Olmstead ?

– Exact.

– Quand Charlie est-il devenu Kevin ?

– La nuit où j'ai rencontré mon vrai père.

Nick s'arrêta d'écrire. Le stylo glissa sur la page en laissant une trace d'encre informe.

– Maggie et Ken Olmstead n'étaient pas vos parents ? balbutia-t-il.

Kevin fit signe que non.

– C'est Craig Brewster mon père. Il m'a dit que les Olmstead m'avaient volé quand j'étais bébé.

– Qui est votre mère ? intervint Tony dont le regard cinglant intima le silence à son ancien collègue.

– Je ne sais pas.

– Monsieur Brewster ne vous l'a jamais dit.

– Il a dit qu'elle était morte. C'est tout.

– Ça s'est passé quand ? Après qu'il vous a enlevé ?

– Il ne m'a pas enlevé. Je l'ai suivi de mon plein gré.

– De votre plein gré ?

– Oui.

Kevin lui expliqua – pendant que Nick grattait comme un malade – que le 20 juillet 1969, il était allé se promener à Sunset Falls et qu'en rentrant chez lui, un homme l'avait arrêté dans la rue.

– Il s'est présenté. Puis il a dit qu'il était mon vrai père.

– Et vous l'avez cru ?

– Pas tout de suite. Mais il m'a montré une photo. Il était sur une plage, avec une femme inconnue et le couple Olmstead. Il m'a dit que la femme était ma mère et qu'elle était morte peu après m'avoir donné la vie. Puis il a ajouté que Monsieur et Madame Olmstead m'avaient volé. C'est là que j'ai commencé à le croire.

– Pourquoi ?

– Parce que je ne leur ressemblais pas. Par contre, je ressemblais à la femme sur la photo. Ma vraie mère, comme il disait.

– Alors, vous êtes parti avec lui ? Comme ça !

– Non.

– Dans ce cas, il vous a emmené de force.

– Je n'ai pas dit cela non plus, rétorqua Kevin. Il m'a demandé si je le croyais. J'ai répondu peut-être. Il m'a proposé de passer un peu de temps avec lui, pour voir. J'ai dit pourquoi pas.

Tony semblait se satisfaire des réponses fournies par l'ancien Charlie Olmstead. Nick, lui, bouillait d'impatience.

– Dites-nous pourquoi vous êtes parti avec lui.

– D'après lui, les Olmstead ne voulaient plus de moi.

– Et vous l'avez cru ?

Kevin se tourna vers Nick.

– Je sais que c'est dur à avaler. Mais mettez-vous une seconde à ma place – un gamin de dix ans, des parents qui se déchirent. Ken et Maggie Olmstead n'arrêtaient pas de se disputer. Il y avait un bébé. J'ai oublié son nom, je suis désolé.

– Éric, dit Nick.

– C'est ça, oui, reprit Kevin avec un sourire attendri. Éric. Je savais que Ken et Maggie étaient sur le point de divorcer. Le bébé était coincé au milieu de tout ça. Je me faisais du souci pour lui.

– Et pour vous ? demanda Tony.

– Pour eux, je ne comptais pas. Je passais tout mon temps dehors, à jouer seul ou à embêter les voisins. Les Olmstead s'en fichaient. Alors quand mon père – mon vrai père – a dit qu'ils ne voulaient plus de moi, j'ai tout de suite compris que c'était vrai.

– Et vous êtes parti avec lui, cette nuit-là ?

– Oui, mais avant il m'a assuré que les Olmstead étaient au courant.

– Avez-vous réalisé qu'il mentait ?

– Non. Il mentait, d'après vous ? Je n'en savais rien.

– Où vous a-t-il emmené ?

– Dans une propriété qu'il avait dans les bois. Près d'un lac. C'était magnifique. Il m'a montré la cabane qu'il avait construite. On a dormi par terre, dans des sacs de couchage. Il m'a demandé ce que j'aimais, ce que je n'aimais pas. Ce que je rêvais de devenir plus tard. Comment je me débrouillais à l'école. On a parlé toute la nuit. Au matin, il m'a proposé de rester encore un jour.

– Vous vous êtes inquiété de savoir si les Olmstead étaient d'accord ?

– Oui. Il m'a dit que j'avais la permission de rester toute la semaine si je voulais. J'ai accepté.

– Que faisiez-vous là-bas ?

– On pêchait beaucoup. On faisait rôtir des marshmallows. Il me racontait des histoires de fantômes. Et on travaillait. Il était en train de construire un camp, sur ce terrain, et il voulait que je l'aide. On a défriché. On a construit d'autres cabanes. C'était dur, mais j'aimais ça. J'adorais vivre avec mon vrai père. Quand la semaine a été terminée, il a dit que les Olmstead m'accordaient une semaine de plus. Et ensuite une autre. C'est comme ça que je suis resté tout l'été.

— Ils ne vous manquaient pas ? rebondit Nick.

Il savait que ses interventions agaçaient Tony mais il ne pouvait pas s'en empêcher.

— C'est eux qui vous ont élevé, après tout.

— Dans un premier temps oui, ils m'ont manqué. Au fond de moi, je me disais toujours qu'ils viendraient me chercher. Comme ils ne venaient pas, j'ai fini par me mettre en colère. C'était la preuve que mon père avait raison. Les Olmstead ne voulaient plus de moi. Alors je suis resté.

— Mais l'école ? demanda Tony. Vous n'avez pas songé à reprendre l'école à la rentrée ?

— Non, répondit Kevin. Parce qu'à ce moment-là, mon père m'a appris que les Olmstead avaient déménagé.

— A-t-il dit où ?

— Non. Juste qu'ils étaient partis. Et que j'allais vivre avec lui, désormais. Il m'a donné un nouveau nom. Pour marquer un nouveau départ, il a dit. C'était bizarre au début, mais j'ai fini par m'y habituer. Surtout, quand il m'a inscrit dans une nouvelle école où tout le monde m'appelait Kevin. Au bout de quelques mois, j'avais presque oublié que j'avais été Charlie pendant neuf ans.

— Donc vous avez passé le reste de votre vie sous le nom de Kevin Brewster, fils de Craig Brewster.

— En effet.

— Il était gentil avec vous ?

— Oui.

— Il ne vous a jamais frappé. Agressé sexuellement. Rien dans ce genre ?

— Non. Jamais. C'est quelqu'un de bien.

— Vous l'avez déjà vu avec d'autres garçons.

— Que voulez-vous dire ?

— À certains moments, a-t-il invité d'autres garçons à loger avec vous ? Des gosses qu'il vous aurait présentés comme de lointains cousins ou des enfants d'amis ?

– Non. Nous vivions tous les deux, c'est tout.

Nick avait une autre question. Au lieu de la poser lui-même, il l'inscrivit sur le bloc d'ordonnances, déchira la page et la tendit à Tony pour qu'il la lise. Ce qu'il fit non sans un léger ennui.

– Avez-vous jamais tenté de retrouver les Olmstead ?

– Non.

– Pourquoi ?

– Je n'avais aucune raison de le faire. Un jour, je ne sais plus si c'étaient des semaines, des mois ou des années après, mon père m'a annoncé qu'ils étaient morts.

– Tous ?

– Oui. Ken et Maggie. Même le bébé. Je n'ai pas demandé de détails et il ne m'en a pas donné. Il a dit que c'était une tragédie, qu'ils étaient tous morts et que désormais j'étais son fils devant la loi.

– Qu'avez-vous ressenti ?

– J'étais triste bien sûr, fit Kevin se tournant de nouveau vers Nick. Comme vous disiez, ces gens m'avaient élevé. Et ils avaient été gentils avec moi. J'ai pleuré quand j'ai appris la nouvelle. Je voulais aller à leur enterrement, mais mon père a dit qu'ils étaient déjà enterrés. Il m'a emmené au lac, j'ai peint leurs noms sur trois cailloux et je les ai jetés dans l'eau. C'était ma façon de leur dire adieu.

Depuis quelques secondes, Nick se mordait la langue. Il avait décidé de ne pas intervenir. Mais à force d'entendre Kevin parler de son ancienne famille, il sentait sa résolution fondre comme neige au soleil.

– Ils ne sont pas morts, lança-t-il. Enfin Maggie si, mais récemment. Les autres, Ken et Éric, sont encore de ce monde.

Kevin Brewster resta sans voix. Ses joues déjà pâles devinrent cireuses. Sa bouche s'ouvrit d'elle-même.

– Je ne vous crois pas.

– J'ai rencontré Éric, répliqua Nick. Il est à votre recherche. Votre mère a passé toute sa vie à essayer de comprendre ce qui vous était arrivé.

– Maggie Olmstead n'est pas ma mère.

– Elle l'était, dit Nick. Autrefois. Votre père biologique vous a menti.

– Prouvez-le.

Kevin sauta de la table d'examen. Tony le coinça et l'obligea à réintégrer sur son perchoir.

– Mon père ne m'aurait jamais fait un truc pareil.

Nick quitta la pièce. De retour dans la salle d'attente, il se précipita vers le comptoir. L'infirmière était au téléphone, le livre de poche posé devant elle. Nick lè ramassa et articula silencieusement :

– Puis-je l'emprunter ?

Quand l'infirmière sourit en hochant la tête, il emporta le roman pour le montrer à Kevin Brewster.

– Qui est l'auteur de ce bouquin ?

Kevin regarda la couverture.

– Éric Olmstead.

– Éric Olmstead, votre frère. Il l'a toujours été et il le sera toujours.

Nick retourna le livre. Sur la quatrième de couverture, il découvrit la photo d'Éric. Ses yeux semblaient chercher les siens.

– Il est vivant, Charlie, insista Nick.

– Je m'appelle Kevin, fit l'ancien Charlie.

– Oui, Kevin. Mais autrefois, vous étiez Charlie Olmstead. Vous faisiez partie d'une famille qui vous aimait. Quand vous êtes parti, vous leur avez manqué. Vous leur manquez encore. Ils souhaiteraient vous revoir et savoir comment vous avez vécu pendant tout ce temps.

Kevin Brewster se mit à pleurer. Nick ignorait pourquoi un tel épanchement, tout à coup. Peut-être avait-il fait vibrer sa corde sensible. Peut-être était-ce le visage de ce frère qu'il n'avait presque pas connu. La raison importait peu. L'essentiel étant qu'il comprenne à quel point il s'était fourvoyé pendant toutes ces années. C'était cette découverte soudaine qui lui arrachait ces sanglots déchirants.

– Où est-il aujourd'hui ? demanda-t-il entre deux hoquets.

– À Perry Hollow, répondit Nick. À une demi-heure d'ici.

Kevin Brewster, qui ressemblait davantage à Charlie Olmstead à chaque seconde qui passait, s'essuya les yeux.

– Emmenez-moi, dit-il. Je veux le voir.

32

U NE HEURE.
Kate n'arrivait pas à s'enlever ce chiffre de la tête.
Soixante minutes à discuter des problèmes de James. Enfin,
c'était plutôt un monologue, car Jocelyn Miller lui avait à peine
laissé placer un mot. Elle était sortie cassée de cet entretien, hésitant entre la colère et la honte. Mais le plus terrible, c'était ce
sentiment d'avoir été trompée. Son fils l'avait menée en bateau.
Elle n'était pas près de l'oublier.

Selon la directrice, la supercherie avait commencé le mercredi, quand James avait fait sa rentrée en CM2, muni de la
fameuse boîte *Cars*. Un écolier de sa classe – un gamin intelligent mais de petite taille nommé Randy Speevey – s'était moqué
de lui. James qui mesurait bien douze centimètres de plus que
Randy, lui avait arraché son déjeuner, l'avait ouvert et, constatant qu'il était meilleur que le sien, s'était débarrassé de sa propre
boîte et restauré aux frais du pauvre Randy.

Les deux jours suivants, il avait recommencé. Le matin où
Kate et Lou l'avaient vu jeter son déjeuner à la poubelle devant
l'école, elles avaient cru qu'il agissait ainsi pour éviter de se le
faire voler. En réalité, James s'en débarrassait pour pouvoir
déguster plus tranquillement celui de Randy. La directrice avait
ajouté que James aurait probablement continué à rançonner
Randy Speevey si ce dernier ne s'était pas révolté. Se voyant
privé de son bon repas, James s'était jeté sur lui. Résultat, le gosse
avait écopé d'un œil au beurre noir, d'une côte cassée et Kate

se retrouvait dans l'obligation de rembourser des frais médicaux pour un montant faramineux.

— Tu es privé de sortie pendant une semaine, dit-elle à James. Et ça commence à partir de maintenant.

Ils étaient dans sa Crown Vic, à faire du surplace dans les embouteillages du début de soirée. À la sortie des classes, Kate était encore coincée dans le bureau de la directrice. Et maintenant, c'était l'heure de pointe. On aurait dit que tous les véhicules de la ville s'étaient donné rendez-vous sur Main Street.

— Pas d'ordinateur, poursuivit Kate. Pas de télé. Pas de jeux vidéo. Pas d'Ipod.

— Et l'école ?

Pas d'école non plus. Au moins pour une semaine, durée du renvoi temporaire que Jocelyn Miller lui avait signifié.

— Je n'arrive pas à croire que tu aies blessé ce garçon, dit Kate. Ce n'est pas comme ça que je t'ai élevé.

James croisa les bras d'un air de défi.

— Je t'avais dit qu'on se moquait de moi.

— Ça ne justifie pas le fait que tu lui voles son déjeuner et que tu le frappes, par-dessus le marché. Tu aurais dû me dire que les repas que je te préparais ne te plaisaient pas. J'aurais fait de mon mieux.

Tel était le message qu'elle souhaitait lui transmettre : elle essayait de l'élever du mieux possible malgré des conditions de vie stressantes. C'était dur d'être la mère célibataire d'un garçon ayant des besoins particuliers, surtout quand il fallait, en même temps, veiller à la sécurité de toute une ville. Dans un sens, Perry Hollow était comme son deuxième enfant. Un enfant parfois plus indiscipliné, plus exigeant que James.

— Il faut juste que tu me parles davantage, petit ours. Je t'écouterai.

James fronça les sourcils.

— Non, c'est pas vrai.

— Qu'est-ce que tu entends par là ?

Le portable de Kate, agrafé à sa ceinture de service, se mit à vibrer. Comme elle l'avait mis en mode silencieux pour rencontrer Jocelyn Miller, il avait passé une heure à bourdonner. Quand elle vérifia le journal d'appels, elle s'aperçut que Nick avait tenté de la joindre huit fois. Neuf maintenant. Il avait sans doute des nouvelles de Craig Brewster. De grandes nouvelles, supposa Kate. Mais elle ne pouvait pas lui répondre, pas avec James qui la scrutait avec cet air de chien battu.

C'était là une belle illustration du problème. Tous ces coups de téléphone. Ces longues heures à attendre sa mère. Ses fréquents séjours chez Lou, chez Carl ou tout autre adulte responsable, censé le garder pendant les absences de Kate. Voilà dix mois, après que James et elle eurent affronté le tueur en série connu sous le nom d'Ange de la mort, Kate avait juré que plus rien ne serait comme avant. Mais au bout de quelques semaines, le naturel était revenu au galop.

– C'est à cause de ça, hein ? s'écria Kate en brandissant le portable. Pas à cause des boîtes-repas ou des problèmes à l'école. C'est parce que tu crois que je préfère mon boulot à toi.

Jocelyn Miller lui avait dit que les enfants harceleurs cherchaient inconsciemment à attirer l'attention de leurs parents. James était comme eux, maintenant. Il faisait tout pour que Kate le remarque.

– Mon attention. C'est ça que tu veux ? insista Kate.

James hocha la tête.

Kate baissa la vitre et balança le téléphone sur la chaussée. On l'entendit heurter le bitume avant de passer sous les roues du camion UPS qui venait en sens inverse. Kate était trop furieuse pour s'en soucier.

– Voilà, ça y est, dit-elle. Tu as toute mon attention.

Une bonne minute de silence tendu suivit sa déclaration. Puis la radio de la police se mit à grésiller.

– Chef ? Kate, tu es là ? appela la voix de Lou.

Kate pouvait aisément se débarrasser de son téléphone portable, mais la radio de la police, c'était une autre affaire. Elle avait le devoir d'y répondre, n'en déplaise à James.

– Je suis là, Lou. Qu'est-ce qu'il y a ?

– Deux choses, dit Lou. La première, c'est que les astronautes chinois sont en train de marcher sur la lune. Ça passe sur Internet. À la télé aussi. Je me disais que tu aurais envie de le savoir, juste au cas où.

Kate plongea son regard dans le rétro extérieur. On voyait

encore les débris de son portable éparpillés sur le macadam. Les Chinois avaient posé le pied sur la lune et elle ignorait si Nick et Tony avaient trouvé Craig Brewster.

– Et la deuxième chose ? demanda-t-elle.

– Je viens de recevoir un appel de Glenn Stewart.

– Vraiment ? Qu'est-ce qu'il voulait ?

– Il appelait pour signaler un problème domestique dans la maison à côté de chez lui.

Kate tressaillit.

– La maison d'Éric.

– En effet, dit Lou. Et tu ferais bien d'y aller. Monsieur Stewart a dit qu'il entendait des cris.

D'un coup de volant, Kate s'extirpa des embouteillages sur Main Street. En arrivant dans l'impasse, elle vit que le camion de Ken Olmstead était encore garé le long du trottoir. Elle rangea sa Crown Vic juste derrière.

– Je reviens tout de suite, dit-elle à James avant de se précipiter hors de la voiture. Verrouille les portières derrière moi. Et si tu bouges un cil, tu seras puni une semaine de plus.

Le silence le plus complet régnait à l'intérieur de la maison. Plus de cris, à supposer qu'il y en ait eu. Kate n'entendait même pas marcher. Le seul bruit identifiable venait du téléphone portable d'Éric qui carillonnait quelque part dans le salon. Kate passa la tête par la porte. Personne. Elle regarda dans la cuisine, la salle à manger, puis s'engagea dans l'escalier.

Au premier, elle tomba sur Éric assis par terre dans le couloir, devant la chambre de Charlie, le dos contre la porte.

– Éric ? Qu'est-ce que tu fais là ? Où est ton père ?

Du pouce, il désigna la porte derrière lui.

– Là-dedans.

– Tu l'as enfermé ?

– Il a bien fallu, répondit Éric. Il allait partir.

– Tu aurais dû le laisser faire.

– Mais il cache quelque chose. À propos de Charlie.

– Tout va bien, maintenant, le rassura Kate. Ils ont découvert le coupable. Nick est allé l'arrêter avec la police d'État. Avec un peu de chance, c'est déjà réglé. Reste à savoir ce qu'il a fait des autres garçons.

– Donc c'est fini ? fit Éric d'une voix incrédule. Vraiment fini ?

– Il faut que j'appelle Nick pour qu'il me le confirme, dit Kate. Mais c'est tout comme. Bon, à présent, on va ouvrir la porte et laisser sortir ton père.

Éric ouvrit la main droite. Kate se pencha et prit la clé.

– Cette personne qu'ils ont arrêtée, qui est-ce ? demanda Éric.

Kate glissa la clé dans la serrure.

– Il dirigeait le camp de jeunesse où Dwight Halsey a disparu. Il avait été fiancé avec Jennifer Clark, la fille de Stan et Ruth.

– Craig Brewster ?

– Oui, fit Kate en tournant la clé. Comment le sais-tu… ?

La porte s'ouvrit brutalement. Kate n'eut pas le temps de lâcher la poignée. Elle fut projetée à l'intérieur, perdit l'équilibre et tomba à plat ventre dans la poussière. Caché derrière la porte, Ken Olmstead surgit, l'enjamba d'un bond et se rua dans le couloir, tête baissée, percutant son fils dans son élan. Le choc à l'estomac lui coupa le souffle.

Les deux hommes s'écrasèrent sur le mur d'en face. Le crâne d'Éric accusa le choc. Ses bras retombèrent. Sa tête rebondit. Il s'affaissa. Ken le rattrapa par le col de sa chemise et le jeta dans la chambre.

Kate, qui s'était relevée, le reçut dans les bras. Elle vacilla sous son poids. Alors qu'elle essayait péniblement de le redresser, elle vit la porte claquer. Quand elle réussit à saisir la poignée, il était déjà trop tard.

De l'autre côté, Ken Olmstead avait tourné la clé. La situation venait de s'inverser. C'était elle et Éric qui se retrouvaient enfermés.

– Je suis désolé, dit Ken à travers la porte. Je ne voulais pas en arriver là. Mais tu ne comprendras jamais les choses que j'ai dû faire.

Kate cognait sur la porte avec ses poings.

– Monsieur Olmstead, on pourrait se calmer et discuter tranquillement de tout cela. Ce n'est peut-être pas si grave que vous le croyez.

– Je suis désolé, répéta-t-il. Dites à Éric que j'ai fait ça pour son bien.

En collant son oreille à la porte, Kate l'entendit s'éloigner rapidement dans le couloir. Les bruits de pas s'atténuèrent encore quand il atteignit les escaliers. Quelques secondes plus tard, la porte d'entrée joua sur ses gonds.

Éric s'escrimait à ouvrir la fenêtre de la chambre.

– Il s'en va.

Kate le rejoignit et poussa avec lui sur l'encadrement. Il était bloqué, ce qui n'avait rien de surprenant puisque la fenêtre était restée fermée pendant plus de quarante ans.

Dehors retentit un grondement sourd. Le moteur du camion de Ken Olmstead revenait à la vie. Kate le vit s'écarter du trottoir et rouler jusqu'au fond de l'impasse. Puis il fit un demi-tour, accéléra et partit dans l'autre sens. Quand Ken passa devant sa voiture de patrouille, Kate vit James suivre le camion d'un regard surpris.

– James ! hurla Kate en cognant contre la vitre pour attirer l'attention de son fils. Par ici !

Mais James ne regardait pas dans sa direction. Il semblait fasciné par le monstre qui s'éloignait en crachant une fumée noire. Réduits à l'impuissance, Kate et Éric virent le semi-remorque braquer à droite et disparaître du paysage.

Ken Olmstead – et les secrets qu'il gardait enfouis – n'était plus là.

– Que t'a-t-il dit ? demanda Kate en s'éloignant de la fenêtre pour aller secouer en vain la poignée de la porte.

– Que Charlie n'était pas mon vrai frère ?

Kate le savait déjà. C'était surprenant, certes, mais cela ne justifiait pas l'agression qu'Éric venait de subir et les voies de fait sur la personne d'un officier de police.

– Quoi d'autre ?

– Il sait que Craig Brewster a enlevé Charlie, cette nuit-là. J'en suis quasiment sûr.

Bon, pensa Kate, voilà qui expliquerait sa fuite. Elle devait à tout prix arrêter ce camion. Mais pour ce faire, il fallait d'abord sortir de cette foutue chambre.

Elle recula, compta jusqu'à trois et se jeta sur le battant, l'épaule droite en avant. Elle avait déjà tenté de défoncer une cloison en bois, huit mois plus tôt. Il lui en restait une douleur persistante. Mais cela valait le coup. Peu importait la douleur. Le choc fut si violent que le chambranle se fendilla. Un coup de pied termina le travail.

Éric siffla entre ses dents.

– Là, tu m'en bouches un coin !

– Attends un peu de voir ce que je vais faire à ton père.

L'énorme camion surgit de nulle part. Il amorça un virage audacieux, mordit sur la voie d'en face et faillit percuter la voiture de Nick qui arrivait. Nick monta sur les freins, dérapa et s'arrêta pile. Au même instant, le chauffeur du poids lourd redressa son train avant. Quand la remorque passa devant son nez, Nick prit le temps de l'observer, au cas où il la reverrait débouler dans les rues de Perry Hollow. Flammes orangées sur fond noir. Le bruit du moteur l'intrigua. Il grondait fort bizarrement et quand le chauffeur passait les vitesses, il se mettait à vibrer de manière éloquente.

– Il doit être pressé.

Cette constatation venait du passager de Nick. Charlie Olmstead ou Kevin Brewster, c'était selon. Comme Nick n'arrivait pas à l'appeler Kevin, il lui donnait du Charlie. L'autre n'avait pas l'air de s'en soucier. D'ailleurs, il ne parlait guère. Son commentaire au sujet du camion était le premier son à sortir de sa bouche depuis un quart d'heure.

Nick tourna à gauche pour s'engager sur la rue d'où avait surgi le semi-remorque.

– C'est là que vous viviez. Ces lieux vous semblent-ils familiers ?

Charlie regarda par la vitre.

– Difficile à dire. Quand on roulait dans la ville, j'ai eu une impression de déjà vu. J'ai reconnu certaines choses, mais je n'arrivais pas à les situer.

Il était peut-être tendu, mais cela ne se voyait pas. Il contemplait les alentours, les yeux écarquillés. C'était pour lui une expérience terriblement déconcertante.

Puis Charlie aperçut la maison Olmstead.

– Mon Dieu, elle n'a pas changé du tout.

En s'arrêtant dans l'allée, Nick vit avec un certain soulagement la voiture de patrouille de Kate garée le long du trottoir. Elle allait pouvoir assister aux retrouvailles. Kate et Éric ignoraient encore que Charlie était en vie, à moins que Tony n'ait réussi à les joindre depuis l'hôpital. Nick imaginait leur stupéfaction.

– Vous êtes prêt ? demanda-t-il à Charlie.

– Je crois que oui.

Ils descendirent de voiture. Pendant que Charlie marchait vers la porte d'entrée, Nick s'arrêta devant la Crown Vic de Kate. James était assis dedans, bras croisés. Nick tapota sur la vitre du bout de sa canne.

– Hé, fiston. Qu'est-ce que tu fais là ?

– J'attends maman. Crispé sur son Ipod, James manipulait le jukebox digital comme si c'était la dernière fois qu'il jouait avec.

– Elle risque d'en avoir pour un petit bout de temps. Tu veux entrer ?

James ne leva pas les yeux.

– Elle m'a dit de rester dans la voiture.

– Comme tu voudras.

Nick se retourna vers Charlie qui tournait sur lui-même au milieu de la pelouse, pour mieux embrasser la totalité du paysage.

– Rien n'a bougé dans cette rue. Les Santangelo vivaient là. Les Clark juste à côté. Et voilà la maison de ce dingue de Glenn Stewart.

En levant les yeux vers la demeure du voisin ainsi désigné, Nick vit des rideaux frémir au premier étage, comme agités par une légère brise. Sauf qu'il n'y avait pas de brise, ni forte ni légère. Nick devina la présence de Glenn, derrière la vitre. Il recommençait à les espionner. Nick se demanda s'il reconnaissait Charlie, après toutes ces années, et dans l'affirmative, comment il réagissait.

Mais la seule réaction qui l'intéressait pour l'instant était celle d'Éric Olmstead. Comme ils gravissaient les marches de la véranda, Nick ressentit un pincement d'envie. Éric était sur le point de retrouver le frère qu'il croyait mort depuis des décennies. Une scène que Nick avait souvent vécue en imagination depuis que sa sœur avait disparu. Que ferait-il s'il apprenait qu'elle était encore de ce monde ? De quoi Sarah aurait-elle l'air, aujourd'hui ? Éric avait la chance incroyable de vivre dans sa chair une expérience tout droit sortie des fantasmes de Nick.

Quand ils entrèrent, Kate était en train de dévaler l'escalier. Derrière elle, Éric essayait de suivre. Nick s'écarta du chemin. Charlie s'encadra sur le seuil.

– Surprise ! lança Nick.

Kate et Nick assistèrent aux retrouvailles en se tenant discrètement en retrait. Ils voulaient leur permettre de vivre cet instant en toute intimité. Peu importait que ces deux hommes ne soient pas liés par le sang. Peu importait que Ken Olmstead soit probablement à l'origine de leur séparation. Ils étaient de nouveau face à face, après quarante-deux ans, et rien d'autre ne comptait.

D'abord, Éric ne sut comment se comporter. Il fit un pas maladroit vers son frère, la bouche ouverte de stupéfaction. Puis il tendit la main. Charlie la prit et attira Éric pour le serrer contre son cœur dans une étreinte virile.

– Je te croyais mort, dit Éric. On le croyait tous.

Charlie semblait avoir du mal à le lâcher.

– Je suis là, maintenant.

Quand les deux hommes passèrent ensemble le seuil du salon, ils se mirent à pleurer. Kate aussi sentit l'émotion monter, les larmes s'accumuler au bord de ses paupières. Quand l'une d'elles roula sur sa joue, elle l'essuya d'un geste vif. Ce n'était pas le moment de s'attendrir.

– Il faut qu'on rattrape le père d'Éric, murmura-t-elle à Nick. Il vient de partir.

– Il ne conduirait pas un camion noir ?

– Oui, dit Kate. C'est dans ce véhicule qu'il s'est enfui.

– A-t-il quelque chose à voir dans cette affaire ?

Peut-être que oui, peut-être que non. Kate n'en savait rien. Mais comme Charlie était vivant, contrairement aux cinq autres garçons, elle finissait par se dire que Craig Brewster n'était pas l'auteur des autres kidnappings.

– Imagine qu'ils aient été enlevés non pas par Craig mais par un homme qui cherchait Charlie ?

– Comme Ken Olmstead ? demanda Nick.

– Exactement. Il faut qu'on le dépiste et qu'on découvre le rôle qu'il a pu jouer dans tout cela.

Comme ils se précipitaient vers la porte, Kate aperçut dans le salon Éric et Charlie assis sur le canapé. Ils se regardaient en souriant aux anges. Ils avaient tellement de temps à rattraper. Toute une vie. Ils ne s'apercevraient même pas de leur départ.

– On devrait prendre deux voitures, dit-elle à Nick. Cela doublera nos chances d'attraper Ken.

Nick avait presque rejoint la sienne. Sa canne fouettait l'herbe du jardin.

– Il a tourné à droite. Je suppose qu'il est sorti de la ville par Old Mill Road.

Il monta dans son véhicule, démarra et, dans un crissement de pneus, s'engagea sur la chaussée.

Kate monta dans la Crown Vic avec la ferme intention de le suivre. Elle était sur le point de tourner sa clé de contact quand elle remarqua que le siège à côté d'elle était inoccupé. Ne restaient qu'un Ipod et une paire d'écouteurs blancs. Sur le sol, un sac à dos. Leur propriétaire les avait laissés derrière lui.

James était parti.

33

KATE SORTIT LENTEMENT DE SON VÉHICULE, plus ennuyée qu'inquiète. Elle avait dit à James de l'attendre dans la Crown Vic. Elle le lui avait ordonné, plus exactement. En faisant quelques pas dans la rue, elle sentit la moutarde lui monter au nez. Il allait passer un mauvais quart d'heure.

James ne pouvait pas être bien loin. Elle regarda les jardins, les quatre villas alignées de chaque côté de cette rue éloignée de tout. Un simple cul-de-sac. Si James avait été là, dans le jardin d'Éric disons, ou derrière la maison, elle l'aurait déjà remarqué.

– James ?

Elle songea à pousser jusqu'au sentier menant aux chutes de Sunset, mais y renonça aussitôt. Il était trop encombré de feuillages et de buissons pour intéresser James. Même chose pour le jardin de l'ancienne maison des Clark. En revanche, l'abri antiatomique caché dans leur arrière-cour constituait un appât irrésistible pour un enfant de son âge. Mais James ne connaissait pas son existence.

Ne restaient que deux possibilités. La résidence Santangelo et celle de Glenn Stewart. Kate commença par la première pour la simple raison qu'elle lui faisait moins peur.

En traversant la rue, elle cria le nom de son fils.

– James ?

Quand elle s'entendit l'appeler, elle fut surprise par sa voix. Elle était posée, sans aucune trace de panique. Il n'y avait aucune raison de paniquer. Et pourtant.

Pas de réponse. C'était étrange, quand même. James avait l'habitude de répondre en entendant son prénom. Même quand il piquait une colère. Même quand il boudait.

– Petit ours ?

Elle avait parlé plus fort en introduisant une nuance d'inquiétude dans sa voix, pour inciter James à réagir. Si jamais il l'entendait.

Soudain, elle songea à Maggie Olmstead et aux mères des autres garçons disparus. Combien de temps leur avait-il fallu pour passer du calme à l'angoisse ? Pour réaliser que quelque chose clochait ? Si elle se fiait à ses propres sentiments, la réponse était quelques minutes. James n'était pas parti depuis cinq minutes que déjà elle se rongeait les sangs.

Elle venait de pénétrer sur la propriété de Lee et Becky Santangelo. L'herbe de la pelouse bruissait sous ses pas. Quand elle frappa à la porte, elle s'aperçut que ses mains tremblaient. Alors elle les enfonça dans ses poches et en attendant que Becky ouvre, se retourna vers le jardin.

Elle essaya de reconstituer une scène s'étant déroulée autrefois en ces lieux. Un jeune homme nommé Burt Hammond tondait la pelouse pendant que, dans la maison, Lee Santangelo l'épiait en cherchant un moyen de l'attirer à l'intérieur. Puis, il attrapait la caméra.

Bien que ce film amateur n'ait rien d'un chef-d'œuvre, il ne tombait pas sous le coup de la loi. Burt était très jeune certes, mais il était majeur. Kate se demanda combien de gamins d'à peine vingt ans avaient pu fréquenter le lit de Monsieur Santangelo.

Quand Becky ouvrit, Kate en était arrivée à la conclusion que le film n'était qu'un alibi destiné à lui épargner une éventuelle accusation d'enlèvement sur la personne de Charlie Olmstead. Elle ne savait toujours pas où Lee s'était trouvé, lors des autres kidnappings. Les photos attestaient qu'il avait visité le camp du Croissant et Centralia. Il s'était probablement rendu à Fairmount aussi. Il y avait donc une possibilité – faible mais réelle – pour qu'il soit impliqué.

– Je peux vous aider, chef ? demanda Becky.

– Avez-vous vu un petit garçon ? Il a dix ans mais il est grand pour son âge.

Par réflexe, Kate regarda le hall d'entrée, derrière l'épaule de Becky. Lee n'était plus capable d'enlever un gosse dans la rue, mais sa femme, si. Becky, ses allures de grande dame et ses efforts désespérés pour paraître jeune. Elle avait pu voir James dans la rue et l'attirer chez elle, peut-être même en se servant des fameux biscuits que Charlie aimait tant jadis. Et une fois que James était entré...

Elle devenait parano. Becky Santangelo n'avait que faire de James ; elle n'avait que faire des autres enfants disparus. Si son mari et elle avaient eu quelque chose de grave à se reprocher, ils n'auraient pas affiché toutes ces photos prises sur les lieux des forfaits. Et Becky ne lui aurait pas ouvert si vite.

– Aujourd'hui ? demanda-t-elle. Je n'ai plus vu de petit garçon dans cette rue depuis qu'Éric Olmstead a quitté la ville.

– Vous en êtes sûre ?

– Parfaitement. Avez-vous vérifié chez Glenn Stewart ? Votre fils n'y est probablement pas, mais avec tous les trucs bizarres qui se passent en ce moment...

Ces paroles déclenchèrent une alarme dans la tête de Kate. Les renseignements qu'elle avait collectés puis oubliés à force de courir en tous sens, revinrent sur le devant de la scène. Elle entendit Norm Harper évoquer la conversion religieuse de Glenn Stewart, au Vietnam ; le professeur Luther Reid expliquer les effarantes subtilités du *măt tărang vinh quang*. Et ces termes aux significations sinistres : illumination glorieuse, sacrifice humain.

Lune de sang.

– Il faut que j'y aille, dit Kate. Si vous voyez mon fils, dites-lui que je le cherche, s'il vous plaît. Et que je me fais du souci.

Quand elle s'entendit parler, le son de sa voix l'effraya. Elle chevrotait presque. Kate n'avait pas réalisé à quel point elle était tendue. Ce n'était pas seulement de l'inquiétude, se dit-elle. C'était de la panique.

Kate était en train de perdre ses moyens.

Nick connaissait Perry Hollow. Moins bien que Kate mais mieux que n'importe quel visiteur de passage. Ainsi, il savait que couper par Pine Street valait mieux que risquer de se retrouver coincé dans les éternels embouteillages de Main Street. Il savait aussi que si Kate et Carl Bauersox étaient occupés ailleurs, un automobiliste pouvait se permettre de brûler les stops et dépasser allégrement les limitations de vitesse. Et enfin, il savait que le chemin le plus court pour entrer et sortir de la ville était Old Mill Road, la grande route reliant Perry Hollow à Mercerville, qui longeait le lac avant de couper à travers les champs de soja.

Ken Olmstead connaissait Perry Hollow au moins aussi bien que lui. Nick supposa donc qu'il avait choisi cette direction. Mais le temps filait, et la distance entre eux également. Au bout de huit kilomètres, Old Mill Road devenait la Route 58. Quinze cents mètres après, c'était l'autoroute. Arrivé là, Ken Olmstead serait désormais hors d'atteinte.

Nick se lança sur la piste présumée du semi-remorque, tout en amorçant de savants calculs sur la distance qui les séparait et la vitesse à laquelle il devait rouler pour le rattraper. Nick détestait les maths mais savait tenir un volant. Or, pour conduire, il ne sert à rien de réfléchir. On appuie sur l'accélérateur et on fonce.

Telle fut sa méthode. En atteignant Old Mill Road, il roulait déjà à cent. Un kilomètre plus loin, son compteur affichait cent vingt. Il s'accorda un coup d'œil dans le rétro en espérant voir se profiler la voiture de Kate. Elle n'était pas là. Il était seul.

Sur sa gauche, le lac Squall défilait dans une brume aqueuse. Puis il se retrouva en pleine campagne, au milieu des cultures, avec le ruban de macadam s'étirant devant lui, à perte de vue. La voie était presque entièrement libre, hormis un vieux camion brinquebalant qu'il doubla sans difficulté.

L'aiguille au compteur atteignait cent trente quand il franchit la limite territoriale entre Perry Hollow et Mercerville, signalée par une grande pancarte. Nick fit la grimace. L'autoroute n'était plus très loin.

Ken Olmstead y roulait peut-être déjà.

Juste après la pancarte, la route accusait une déclivité importante. Parvenu à mi-côte, il aperçut devant lui une Cadillac large comme une péniche, et tout aussi lente. Nick se colla derrière, pare-chocs contre pare-chocs, pour bien signifier qu'il était pressé. Comme le conducteur ne réagissait pas, Nick décida de le doubler.

Il donna un coup de volant à gauche et mordit sur l'autre

voie. La colline lui bouchait totalement la vue. À quelque cent mètres du sommet de la côte, il se retrouva flanc à flanc avec la Cadillac. Cinquante mètres plus loin, ses roues arrière arrivaient au niveau du capot. Il aperçut le haut de la colline puis, d'un coup, la côte se transforma en descente, le plein en vide avec le ciel dans toute son étendue et la vallée en dessous.

Il vit aussi le camion-citerne qui arrivait dans la direction opposée. Droit sur lui.

Nick se rabattit sur la droite, coupant la route à la Cadillac. Dans le rétro, il vit le chauffeur se crisper en écrasant sa pédale de frein. La Cadillac fit un tête-à-queue qui l'envoya sur le bas-côté. Une grêle de gravier jaillit de sous ses roues. Au même instant, le camion-citerne les croisa dans un rugissement mécanique augmenté d'un grand coup d'avertisseur.

Quand le klaxon se tut, un autre bruit prit la relève. Il venait du pied de la colline. C'était le grincement caverneux d'un moteur reprenant de l'élan après un changement de vitesse – un bruit parfaitement identique à celui qu'il avait entendu quelques minutes auparavant en croisant le camion noir et orangé, à la sortie de l'impasse.

Au loin, dans la plaine, Nick repéra le semi-remorque de Ken Olmstead.

Kate fit demi-tour et traversa la pelouse des Santangelo à petites foulées. D'horribles pressentiments affluaient dans sa tête. Elle vit défiler les visages des jeunes victimes, sur le tableau en contreplaqué de Maggie Olmstead. Tous ces petits garçons souriants avaient disparu un beau jour sans laisser de traces. Soudain le cliché envoyé par le professeur Reid se rappela à son souvenir. Il montrait un garçonnet – pas plus vieux que James, hélas – mis à mort pour apaiser la colère du dieu de la lune. Comment pouvait-on faire une chose pareille ? C'était dingue. Quand elle songeait que l'un de ses concitoyens avait pu commettre de telles ignominies, elle avait envie de vomir.

D'un autre côté, on trouvait des fous un peu partout, alors pourquoi pas à Perry Hollow ? Si on avait lancé un sondage parmi les habitants pour déterminer qui était le plus givré d'entre tous, Glenn Stewart aurait certainement remporté la palme.

De nouveau, Kate hurla le nom de James, comme un dernier recours. Il restait une infime possibilité qu'il se soit caché pour lui jouer un tour ou se venger d'elle, après la punition qu'elle lui avait infligée. Mais elle n'y croyait pas trop.

Ses doutes se confirmèrent lorsque le silence lui répondit. Cette fois, elle en était sûre. James venait de se faire enlever, comme les autres garçons. Mais le ravisseur de Charlie Olmstead, Craig Brewster, n'y était pour rien, ce coup-ci. Le coupable ne pouvait être que Glenn Stewart. Elle se mit à courir vers l'immense baraque branlante.

De loin, Kate regarda dans l'arrière-cour. L'auvent bancal servant de garage cachait mal la camionnette Volkswagen parquée en dessous. Ce véhicule constituait la preuve que Glenn ne restait pas constamment chez lui. Peut-être ne la conduisait-il plus aujourd'hui, mais il avait dû le faire autrefois – pour se rendre à Fairmount, par exemple, ou à Centralia ou encore dans l'épaisse forêt entourant le *camp du Croissant*.

Kate l'imaginait assis au volant, se penchant pour ouvrir la portière à des petits enfants qui grimpaient sur le siège du passager, sans se douter de rien. Dennis Kepner et Dwight Halsey. Frankie Pulaski et Bucky Mason. D'après Nick, Noah Pierce avait été assassiné sur place, son corps jeté à l'eau sous un moulin abandonné. Ils avaient tous péri à cause de la même chose – la lune glorieuse que Glenn vénérait.

Kate se précipita sous le porche, son Glock à la main.

Puis elle entendit des cris.

Deux cris stridents venaient de retentir de l'autre côté de la porte d'entrée. Le cœur de Kate se mit à battre la chamade. Cette voix, elle la connaissait.

C'était celle de James.

Elle tremblait tellement qu'elle eut du mal à trouver la poignée. Heureusement la porte n'était pas verrouillée. Sans perdre une seconde, elle la rabattit et appela James.

Puis, le Glock braqué devant elle, elle fit irruption à l'intérieur.

Le pied gauche de Nick restait collé au plancher. Le droit tremblait d'excitation. Il se rapprochait.

Au loin, le semi-remorque accéléra. Malgré le bon kilomètre

qui les séparait, Nick entendait rugir son moteur. Comme lui, Ken Olmstead essayait de rouler le plus vite possible.

Le camion passa en trombe devant un panneau bleu et rouge planté sur le bas-côté, indiquant l'entrée de l'autoroute. Elle n'était plus très loin. Trois kilomètres. Peut-être moins.

Reportant son regard vers la route, Nick s'aperçut qu'il se rapprochait du camion, lentement mais sûrement. Plus que sept cents mètres, plus que trois cents. Mais il savait que ce n'était pas gagné. Si jamais le poids lourd s'engageait sur l'autoroute, la circulation trop dense empêcherait Nick d'effectuer les manœuvres nécessaires. S'il voulait vraiment arrêter ce camion, il lui restait moins d'une minute.

Il décida de commencer par des appels de phare. Ken les verrait peut-être. Comme cela ne marchait pas, il se mit à klaxonner comme un fou, en frappant d'abord le bouton du plat de la main puis en le maintenant enfoncé.

L'arrière du camion grossissait toujours. Nick était presque collé à lui, à présent.

– Arrête, connard. Pourquoi tu ne t'arrêtes pas ? marmonnait-il entre ses dents.

Il connaissait la réponse. L'autoroute commençait dans quelques dizaines de mètres. Nick voyait déjà le viaduc enjambant les voies et, juste avant, la rampe d'accès qui tournait sur la droite et grimpait jusqu'au pont.

Une lumière orange s'alluma à l'arrière du camion de Ken Olmstead. Il s'apprêtait à bifurquer. Le regard de Nick passa du clignotant à la bretelle d'accès.

Agrippé au volant pour assurer à la fois sa propre stabilité et l'équilibre de sa voiture, Nick monta presque sur la pédale de l'accélérateur. La voiture bondit. Le moteur protesta en s'emballant. Nick l'ignora, fit une embardée sur la droite et passa sur la bande rugueuse de l'accotement. Ses pneus récriminèrent, sa carrosserie se mit à vibrer. Puis il sortit de la route, redressa le volant et se retrouva dans l'herbe du talus, parallèle à la remorque.

Nick se remit à marteler le bouton du klaxon. Les flammes orange peintes sur le flanc du camion étaient à moins de vingt centimètres de sa vitre. Deux secondes plus tard, elles filaient devant ses vitres arrière.

Et enfin, Nick réussit à dépasser le poids lourd.

Avec un grognement et un dernier coup de pied sur la pédale de l'accélérateur, Nick se recala sur la bretelle. L'énorme calandre était dangereusement proche de son pare-chocs arrière. À travers le pare-brise, il vit la rampe s'arrondir. Quelques mètres plus loin, l'autoroute commençait. Ce n'était plus qu'une question de secondes. Il fallait stopper ce camion tout de suite.

Nick écrasa la pédale de frein. Ses pneus hurlèrent mais la voiture, emportée par son élan, continua sa course. Après un temps de dérapage, les pneus avant reprirent le contact avec le bitume. Les pneus arrière glissaient encore, en raclant l'asphalte. Nick sentit sa poitrine comprimée par la ceinture de sécurité qui le clouait à son siège. La voiture tourna sur elle-même.

Elle s'immobilisa au milieu de la bretelle, en travers de la chaussée. Le camion freina à mort. On entendit son moteur vibrer, à cause de la soudaine décélération. Par sa vitre, Nick le vit trembler en se balançant sur ses essieux.

Très vite, Nick passa sur le siège du passager. Dans la manœuvre, son genou droit heurta le levier de vitesses. La douleur fusa dans tout son corps. Elle lui commandait de ne plus bouger, mais il n'avait pas le choix. Le camion grossissait derrière sa vitre, encore et encore. Nick saisit la poignée de la portière.

Le système d'ouverture répondit à la pression, la portière pivota sur ses gonds. Nick se glissa dehors en se demandant s'il aurait le temps de se jeter sur la chaussée et de rouler sur lui-même pour s'éloigner de la zone d'impact.

Mais il n'y eut pas d'impact.

Couché sur le bitume, Nick tourna la tête. Sa voiture était toujours entière. Il s'assit. Le camion se trouvait juste à côté, immobile. Il avait réussi à s'arrêter à quelques centimètres de la carrosserie. On avait évité la collision.

Cette bonne nouvelle n'eut aucune influence sur l'humeur de Ken Olmstead qui bondit de sa cabine et contourna la voiture de Nick en hurlant à pleins poumons :

– C'est quoi ce bordel ? Vous auriez pu vous tuer et moi aussi par la même occasion !

Nick se remit debout, ce qui n'était pas chose facile sans sa canne restée dans la voiture. En équilibre sur une jambe, il se tourna vers Ken Olmstead, prêt à affronter sa fureur.

— Je suis Nick Donnelly.

Ken le gratifia d'un regard méprisant.

— Et alors ?

— On m'a engagé pour retrouver Charlie, dit-il. C'est fait.

34

À PARTIR DU PETIT VESTIBULE, on accédait aux autres pièces de la maison de Glenn Stewart. Kate repéra l'escalier menant au premier. À droite, une salle à manger obscure, à gauche, une lumière rouge tamisée venant d'un salon. Kate choisit cette direction quand soudain, un nouveau cri déchira l'air.

Elle passa le seuil, son arme toujours tendue devant elle. La pièce étonnamment propre et nette, comparée à l'aspect extérieur de la maison, s'ornait de meubles asiatiques. Un paravent en bambou était déplié dans un coin. Des aquarelles représentant des montagnes et des pagodes décoraient les murs. Du plafond pendaient plusieurs lanternes japonaises, d'où cette lueur rouge qui l'avait attirée.

Un seul élément ne cadrait pas avec le reste. C'était une petite bibliothèque appuyée contre une cloison. Kate aperçut quelques ouvrages de Shakespeare, d'autres classiques plus récents et même un exemplaire de *L'Art de la guerre*. Une étagère était entièrement consacrée aux œuvres d'un seul auteur – Éric Olmstead. Glenn possédait un spécimen de chacun de ses romans, tous en parfait état.

James était assis par terre, devant la bibliothèque. Sur son épaule, une masse de fourrure brune et noire ondulait. Le furet passa sur sa nuque pour aller se percher sur son autre épaule. Quand la queue touffue de l'animal lui chatouilla le visage, James poussa un petit cri de plaisir.

– James ?

Il se figea en voyant apparaître sa mère.

– Il m'a dit d'entrer, se hâta-t-il d'expliquer.

– C'est vrai, confirma Glenn Stewart. Je l'ai vu dans la rue et j'ai insisté pour qu'il entre.

Sa voix provenait d'un recoin sombre, derrière Kate. De sa silhouette se découpant au fond d'un fauteuil moelleux émanait un calme olympien.

Kate s'avança vers son fils.

– James, pose cet animal.

– Mais maman…

– Pose-le !

James lâcha le furet qui fila devant les jambes de Kate avant de se réfugier sur les genoux de Glenn qui l'accueillit en lui tapotant doucement la tête.

– Ce sont de braves bêtes, dit-il. Un peu turbulentes, mais rien de bien méchant. Celle-ci vient de perdre son compagnon. Elle est encore triste.

Kate recentra son attention sur son fils.

– Petit ours, je veux que tu te lèves et que tu marches vers la porte.

James se garda de récriminer. À la fois effrayé et confus, il sauta sur ses jambes et se dirigea lentement vers le seuil, attendant la suite des instructions.

– Maintenant, tu vas dans l'entrée, lui dit Kate, et tu attends près de la porte. S'il se passe quelque chose, tu cours chez Éric et tu lui dis d'appeler Carl. Compris ?

James répondit oui, mais sans ouvrir la bouche.

– Bien. Vas-y.

Quand il eut franchi le seuil, Kate braqua son pistolet sur Glenn.

– Qu'est-ce que vous fabriquiez avec lui ?

– Je sais que vous vous méfiez de moi, dit Glenn. Mais il était parfaitement en sécurité. En fait, il est plus en sécurité ici que dehors.

– Qu'est-ce qu'il y a dehors ?

– Du danger, bien sûr. Le monde est dangereux.

– C'est pour cela que vous ne sortez pas ?

– En partie, oui, répondit Glenn. Mais avec la tête que j'ai, je vous assure que c'est préférable.

Il faisait si sombre qu'elle ne percevait que les contours de son corps. Elle devinait juste le mouvement de ses épaules quand il caressait le furet.

– Je ne vois pas ce que vous avez de si différent, dit Kate.

– Merci, vous êtes très aimable. Mais vous n'avez pas encore tout vu, rétorqua Glenn avec une pointe d'amusement.

Il se leva. Prudente, Kate fit un pas en arrière et dirigea le Glock sur la poitrine de Glenn, prête à faire feu si nécessaire. Mais cela ne parut pas nécessaire, car il se contenta de passer dans la lumière pour qu'elle voie bien son visage.

Du nez jusqu'au menton, le visage de Monsieur Stewart n'avait rien d'étrange. Il était même plutôt beau, avec ses lèvres pleines, ses pommettes saillantes et sa mâchoire solide. Au-dessus du nez, tout se gâtait. À gauche, un sourcil trop fin surmontait un œil d'un bleu surprenant. L'œil et le sourcil droits n'existaient pas. À leur place, il n'y avait qu'une surface de peau, aussi lisse que de l'argile humide. Au-dessus saillait une épaisse cicatrice pâle qui divisait son front et se perdait dans ses cheveux.

Kate s'obligea à ne pas détourner le regard.

– Que vous est-il arrivé au Vietnam ?

– J'étais à My Lai. Je suppose que vous en avez entendu parler.

C'était le cas. À My Lai, en mars 1968, des centaines de civils avaient été tués par une unité de l'armée des États-Unis. Les victimes n'étaient pas armées. Parmi elles, nombre de femmes et d'enfants.

– Certains disent que vous vous êtes tiré dessus, dit-elle. C'est vrai ?

– Quelle importance, aujourd'hui ? Ce qui compte, c'est ce qui m'est arrivé ensuite.

– *Mắt tărang vinh quang*, dit Kate. Vous en avez entendu parler quand vous étiez à l'hôpital ?

Glenn acquiesça.

– Cette religion m'a éclairé sur beaucoup de choses. Hélas, peu de gens la comprennent.

– Admettez qu'il est difficile de comprendre une religion qui prône les sacrifices humains.

– Hélas, répondit Glenn sur un ton navré. Certains d'entre nous ont ce genre de pratiques. Pas moi. Et la plupart des vrais croyants non plus.

– En quoi croyez-vous, alors ?

– Au caractère sacré de la vie. Y compris de la mienne. Je crois qu'on a besoin de trouver la paix en soi avant de se réconcilier avec le monde. Je n'y suis toujours pas parvenu, même après toutes ces années. Quoi qu'on fasse, il se passe des choses affreuses dehors. Je suis bien placé pour le savoir. Je les ai vues.

– Au Vietnam, proposa Kate.

– Oui, là-bas, bien sûr. Mais aussi ici, à Perry Hollow. Dans cette rue même, en fait.

– Avez-vous vu quelque chose la nuit où Charlie Olmstead a été enlevé ?

– Oui, dit Glenn. Et j'ai menti à votre père. Sans intention de nuire, je précise. Je l'ai fait pour le bien de mes voisins.

– Qu'avez-vous vu ?

– Asseyez-vous. Je vais vous raconter.

C'était bizarre d'avoir de nouveau un frère. Agréable mais bizarre – comme un fantasme récurrent dont on n'arrive pas à croire qu'il s'est réalisé. Éric n'arrêtait pas de sourire. Et de pleurer. C'était plus fort que lui. Il jubilait mais en même temps, il se sentait déprimé, effrayé et triste.

– Je ne sais pas quoi te dire, fit Éric. Par où dois-je commencer ?

– La famille, suggéra Charlie. Es-tu marié ? As-tu des enfants ?

– Divorcé. Je n'ai pas d'enfants. Et toi ?

– Divorcé. Une fille, mais ça fait un bout de temps que je ne l'ai pas vue.

Ils prirent ainsi la parole chacun son tour. Ils avaient quarante-deux années de vie à se raconter. Tout y passa. Les boulots qu'ils avaient exercés, les maisons où ils avaient vécu, ce qu'ils aimaient, ce qu'ils n'aimaient pas. Éric apprit que Charlie était mécanicien à Chester County, qu'il adorait la musique country, les Harleys et le bon bourbon. Il lui parla de son métier d'écrivain, des bons et des mauvais moments, de sa vie à Brooklyn, des gens célèbres qu'il rencontrait. Ils cernèrent leurs différences

– Charlie avait été un excellent joueur de base-ball, au lycée ; Éric, lui, n'aimait aucun sport en particulier – et leurs points communs – leurs deux ex-épouses s'appelaient Laura.

Puis ils passèrent aux parents d'Éric, que Charlie s'obstinait à appeler Ken et Maggie Olmstead.

– J'ai entendu dire que Maggie était morte, dit-il. Comment ?

Éric se rembrunit. Il aurait tant aimé que sa mère assiste à cette conversation. Le fait que ce fût sa dernière volonté rendait son évocation encore plus poignante.

– Cancer. Des ovaires.

– Je suis désolé de l'apprendre. Je me rappelle que c'était une femme super.

– Tu te souviens encore un peu de ta vie ici ? demanda Éric.

Charlie réfléchit un instant en se caressant le menton d'un geste mécanique. Éric prit le temps de l'observer. Il retrouvait en lui certains des traits qu'il ne connaissait que par des photos vieilles de plusieurs dizaines d'années. Les mêmes oreilles décollées. Les mêmes yeux tristes. Le même sourire en coin.

– Je me souviens des gâteaux de Madame Santangelo, dit Charlie. Ils habitent encore dans le coin ?

– Oui, répondit Éric. Et Glenn Stewart aussi.

– Les Clark sont partis depuis longtemps, pas vrai ?

– Bien sûr. Mais tu…

Éric s'interrompit. Charlie ignorait encore qu'il était le petit-fils de Stan et Ruth Clark. Il n'eut pas le cœur de le lui avouer. Ils auraient tout le temps d'en parler, plus tard.

– Tu savais, reprit Charlie, que les Clark avaient fait creuser un abri antiatomique dans leur jardin ?

– Non, c'est pas vrai !

– Voilà encore un truc dont je me souviens. J'y jouais quand j'étais gosse. Et les chutes. Bon Dieu, quand j'avais dix ans, j'adorais aller sur ce pont et regarder les chutes de Sunset.

– Elles sont toujours là, dit Éric. Le pont aussi.

Le visage de Charlie s'éclaira.

– On pourrait y aller.

– Maintenant ?

– Ouais. D'accord ?

Il se leva d'un bond et se dirigea vers la porte de derrière.

Éric le suivit d'abord avec réticence. Mais son attitude changea dès qu'ils se retrouvèrent dans le jardin et traversèrent la pelouse comme des gosses impatients d'aller jouer. Quand ils passèrent sur la propriété de Glenn Stewart, Éric se sentait pousser des ailes.

Plus rapide que lui, Charlie traversa le jardin de Monsieur Stewart à toute vitesse. Il semblait en savoir beaucoup plus long qu'Éric sur la disposition des lieux. Il connaissait non seulement l'existence de l'abri antiatomique des Clark mais aussi l'endroit où Glenn enterrait ses animaux de compagnie. (Je l'espionnais, dit Charlie quand ils passèrent devant le lopin de terre qu'Éric avait creusé la veille.)

Tandis qu'il cavalait derrière son frère pour ne pas se laisser distancer, Éric se sentait partagé entre l'agacement et l'admiration. Il était jaloux du savoir de Charlie et heureux qu'il le partage avec lui. Il le considérait avec un peu de timidité mêlée de vénération. En bref, pour la première fois de sa vie, il éprouvait les sentiments d'un petit frère face à son aîné.

Quand ils eurent contourné la maison de Glenn Stewart par l'arrière, ils entendirent nettement le fracas de Sunset Falls. Éric aperçut entre les arbres l'impétueuse cascade d'écume, haute comme un immeuble de trois étages.

— Je passais par là pour rejoindre les chutes, lui dit Charlie quand ils émergèrent de l'impasse et s'engagèrent entre les arbres. Comme ça, personne ne pouvait me voir.

Éric avait déjà emprunté ce sentier broussailleux au début de la semaine. Il s'y engagea le premier. Derrière lui, Charlie regardait les chutes par-dessus de l'épaule de son frère.

— Voilà le pont, s'écria-t-il, tout excité. Je croyais qu'ils l'auraient détruit depuis le temps.

— Ils vont le faire bientôt, répondit Éric.

— Raison de plus pour le traverser une dernière fois, répliqua Charlie et lui administrant une bonne bourrade sur l'épaule.

Ils étaient arrivés devant la barrière qui bloquait l'accès au pont. Charlie sauta par-dessus, Éric la franchit en se baissant. Encore une autre différence entre eux.

— Sois prudent, l'avertit Éric pendant que Charlie se précipitait sur le pont. Il n'est pas stable.

Charlie tint compte de l'avertissement et ralentit l'allure.

– Il peut supporter deux personnes ?

– Deux oui, dit Éric. Mais trois, sans doute pas.

En disant ces mots, Éric s'y engagea lui aussi, à la suite de son frère. Quand il enjamba le trou par lequel Kate était tombée quelques jours auparavant, d'autres planches craquèrent sous son poids. L'ensemble de la structure vacilla légèrement mais en gros, rien d'alarmant. Il semblait encore assez solide pour les soutenir tous les deux pendant qu'accoudés à la rambarde, ils regardaient côte à côte le flux inexorable de la rivière.

– Tu t'amuses ? demanda Charlie.

– Ouais, dit Éric qui vivait un grand moment dans sa vie. Et toi ?

Charlie prit son frère par l'épaule.

– Carrément, frérot.

Un bruit soudain s'éleva des bois sur la droite – un craquement de brindilles, le frémissement de branches qu'on écartait du chemin. Puis ils entendirent une foulée rapide se diriger vers eux. Quelqu'un courait sur le sentier de terre.

Éric se retourna vers le bruit. Kate Campbell jaillit des fourrés, son arme à la main. Elle la leva dès qu'elle foula les premières planches du pont.

– Charlie, mettez vos mains en l'air et éloignez-vous de lui.

Ce fut Éric qui leva les mains. Dans un geste d'apaisement.

– Kate ? Qu'est-ce que tu fais ?

– Descends de ce pont, Éric.

– Je ne comprends pas. Qu'est-ce qui se passe ?

Comme dans un brouillard, Éric vit quelque chose bouger derrière son épaule. Rapide comme la foudre, son frère enroula son bras autour de son cou et le tira en arrière. Éric en eut le souffle coupé. Puis il percuta la rambarde dont le bois lui meurtrit les côtes. Dans son dos, Charlie l'immobilisait en appuyant de tout son poids.

– Si vous approchez, je le tue ! hurla-t-il à Kate. Vous m'entendez ? Je le jetterai de ce pont comme je l'ai fait quand il était bébé.

35

NICK SE SERAIT BIEN DISPENSÉ DE VOYAGER à bord du camion de Ken Olmstead. Mais quand ce dernier avait appris que Charlie était de retour à Perry Hollow, il avait aussitôt démarré, ne laissant à Nick d'autre recours que d'empoigner sa canne et de sauter dans la cabine en abandonnant sa voiture sur la bretelle de l'autoroute où elle serait sans doute emboutie, rayée ou ramassée par la fourrière.

Mais tant pis, se dit Nick. Le jeu en valait la chandelle. D'autant plus qu'en chemin, Ken lui narra par le menu les divers événements qui avaient marqué le 20 juillet 1969.

– La nuit s'annonçait tranquille, dit-il. Après le dîner, Maggie a couché le bébé puis elle est allée s'allonger. Elle avait pris l'habitude de ces siestes. C'était un vrai rituel.

– Où était Charlie ? demanda Nick.

– Il se reposait, lui aussi. Du moins, c'est ce que je croyais. Maggie et moi avions déjà accepté de le laisser regarder l'alunissage à la télévision, plus tard dans la soirée. Nous savions qu'un événement historique allait se produire. Mais en fin de compte, on a vécu une catastrophe.

Selon Ken, le cauchemar avait commencé par un coup hésitant frappé à leur porte, peu après 22 heures. Ken alla vite ouvrir de crainte que le bruit ne réveille quelqu'un. D'abord, il crut que Stan et Ruth Clark, dont la télé fonctionnait mal, venaient regarder l'alunissage chez eux. Mais quand il ouvrit la porte, au lieu de ses voisins, il découvrit un homme sous le porche.

Un homme qu'il connaissait et qu'il n'avait pas revu depuis plus de dix ans.

— C'était Craig Brewster, poursuivit Ken. Il voulait rencontrer son fils. Quand Jennifer était morte, il avait promis de ne jamais nous importuner. Et pourtant il était là, planté devant ma porte, à me supplier de le laisser voir Charlie.

— Mais pourquoi ? demanda Nick. Après tout ce temps ?

— Son père était mort quelques semaines auparavant. Depuis, il n'arrêtait pas de se dire qu'il avait commis une énorme erreur en quittant Jennifer et en nous laissant Charlie. Il était venu avec l'intention de tout révéler à Stan et Ruth Clark mais n'avait pas eu le courage de sonner chez eux.

D'abord, Ken l'avait patiemment écouté parler de son métier de surveillant pour délinquants juvéniles. De son rapport à eux. Il avait envie d'ouvrir un camp pour ces gamins à problème, sur le terrain qu'il venait d'acheter avec l'argent de son héritage.

— Il disait qu'il avait changé, mais qu'il se sentait seul. Quelque chose lui manquait. La mort de son père lui avait ouvert les yeux.

— Il pensait que récupérer Charlie comblerait ce manque ? demanda Nick.

— À l'en croire, il n'avait pas l'intention de nous prendre Charlie, poursuivit Ken. Il voulait juste le rencontrer, faire sa connaissance, voir comment il avait grandi. Le problème c'était que Charlie ignorait son existence.

Après avoir roulé à tombeau ouvert dans la plaine, le camion peinait à gravir dans l'autre sens la colline qu'ils avaient descendue quelques minutes auparavant.

— Vous ne lui aviez pas dit qui étaient ses vrais parents ? demanda Nick.

— Il fallait que cette histoire reste secrète tant que les grands-parents de Charlie vivraient en face de chez nous. Tout le monde, y compris Charlie, devait penser qu'il était notre fils. Autrement, imaginez le désastre. Les Clark nous auraient traînés devant les tribunaux pour nous retirer la garde. On nous aurait peut-être arrêtés pour kidnapping. Nous avions tort sur toute la ligne. Et pourtant, sans nous, ce gosse aurait fini dans un orphelinat. Mais la loi est la loi, et ce que nous avions fait était illégal.

— Comment Craig a-t-il pris la nouvelle ?

– Pas bien, dit Ken. Il répétait que Charlie avait le droit de rencontrer son vrai père. Qu'il devait savoir la vérité. Il parlait de plus en plus fort. Si fort que j'avais peur qu'il réveille toute la maison.

Il avait seulement réveillé Charlie.

– Sa chambre était située juste au-dessus, poursuivit Ken. Il n'avait sans doute pas tout entendu, mais c'était suffisant. J'ai poussé Craig dehors en lui disant de baisser d'un ton. Pendant qu'on était sur la véranda, Charlie avait dû descendre discrètement les marches et sortir par la porte de derrière.

– Pour s'enfuir ? dit Nick.

– Pas vraiment, répondit Ken. Il avait pris le bébé avec lui.

Dix minutes plus tard, Ken et Craig se disputaient encore sous le porche quand ils entendirent des pas précipités sous la pluie. Glenn Stewart avait surgi des ténèbres avec Éric dans les bras.

– J'ai attrapé le bébé. Il était trempé. Quand j'ai demandé à Glenn ce qui s'était passé, il m'a dit qu'Éric avait failli mourir noyé.

– Noyé ? intervint Nick. Dans la rivière ?

– Glenn était trempé lui aussi, répondit Ken. Alors, j'ai compris ce qui s'était produit. J'ai su ce que Charlie avait fait avant même que Glenn me l'explique.

– Comment ?

– Parce qu'il avait déjà tenté de noyer Éric. Au mois de mai. Dans la baignoire. Sauf que sur le coup, j'avais cru Maggie responsable. Je lui avais tout mis sur le dos.

Ayant atteint le sommet de la colline, ils amorcèrent leur descente. La soudaine accélération fit gémir le moteur, couvrant presque les paroles de Ken Olmstead. Pour ne rien arranger, Ken parlait doucement, d'une voix sourde. Comme un homme mort de l'intérieur, se dit Nick.

– Je suis monté dans la chambre de Charlie en espérant que Glenn mentait et que je trouverais le gosse dormant à poings fermés. Mais au fond de moi, je savais. Après, je suis redescendu, j'ai pris une torche électrique et je suis parti le chercher. J'avais ma petite idée sur l'endroit où il se cachait.

– Où l'avez-vous trouvé ? demanda Nick.

– Dans l'abri antiatomique que Stan Clark avait bâti dans son arrière-cour. Charlie adorait descendre dans ce truc pour jouer. Au soldat. À l'astronaute. À l'extraterrestre. Il se l'était approprié, c'était son refuge.

– Il y était ?

– Il y était, dit Ken. Craig m'a accompagné. Je lui ai confié Éric le temps de descendre. Charlie était assis sur une couchette, les jambes ballantes. Il me regardait d'un air atone. Quand j'ai braqué le faisceau de ma torche sur son visage, il n'a même pas cillé. Je lui ai demandé s'il avait jeté Éric dans la rivière. Il m'a répondu oui. Je lui ai dit qu'Éric aurait pu se noyer. Ou pire, basculer dans les chutes.

– Qu'a-t-il répondu ?

– Il a dit, « Je sais, c'est pour ça que je l'ai fait. »

Nick ferma les yeux et porta la main à son estomac, révulsé à l'idée qu'un garçonnet – un gamin de dix ans à peine ! – ait pu noyer intentionnellement son petit frère. Quand sa sœur était morte assassinée, Nick avait eu l'impression de perdre une partie de lui-même. Il n'arrivait pas à concevoir ce qui s'était passé dans la tête de Charlie.

– Quand je lui ai demandé pourquoi il avait fait cela, reprit Ken, Charlie m'a répondu que c'était parce que Maggie et moi voulions nous débarrasser de lui.

– Et c'était le cas ? demanda Nick.

– Bien sûr que non. J'aimais Charlie de tout mon cœur. Mais quand j'ai pointé cette torche sur lui et que j'ai découvert son visage impassible, j'ai ressenti de la colère, de la culpabilité et de la peur. Surtout de la peur. Je l'ai regardé au fond des yeux et je n'ai vu aucun remords. Aucune émotion. J'avais l'impression de regarder un monstre. Il avait tenté de noyer Éric à deux reprises. J'ignorais pourquoi. Et je l'ignore encore aujourd'hui. Mais je savais qu'il recommencerait. J'en étais persuadé.

Ken était ressorti seul de l'abri. Après avoir récupéré le bébé, il avait rapporté à Craig les propos de Charlie et l'air étrange qu'il avait. Il lui avait avoué sa peur. Cela paraissait absurde. Un homme adulte effrayé par son propre fils. Mais Ken était bel et bien terrifié. Et il ne savait que faire.

– Je ne pouvais pas appeler la police. Charlie savait que Maggie et moi n'étions pas ses vrais parents. On nous aurait accusés de kidnapping. Nous aurions peut-être même perdu la garde d'Éric, par-dessus le marché. D'un autre côté, je ne pouvais pas ramener Charlie à la maison en espérant que tout finirait par s'arranger. Bref, j'étais complètement désemparé. C'est alors que Craig a dit qu'il voulait bien l'emmener.

– Où ça ?

– Il avait envie de vivre avec lui, répondit Ken. Il s'estimait capable de le remettre sur le droit chemin, comme il le faisait avec les gosses dont il s'occupait, au centre de détention pour mineurs.

Par la vitre du camion, Nick vit la pancarte indiquant qu'ils sortaient de Mercerville. Ils roulaient si vite qu'elle passa dans un brouillard. Ils venaient de pénétrer sur la commune de Perry Hollow.

– Cette idée ne m'emballait pas trop, poursuivit Ken. Je savais que Maggie n'apprécierait guère, elle non plus. Elle aimait profondément Charlie, même si elle le montrait rarement. Quand Charlie était né, elle s'en était occupée avec la tendresse d'une mère. Elle l'avait toujours traité comme son propre fils. Dans sa tête, Charlie *était* son fils. Sauf que non. C'était Éric notre vrai fils. Charlie n'était qu'un petit orphelin que nous avions recueilli par pitié. Pour rendre service à des amis. Et maintenant, l'un de ces amis nous proposait de le reprendre.

– Donc vous avez accepté ? dit Nick.

– Ce fut une déchirure. Je vous jure. Mais il fallait penser à Éric. Il fallait que j'assure sa sécurité. Laisser partir Charlie avec Craig m'a paru la meilleure solution.

– Mais vous saviez que Maggie essaierait de le retrouver.

Les yeux toujours rivés sur la route, Ken acquiesça brièvement.

– Pour que ça n'arrive pas, je devais m'arranger pour qu'elle le croie mort.

– Donc vous êtes rentré chez vous prendre le vélo de Charlie ?

– Oui, dit Ken. Je l'ai porté jusqu'au pont et je l'ai jeté dans la rivière. J'espérais que la police le verrait et en déduirait que Charlie était tombé à l'eau et que les chutes l'avaient emporté.

Pour l'essentiel, son plan avait fonctionné. Mais l'adjoint Owen Pale avait remarqué l'absence de traces de pneus. Plus tard, il en avait parlé à Maggie Olmstead, laquelle passerait ensuite des dizaines d'années à rechercher un fils qui n'aurait jamais dû être porté disparu.

– Tout de suite après, je suis revenu récupérer le bébé, poursuivit Ken. Craig est descendu dans l'abri antiatomique pour faire connaissance avec son fils. Moi, j'ai ramené Éric à la maison et je n'ai plus jamais revu Charlie.

– Et vous avez attendu qu'ils soient partis pour appeler la police, compléta Nick.

– Je leur ai dit que j'ignorais où était Charlie. Puis j'ai réveillé Stan et Ruth Clark pour qu'ils nous aident à le chercher. Personne n'a rien soupçonné. Dès cet instant, Charlie fut officiellement porté disparu.

Un sanglot monta des profondeurs de sa poitrine et diffusa en lui son poison d'angoisse.

– C'est comme si j'avais tué l'un de mes fils pour sauver l'autre.

– Vous avez fait ce qu'il fallait en écartant Charlie, le rassura Nick. Mais vous auriez dû tout avouer à la police.

Parce que Charlie était vraiment un monstre. On l'avait éloigné de son petit frère, mais ses instincts meurtriers avaient perduré. Il avait récidivé, avec succès les fois suivantes. Il avait tué Dennis Kepner qui habitait dans sa rue, à Fairmount ; Noah Pierce après l'avoir attiré dans un moulin abandonné en se servant de la fusée miniature de Dennis ; Dwight Halsey, son compagnon de dortoir, au camp du Croissant ; Frankie Pulaski et Bucky Mason, ses voisins à Centralia.

Charlie Olmstead, alias Kevin Brewster, les avait tous assassinés.

Par la vitre, Nick vit l'étendue brillante du lac Squall. À l'allure où ils allaient, ils atteindraient bientôt la ville puis l'impasse de Sunset Falls. En espérant qu'il ne soit pas trop tard.

36

KATE S'ENGAGEA SUR LE PONT sans savoir s'il les supporterait tous les trois. Elle avançait prudemment en s'efforçant de calculer son angle de tir. Pouvait-elle tirer sur Charlie
sans risquer d'atteindre Éric ? Impossible. Charlie l'immobilisait
avec une clé au cou. Éric se débattait. S'aidant de ses deux mains,
il essayait vainement d'écarter le bras enroulé autour de sa gorge.
Charlie avait clairement l'intention de balancer Éric par-dessus
la rambarde.

Il l'avait déjà fait.

Cette nuit-là, Glenn Stewart avait assisté à toute la scène
depuis son toit-terrasse. Il avait vu Charlie traverser le jardin
avec un bébé vagissant dans les bras, Charlie s'enfoncer entre les
arbres bordant la rivière, Charlie debout sur le pont, tenant son
petit frère à bout de bras, au-dessus de l'eau. Il l'avait vu lâcher
l'enfant et se repaître de ce spectacle.

Sans Glenn, Éric serait mort le 20 juillet 1969. Il avait couru
comme un fou. En descendant vers la berge, il avait vu Charlie
s'enfuir, son forfait accompli. Une seconde plus tard, Glenn était
dans l'eau. Il avait inspiré à fond et plongé.

Après avoir extrait le bébé de la rivière, Glenn s'était précipité chez les Olmstead. Il avait rendu l'enfant à son père et
fait demi-tour pour regagner ses pénates. Ensuite, il était resté
terré chez lui, même quand Maggie Olmstead avait frappé à sa
porte pour lui annoncer la disparition de Charlie. Le lendemain,
quand le père de Kate et l'adjoint Peale étaient venus enquêter, il

avait prétendu s'être endormi tôt, la veille. Par la suite, au cours des battues, devant les journalistes, il n'avait pas pipé mot. Et des dizaines d'années plus tard, lorsque la tristement célèbre histoire de Charlie Olmstead était passée dans les annales de la ville, il avait continué à se taire.

— Saviez-vous ce qu'était devenu Charlie ensuite ? lui avait demandé Kate.

— Non. Je m'en fichais. Tout ce que je voyais, c'est qu'il était parti et que tout le monde s'en portait mieux.

Kate fit un deuxième pas sur le pont qui réagit avec un grognement de mauvais augure.

— Laissez-le, Charlie. Ce n'est pas à lui que vous en voulez. Vous n'avez rien contre Éric. Pas plus maintenant qu'autrefois.

— Je ne voulais pas le faire, répliqua Charlie en resserrant sa prise au cou. Mais j'étais obligé. Ils allaient se débarrasser de moi.

— C'est votre père qui vous l'a dit ?

— Non. Mais je le sentais bien. Ils n'avaient plus besoin de moi depuis qu'Éric était né.

Kate fit un autre pas suivi du même grognement inquiétant.

— Donc vous vous êtes dit que si vous vous débarrassiez d'Éric, les Olmstead vous garderaient avec eux ?

Charlie l'observait par-dessus l'épaule d'Éric. Ses yeux sombres, inexpressifs, lui faisaient penser à des raisins secs.

— Oui.

Le quatrième pas de Kate provoqua une autre salve de grincements. Ce pont ne supporterait plus longtemps une telle charge. Deux mètres plus loin, elle vit la brèche qui avait failli la happer, deux jours avant. Kate tressaillit en revivant la scène. Elle sentait encore la pression des lattes brisées contre son thorax, le froid de l'eau où son pied avait trempé.

— Et les autres enfants ? demanda-t-elle à Charlie. Pourquoi les avez-vous tués ?

— Je n'avais pas prévu de tuer Dennis. C'est arrivé comme ça.

— Comment, comme ça ?

— Il avait une fusée miniature, répondit Charlie, comme si ce simple fait expliquait tout le reste. Il l'a amenée à l'école le jour où *Apollo 12* a aluni. Je la voulais. On s'est vus dans le parc après l'école et je l'ai prise.

Un rapide frisson parcourut l'échine de Kate. Elle songea à James, en sécurité dans la maison de Glenn Stewart. Son fils avait eu le même réflexe stupide. Sauf qu'au lieu de voler un jouet à un camarade, il lui avait pris son repas. Les paroles de Jocelyn Miller lui revinrent en mémoire : *Les enfants ne mesurent pas les conséquences de leurs actes.*

– Il m'a suivi chez moi, poursuivit Charlie. Il n'arrêtait pas de pleurnicher pour que je lui rende son jouet. On s'est battus dans l'arrière-cour. Je l'ai frappé avec la fusée. Je ne voulais pas le tuer. Je voulais juste garder la fusée.

– Et les autres ? demanda Kate. C'était des accidents aussi ?

– Ils n'ont pas eu de chance. Ils n'auraient pas dû se trouver là, c'est tout. Sauf Dwight. Lui, c'était de sa faute.

Kate ne lui demanda pas pourquoi il ne tuait que lors des alunissages. La réponse était évidente. Lors du premier alunissage, Charlie Olmstead était mort et Kevin Brewster était né. Chaque nouvelle mission Apollo lui faisait revivre cette première nuit. Il tuait les autres enfants comme lui-même avait été tué.

– Saviez-vous qu'Éric était encore en vie ?

– Je le supposais, dit Charlie. Mais je ne savais pas où le trouver.

– Et quand vous avez découvert qu'il était à Perry Hollow, vous avez éprouvé le besoin de revenir pour achever ce que vous aviez commencé en 1969 ?

Charlie eut un sourire cruel.

– Quelque chose comme ça, ouais.

– Je ne vous laisserai pas faire.

Voyant Kate avancer d'un pas, Charlie resserra sa prise au cou et d'un geste brutal, cogna Éric contre la rambarde dont le bois se brisa aussi facilement qu'une allumette. Des morceaux tombèrent dans la rivière et entamèrent leur rapide dérive vers les chutes.

Toute cette agitation fit ployer le pont. Ses piliers craquèrent sous la pression. Éric et Charlie réussirent à garder l'équilibre, mais à grand-peine. Accrochés l'un à l'autre, ils vacillèrent au-dessus du vide.

Kate se précipita, son arme toujours tendue devant elle. Quand elle arriva devant la brèche, elle prit son élan, sauta et atterrit lourdement de l'autre côté. Sous elle, une planche se brisa net.

Son petit cri de surprise se répercuta sur les frondaisons, à l'autre bout du pont. Les bras battant l'air, elle tomba à travers la brèche qu'elle venait d'agrandir. Le Glock lui échappa, atterrit sur le pont et dérapa vers Charlie.

Kate se rattrapa juste à temps. Encore une fois, elle sentit l'eau glacée s'infiltrer dans ses chaussures. Coincée à mi-corps, réduite à l'impuissance, elle vit une paire de mains se tendre vers l'arme, s'en emparer et, sans transition, pointer le canon sur sa tête.

Les mains appartenaient à Charlie. Son index droit pressait la détente. Il allait la tuer.

Éric ne comprenait rien à la scène dont il était un acteur involontaire. Tout se déroulait trop vite. D'abord, la rambarde s'était brisée. Puis il avait vu la rivière bouillonner sous ses pieds. Quand Charlie avait lâché son cou et qu'il l'avait senti effleurer son épaule, il s'était dit que son frère allait le précipiter dans l'eau. Ou bien le retenir. Puis il avait vu Kate courir, tomber, lâcher son arme, Charlie la ramasser et viser, prêt à faire feu.

Il fallait l'en empêcher, se dit Éric en émergeant de sa stupeur.

– Ne lui fais pas de mal ! hurla-t-il. C'est moi que tu veux.

Charlie détourna le Glock et le dirigea vers la poitrine de son frère. Éric leva les mains.

– Tu veux me tuer ? Très bien. Mais elle, laisse-la partir. Je t'en prie.

Il s'entendait parler mais ne comprenait pas ce qu'il disait. Son cerveau et sa langue n'étaient plus connectés. Éric voulait juste épargner Kate et pour cela, il se servait de ses armes à lui : les mots.

– Elle ne t'a rien fait, poursuivit-il. Elle m'a aidé à te retrouver. C'est tout.

Charlie le regarda avec un mélange de panique et de désespoir, l'expression qui avait dû déformer son visage à l'instant où il avait réalisé que Dennis Kepner était mort. Peut-être même à la mort de chacune de ses victimes.

– Je veux juste que les choses redeviennent comme avant, bredouilla-t-il. Quand je vivais ici. Avant ta naissance. J'étais si heureux en ce temps-là.

– Et tu le seras encore, dit Éric. Tu peux vivre ici avec papa.

Je m'en irai. Ce sera comme si je n'étais jamais né. Il faut juste que tu laisses Kate s'en aller.

Pourvu que Charlie me croie, songea Éric. Pourvu qu'il ne comprenne pas qu'à la seconde où il descendra de ce pont, ce sera la fin pour lui.

Enfin, à supposer qu'il descende un jour de ce pont. Éric en doutait de plus en plus. Charlie semblait partagé, ne sachant qui viser, de lui ou de Kate accrochée à ces planches crevées comme à un dernier secours.

– Laisse-moi l'aider à regagner la terre ferme, insista Éric. Après, il n'y aura plus que toi et moi. Tu pourras terminer ce que tu as commencé. Et quand je serai mort, tu seras heureux.

Charlie réfléchit à sa proposition en visant alternativement Kate, puis Éric, puis Kate. Finalement, il se stabilisa sur Éric. Ce dernier vit la bouche du Glock pointée vers son cœur. À cette distance, il ne le raterait pas. La balle lui transpercerait la poitrine comme une fusée. Avec de la chance, il mourrait sur le coup. Sinon, il partirait lentement en se vidant de son sang sur ce pont maudit.

Éric se remit à l'implorer.

– Laisse-la partir d'abord. Si tu dois me tuer, laisse partir Kate.

Tout en parlant, il entendait un grondement sourd sur sa gauche. Le bruit qui venait de l'impasse se rapprochait de la rivière. Un moteur. Éric identifia le rugissement caractéristique du semi-remorque de son père. Charlie l'entendit lui aussi. Tout son corps se tendit.

Éric profita de cette seconde d'inattention pour lui sauter dessus et le plaquer au sol. Pris au dépourvu, Charlie bascula en arrière, lâchant l'arme qui tomba sur le pont. Les deux hommes s'écroulèrent ensemble sur les planches vermoulues.

L'impact engendra un gémissement qui s'étira sur toute la longueur du pont. Comme un bâillement gigantesque. L'ouvrage en bois semblait se réveiller après un long sommeil. Puis il se mit à pencher. Couché sur Charlie, Éric le sentit s'incliner sur la gauche. Puis vers la droite. Entraînant les deux hommes dans ses hésitations.

En dessous, un premier pilier se rompit. Éric l'entendit

claquer. Un bruit sec si puissant que, l'espace d'une seconde, il effaça tous les autres : le camion, les chutes, la respiration pénible de Kate qui s'escrimait encore à s'extraire de son trou.

Puis, comme Éric le redoutait, le pont commença à se désagréger autour d'eux.

37

DANS LA CABINE DU SEMI-REMORQUE, Nick s'accrochait à tout ce qu'il pouvait. Le camion vira sur les chapeaux de route. Ils allaient si vite, Ken avait tourné le volant si brusquement que Nick crut qu'ils allaient verser dans le fossé. Il sentit les roues de son côté décoller du macadam. Mais ils s'en sortirent indemnes ; le camion se remit d'aplomb. Une fois le tournant négocié, Ken appuya de nouveau sur l'accélérateur et s'enfila dans l'impasse comme un boulet de canon.

Derrière sa vitre, Nick vit passer l'ancienne maison de Ken. Devant chez Glenn Stewart, il aperçut James debout près d'un homme borgne ayant à la place de l'œil une surface de peau brillante et lisse.

L'homme leur montra le sentier de terre au bout de l'impasse. Ken hocha la tête et mit le pied au plancher.

— Attention, ça va secouer, prévint-il.

Nick se recroquevilla sur son siège et se couvrit la tête avec les bras. Il devinait que le mur d'arbres approchait à une allure vertigineuse. Le seul passage était l'étroit sentier menant à la rivière. Ken comptait y introduire ses tonnes de ferraille et de caoutchouc. Nick ignorait s'il y parviendrait.

Le rebond sur le bord du trottoir le délogea de son siège. Il resta en suspension dans l'air une fraction de seconde puis sa ceinture de sécurité le rejeta violemment en arrière. Des branches giflaient le pare-brise, raclaient les flancs du camion noir. L'une d'elles — aussi grosse qu'une batte de baseball — fit exploser le verre de sécurité qui s'étoila à la manière d'une toile d'araignée givrée. À la droite de Nick, un arbre arracha le rétro extérieur avant d'érafler la peinture de la portière.

Voyant qu'il arrivait au bout du sentier, Ken monta sur les freins. Le camion dérapa, emboutit un arbre puis un autre avant de s'arrêter pile à l'entrée du pont.

Sauf que le pont n'existait plus.

Le peu qu'il en restait s'éparpillait dans le courant. Nick aperçut Kate à quatre pattes, accrochée au tablier qui se balançait à la surface de l'eau. Derrière elle, Éric et Charlie Olmstead couchés l'un près de l'autre, tentaient de l'imiter.

Charlie se releva et réussit à garder l'équilibre. Éric non. Il tendit la main vers son frère pour qu'il l'aide. Charlie le repoussa brutalement et l'envoya rouler sur les planches. Éric bascula dans l'eau, du côté des chutes. Il disparut sous l'écume.

– Éric ! Non !

Ken détacha sa ceinture de sécurité, ouvrit brusquement la portière et sauta. Nick se dépêcha de faire de même mais lorsqu'il toucha le sol, Ken avait déjà atteint la rive.

Il allait plonger quand quelqu'un d'autre le prit de vitesse.

Glenn Stewart venait de débouler. Tout en courant, il hurlait des ordres à Ken.

– Trouvez quelque chose, une branche, n'importe quoi, pour qu'on s'y agrippe. Formez une chaîne dans la rivière. Je m'occupe d'Éric.

Puis, il sauta à l'eau tête la première.

Dès qu'il toucha le fond, Éric comprit qu'il allait mourir. Il avait beau se débattre, le courant était trop fort. La puissance des chutes produisait un phénomène d'aspiration qui l'attirait vers le lit de la rivière. Pendant qu'il roulait sur lui-même, il sentait les rochers lui écorcher le dos, le visage, les mains.

Il voyait les débris du pont dériver entre deux eaux. Des bouts de bois enchevêtrés, avec des poutres qui dépassaient. Puis tout cela disparut et il se remit à tourner comme un pantin dans une machine à laver.

Il ferma les yeux. Un nouveau choc, encore plus violent, força ses poumons à se vider. Par réflexe, il ouvrit la bouche. L'eau se déversa dans sa gorge. Il voulut tousser. Aussitôt, ses poumons se contractèrent, comme si des mains s'étaient introduites dans sa cage thoracique en poussant de l'intérieur.

Je suis en train de mourir, pensa-t-il.

Cela ne faisait aucun doute pour lui. S'il ne mourait pas noyé, il se fracasserait au pied des chutes. Laquelle de ces deux fins était-elle la pire ? se demanda-t-il.

Il venait d'opter pour la chute dans le vide – c'était mieux que la noyade, moins douloureux, plus radical – quand une chose creva la surface au-dessus de lui. Sur sa droite.

Ou sur sa gauche.

Il était trop désorienté pour faire la différence.

Dans un premier temps, Éric n'identifia pas la chose qui s'approchait de lui. Quand il ouvrit les yeux, il ne vit que les galets qui tapissaient le fond de la rivière. Plus loin, le pont. Puis un visage.

Le visage mutilé de Glenn Stewart.

Son voisin tendit les bras, l'attrapa par son col de chemise et l'attira vers lui. Quand leurs têtes crevèrent la surface, Éric ouvrit la bouche et vomit toute l'eau qu'il avait avalée. Puis il prit sa première bouffée, se gorgeant à pleins poumons de cet air salvateur.

D'une main ferme, Glenn le traînait par le bras vers la berge. Sur sa gauche, Éric vit le gouffre écumeux, à dix mètres de lui. Il l'attirait comme un vertige. Le courant était puissant mais son sauveteur l'était encore plus. Les pieds de Glenn s'enfoncèrent dans le sol caillouteux ; dans un ultime effort, il se redressa, poussa sur les cuisses pour mieux hisser le corps inerte d'Éric.

Ken était couché à plat ventre sur la rive. Il tenait la canne de Nick Donnelly à bout de bras. Derrière lui, accroché à ses jambes, Nick assurait la stabilité de l'ensemble. Dès que Glenn saisit la canne, les deux autres se mirent à tirer. Et la chaîne humaine entra en action, chaque maillon tendu vers un seul but : sortir Éric de l'eau, l'éloigner des chutes.

Éric s'écroula sur la berge boueuse en vomissant de l'eau. Ken se coucha près de lui, l'enveloppa de ses bras. Cela faisait des dizaines d'années qu'ils n'avaient pas été aussi proches l'un de l'autre. Éric savoura cette étreinte. C'était tellement bon.

Allongé sur le dos, Éric reconnut peu à peu les gens qui l'entouraient. Il y avait son père, bien sûr. Et Glenn Stewart, qui lui avait sauvé la vie pour la deuxième fois. Seul Nick manquait à l'appel.

Éric se redressa sur son séant, juste à temps pour le voir galoper le long de la rive, vers l'amont. Quand Nick atteignit ce qu'il restait du pont, Éric suivit son regard. L'amas de planches pourries encore fiché au milieu de la rivière se morcelait peu à peu. Perchée sur l'un des pseudo-radeaux accrochés à la structure écroulée, Kate faisait des efforts désespérés pour garder l'équilibre.

Charlie était accroupi à l'autre bout de la plate-forme flottante.

— Kate, gémit Éric. Il faut aider Kate.

La plate-forme en planches était à la fois exiguë – dans les trois mètres carrés – et fragile. Elle tanguait affreusement et les remous projetaient sur elle des paquets d'écume. Kate se releva à demi, les mains posées au sol pour ne pas tomber. Face à elle, Charlie Olmstead se redressa dans la même position. Ils baissèrent les yeux en même temps. Le Glock était posé là, entre eux deux.

Ils se jetèrent sur l'arme dans un même élan.

Et se retrouvèrent ensemble au milieu du radeau. Charlie la repoussa. Kate tomba en arrière. Son dos heurta violemment les planches. Sa tête toucha l'eau, ses cheveux dérivèrent dans le courant. Quand Charlie s'avança pour la frapper, elle eut le réflexe de se tourner en se ramassant sur elle-même. Le coup de pied l'atteignit quand même au niveau du ventre.

La douleur était atroce. Elle partait de l'abdomen pour se diffuser dans les moindres recoins de son corps, comme un feu dévorant. Quand Charlie recommença, Kate faillit perdre connaissance. Elle ne pensait plus, elle n'était que souffrance.

Malgré tout, quelque chose lui disait qu'Éric et Nick n'étaient pas très loin, et qu'ils essayaient de la rejoindre. Mais c'était impossible. Le radeau se trouvait au milieu de la rivière, bien loin de la berge. Pour l'atteindre, il fallait se jeter à l'eau. Or c'était trop risqué.

Bien trop risqué.

Et pourtant si. Ils venaient à son secours. Elle vit Éric ramper sur un pilier brisé qu'il serrait entre ses cuisses ; il projeta son torse en avant pour en saisir un autre, plus loin. Mais il était hors de portée.

Charlie l'avait aperçu, lui aussi. Ce qui l'empêcha de prendre son élan pour décocher un troisième coup de pied. Il s'immobilisa, la jambe en arrière. Bien que de courte durée, ce répit fut suffisant. Kate lui attrapa la cheville, tira et le renversa.

Charlie poussa un petit cri quand il s'abattit sur le dos, comme Kate quelques instants auparavant. Il atterrit de tout son poids sur les planches pourries. La plate-forme se décrocha. Kate la sentit partir au fil de l'eau. Bientôt elle se mit à tourner sur elle-même, tel un navire sans gouvernail.

Elle hésita. Devait-elle plonger pour tenter de regagner la rive à la nage ? Non. En faisant cela, elle laisserait l'arme à Charlie. Un corps dans l'eau constituait une cible idéale. Malgré la douleur qui la tenaillait, elle décida donc d'attaquer. Elle grimpa sur lui, s'assit à califourchon sur sa poitrine en lui coinçant les bras entre les cuisses. Il grogna et quand il voulut l'éjecter, elle serra le poing, recula le coude et lui balança un crochet à la mâchoire.

– Ça, c'est pour la mère de Dennis Kepner.

La rage montait en elle. Il lui suffisait de penser au mal que Charlie avait répandu autour de lui pour se sentir comme galvanisée. Elle frappa une deuxième fois.

– Et ça, pour la mère de Noah Pierce, cria-t-elle.

Au coup suivant, Kate visa le nez. Elle vit du sang jaillir sous son poing.

– Et celle de Dwight Halsey.

Une série de deux crochets à la tempe.

– Et Frankie Pulaski. Et Bucky Mason.

Kate pleurait à gros sanglots. Elle ne savait pas depuis quand. Peut-être depuis le dernier coup de poing. Ou depuis le premier. Elle laissa couler ses larmes. Elle ne pleurait pas pour elle, mais pour toutes les autres mères dont Charlie avait ravi les fils.

Puis elle se leva sans trop de difficulté. Le corps de Charlie assurait son équilibre. Une fois stabilisée, elle se mit à lui décocher des ruades dans le ventre, aussi violentes que celles qu'elle avait reçues.

— Et voilà pour Maggie. Qui n'a jamais cessé de vous aimer et de vous chercher. Tout cet espoir. Tout cet amour que vous ne méritiez pas.

Le radeau filait de plus en plus vite en direction des chutes. Kate se tourna vers l'horizon en s'efforçant d'estimer la distance qui les séparait de l'abîme. Quinze mètres. Peut-être moins. Presque rien puisqu'à chaque seconde, la mort se rapprochait de trente ou quarante centimètres.

Derrière elle, Kate entendait Éric et Nick la supplier de se jeter à l'eau.

— Plonge ! hurlaient-ils. Vas-y !

Elle n'avait pas le choix. Kate recula d'un pas, prête à sauter.

Un déclic métallique, hélas trop familier, l'arrêta. C'était le cran d'arrêt de son Glock. Charlie avait réussi à s'en emparer pendant qu'elle le bourrait de coups de pied. Elle vit le trou noir du canon dirigé vers elle.

Tenant l'arme entre ses mains tremblantes, Charlie s'assit. Kate se retrouvait coincée entre deux dangers aussi mortels qu'imminents car les chutes n'étaient plus qu'à onze mètres devant eux.

— Vas-y, tire, Charlie, dit-elle. Ça ne changera rien. On va mourir tous les deux, de toute façon.

Un simple coup d'œil lui suffit pour comprendre qu'elle ne mentait pas. Même s'il réussissait à l'abattre, il n'échapperait pas à l'emprise du courant. Pour la première fois, Kate vit une émotion vaciller dans ses yeux ternes. C'était de la peur. La peur immonde, viscérale du condamné à mort au moment où le bourreau s'avance.

Dix mètres.

— Qu'est-ce qu'on fait ? demanda Charlie en s'agenouillant. Comment on va se sortir de là ?

Kate baissa les yeux sur le Glock.

— Tu poses ce truc et on s'entraide.

— Comment ?

— D'abord, jette cette arme.

Charlie lâcha le pistolet qui heurta le radeau, rebondit, décrivit un cercle et tomba à l'eau.

– Alors comment ?

Neuf.

Kate désigna la branche de chêne qui s'étirait au-dessus de la rivière, à environ un mètre cinquante de la surface. Elle l'avait remarquée le mercredi précédent, quand elle avait testé la solidité du pont, avec Éric. Elle s'était même dit que cette branche serait l'ultime recours en cas de chute accidentelle. Elle ignorait alors qu'elle se retrouverait bientôt dans cette situation.

Huit.

– Quand on arrivera au niveau de la branche, il faudra lever les bras et l'attraper. Ensuite, on progressera en suspension jusqu'à la rive.

Kate ignorait si la branche était assez solide pour les supporter tous les deux. Mais il fallait essayer.

Sept.

Elle tendit la main à Charlie pour l'aider à se relever. Puis ils se placèrent face aux chutes, épaule contre épaule, prêts à saisir la banche qui approchait rapidement.

Kate leva les deux mains. Charlie l'imita.

Six.

– Pourquoi vous m'aidez ? demanda-t-il.

– Parce que votre mère aurait voulu que je le fasse.

– Même après ce que j'ai fait ?

– Oui, dit Kate. Même après tout ça.

Cinq.

Sous leurs pieds, ils sentirent le radeau s'agiter furieusement. Il rebondissait en raclant les rochers qui tapissaient le lit de la rivière. Plus ils se rapprochaient des chutes, moins l'eau était profonde. Kate frissonna. Comme l'autre jour, les rochers hérissés lui évoquèrent des dents acérées, tranchantes, prêtes à les déchiqueter.

Quatre.

– Maggie me cherchait vraiment ? demanda Charlie.

– Elle vous a cherché toute sa vie.

Trois.

– Et elle m'aimait ?

– Oui, dit Kate. Plus que tout.

Deux.

Ils atteignirent la bande d'écume ourlant le haut des chutes, juste avant le grand plongeon. Le radeau se mit à vibrer si fort que des morceaux s'en détachèrent. Quelques planches basculèrent dans le vide et disparurent.

Un.

La branche se profilait juste au-dessus de Kate. Elle sauta et l'attrapa avec la main droite. Comme le bas de son corps continuait à avancer, elle ressentit un étirement au niveau de l'épaule. Un bruit sec lui souleva le cœur et, tout de suite après, la douleur explosa. L'articulation venait de se déboîter. Elle hurla mais eut le réflexe de lever la main gauche pour assurer sa prise.

Quand elle baissa les yeux, Charlie était toujours sur le radeau, les bras ballants. Il n'avait même pas tenté d'attraper la branche.

– Qu'est-ce que vous faites ? cria Kate. Sautez ! Il n'est pas trop tard !

Mais c'était faux. La branche était hors de portée, maintenant. Charlie n'avait plus rien à quoi se raccrocher. Kate le savait. Et Charlie le savait aussi.

– Vous aviez raison, lança-t-il. Je ne le méritais pas.

Kate se hissa. Non seulement cela faisait un mal de chien, mais son bras droit ne servait quasiment à rien. Pourtant elle y parvint. Une fois perchée, elle referma ses bras et ses jambes autour de la grosse branche.

Le radeau atteignit la limite des chutes où il se désintégra. Charlie coula sans même se débattre. Kate le vit rebondir de rocher en rocher comme une poupée de chiffons, bras et jambes écartés.

Plus de quarante-deux ans après sa première disparition, les chutes de Sunset se refermèrent sur leur proie et engloutirent pour de bon Charlie Olmstead.

38

UNE ÉPAULE LUXÉE, des plaies, des bosses et trois côtes fêlées, probablement à cause des coups que Kate avait reçus au ventre. Elle s'en fichait. Ç'aurait pu être bien pire. Elle aurait pu finir comme Charlie. Pourtant ses blessures étaient assez graves pour qu'elle passe la nuit à l'hôpital où elle apprit que le corps de Dennis Kepner avait été retrouvé.

Cette dernière nouvelle lui fut annoncée par Tony Vasquez, l'une des six personnes entassées dans sa chambre. Il y avait James, bien sûr, ainsi que Lou, Carl et Nick. Même Glenn Stewart était passé la voir. Il se tenait immobile, appuyé contre un mur, loin du petit groupe agglutiné autour de son lit. Kate se réjouissait de le voir. Elle espérait qu'ils auraient l'occasion de mieux faire connaissance.

– On a creusé dans le jardin de la maison qu'occupait Craig Brewster, à Fairmount, dit Tony. On a trouvé les restes de Dennis à quelques pieds de profondeur. Il était là depuis le départ.

Restait encore à retrouver trois des victimes – Dwight Halsey, Frankie Pulaski et Bucky Mason. Mais on n'y croyait pas trop. Le corps de Dwight pouvait se trouver n'importe où dans la forêt entourant le camp du Croissant. Quant à Frankie et Bucky, il était exclu de les rechercher dans les couloirs de mine enflammés qui couraient sous Centralia.

– À présent que leurs parents savent ce qui leur est arrivé, ajouta Nick, ils vont pouvoir déménager.

Il n'y avait pas là de quoi se réjouir, mais quand ils avaient commencé l'enquête, ils savaient déjà qu'ils ne retrouveraient sans doute pas ces enfants vivants. Les événements leur avaient donné raison. Il n'en demeurait pas moins que leur réussite leur laissait un goût amer dans la bouche.

Charlie avait effectivement tué Dennis Kepner avec une fusée miniature. Puis il s'en était servi pour attirer Noah Pierce dans le moulin du parc national de Lasher Mill, où il l'avait étranglé avant de le jeter à l'eau. Si la mort de Dennis avait été un accident, celle de Noah était un meurtre de sang-froid – le premier commis par Charlie. Ses deux victimes suivantes, Frankie Pulaski et Bucky Mason, avaient été précipitées dans la même fosse ardente à quelques mois de distance.

Mais qu'en était-il Dwight Halsey, le compagnon de chambre de Charlie au camp du Croissant ?

– Craig Brewster disait que Dwight s'était bagarré avant de disparaître, dit Nick. Je suppose qu'il s'était battu avec Charlie et que ce dernier a attendu la nuit pour se venger.

– Que devient Craig ? demanda Kate. Vous avez pu lui parler ?

– Il est mort, fit Tony en secouant tristement la tête. Dès que Nick et Charlie ont quitté l'hôpital, son agonie a commencé. Il n'a pas tenu une heure.

Kate accueillit cette nouvelle avec un certain abattement. Sa mort ne la touchait pas puisqu'elle ne l'avait jamais rencontré, mais elle aurait vraiment voulu savoir si Craig Brewster soupçonnait Charlie. Elle voulait croire que non tout en étant persuadée du contraire. Craig avait certainement compris ce qui se passait en voyant tous ces gosses disparaître autour de lui. C'était trop évident pour qu'il l'ignore.

– Alors, dit-elle. C'est tout ce que vous avez à me raconter ?

Carl fit un pas en avant.

– Deux choses, chef. On a retrouvé Charlie Olmstead au pied des chutes.

– Mort, je suppose.

– Oui, tout ce qu'il y a de mort.

Elle ferma les yeux et soupira profondément. Elle ne savait pas trop comment réagir. Ce type avait commis des atrocités, mais elle avait passé tellement de temps à le considérer comme une victime innocente qu'elle avait encore du mal à le voir sous les traits d'un criminel. D'où ce mélange de tristesse et de soulagement.

– Et la deuxième chose ?

– Burt Hammond est passé au poste, tout à l'heure.

– Que voulait-il ?

– C'était rapport au budget.

Le visage de Carl arborait un sourire épanoui.

– Il voulait savoir le genre d'options qu'on voulait avoir sur les nouvelles voitures de patrouille.

– Des Dodge Chargers, claironna Lou, aussi excitée qu'un gosse au pied du sapin de Noël. Exactement ce que tu voulais.

Kate fit semblant de se réjouir. Elle esquissa même un sourire relativement convaincant. Elle n'avait pas le cœur de leur dire que ces voitures n'étaient que des pots-de-vin. Burt Hammond essayait d'acheter son silence. Il devait être paniqué à l'idée que ses électeurs apprennent l'existence du film de Lee Santangelo. Mais elle n'entrerait pas dans son jeu. Dès qu'elle quitterait l'hôpital, elle irait dire à Burt Hammond de garder son argent. Puis elle annoncerait à Carl que sa Crown Vic cabossée devrait tenir encore un an.

Après quelques minutes de bavardage, Carl et Lou retournèrent travailler. Tony les suivit. Il avait rendez-vous avec Gloria Ambrose qui venait de découvrir le rôle de Nick dans l'enquête.

– Je vais me faire souffler dans les bronches, dit-il. J'espère que vous êtes contents, tous les deux.

Nick le salua. Kate lui envoya un baiser avec la main.

Le troisième à prendre congé de Kate fut Glenn Stewart. Avant de partir, il lui offrit deux livres. *Ne tirez pas sur l'oiseau moqueur* et *Bonsoir Lune*. Elle les accepta avec plaisir, ravie de constater que Glenn avait le sens de l'humour.

– Je vous souhaite de beaux rêves et un prompt rétablissement, dit-il puis il s'esquiva.

Ne restaient plus que James et Nick. James était assis dans un grand fauteuil où il s'était tapi pour échapper à la ruée des visiteurs. Nick se tenait au pied du lit.

– Encore un beau succès pour la fondation Sarah Donnelly, dit Kate.

– Oui, enfin toutes proportions gardées, fit Nick en haussant les épaules. Mais on a aidé des gens, c'est tout ce qui compte. Et surtout, tu es en vie.

– Ouais, et ce coup-ci, tu n'as pas eu besoin de voler à mon secours. Je t'avais dit que j'étais capable de me débrouiller toute seule.

– La prochaine fois, peut-être, répliqua Nick.

Kate voulut rétorquer qu'il n'y aurait pas de prochaine fois et qu'elle avait renoncé à l'aider. Mais elle savait que c'était un mensonge. Elle répondrait toujours présente dès que Nick aurait besoin d'elle, tout comme Nick ne la laisserait jamais tomber. Les choses étaient ainsi et pas autrement.

– Alors quels sont tes projets pour ce week-end ? demanda-t-elle. Tu vas partir exhumer une autre affaire classée ?

– En fait, répondit Nick. Je compte prendre un peu de repos. Pour tout dire, il ne faut pas que je traîne. J'ai rendez-vous autour d'une bière.

Kate feignit la surprise.

– Ne me dis pas que tu suspends ta croisade contre le crime le temps d'un rendez-vous galant !

– Non, c'est pas ça du tout, protesta Nick. Juste un…

– Cause toujours, je vois clair dans ton jeu. Et j'espère que ça va bien se passer. Mais d'abord, prends une douche. Tu pues le chien mouillé.

– Merci pour le compliment. Je m'en souviendrai.

Nick se dirigea vers la porte et passa la tête dans le couloir. Quand il se retourna vers elle, Kate vit se dessiner un sourire ironique sur son visage.

– Tu sais, dit-il, il faudrait peut-être que tu songes à occuper agréablement ton week-end, toi aussi.

Il sortit avant que Kate lui demande ce qu'il avait derrière la tête. La réponse arriva quelques secondes plus tard. Éric Olmstead franchit le seuil, un bouquet à la main.

– Désolé, je n'ai pas pu passer plus tôt, dit-il en posant les fleurs près du lit. Contrairement à toi, j'ai attendu aux urgences qu'on vienne m'examiner. Ça a pris des plombes, mais ils m'ont délivré un certificat de bonne santé. En poireautant, je suis tombé sur des brochures de centres de désintoxication. Pour mon père.

Nous avons pu parler de son alcoolisme. Il sait qu'il a un problème et il veut s'en sortir.

– Comment a-t-il vécu cette histoire avec Charlie ?

– Pour être honnête, il est encore bien sonné.

– Et toi ?

– Eh bien, en quelques jours, j'ai rencontré un frère que je n'avais jamais connu, j'ai appris qu'il avait essayé de me tuer et pour finir, j'ai failli y passer pour de bon. Mais à part ça, je suis en pleine forme.

– Ça fait beaucoup à digérer, dit Kate. Pour vous deux.

– On y arrivera. Mais pour cela, je vais devoir rester à Perry Hollow encore quelque temps. Au moins jusqu'à ce que papa aille mieux et qu'il s'installe dans la maison.

Kate ne cacha pas sa surprise. Elle avait cru qu'Éric s'en irait, une fois l'enquête terminée.

– Tu ne la vends plus ?

– Non, dit Éric. Papa a besoin d'un endroit pour vivre et moi, j'ai une maison. Ça me paraît logique. En plus, c'est le moins que je puisse faire.

Il tripota le bouquet quelques instants, disposa les tiges autrement.

– Maintenant que tout est réglé, je me demandais si tu accepterais de dîner avec moi, un de ces soirs. À la bonne franquette…

Kate voyait où il voulait en venir. À son grand regret, elle l'arrêta.

– C'est impossible, dit-elle. Pas tout de suite.

Il lui en coûtait. Elle aimait bien Éric. Elle se plaisait en sa compagnie et aurait facilement imaginé que leur histoire de jeunesse reprenne là où elle s'était interrompue. C'était bien là le problème. Ils n'étaient plus au lycée. Ils avaient pris de l'âge et, fort heureusement, du plomb dans la tête. Ils avaient chacun leurs responsabilités, leurs vies propres. En outre, Kate n'avait pas de place dans son existence pour un autre homme. James, qu'elle négligeait depuis si longtemps, serait toujours sa priorité.

Elle regarda le fauteuil où James s'était assoupi. Sa poitrine se soulevait et retombait paisiblement. Il avait l'air si calme, si innocent. En le regardant dormir, Kate avait du mal à l'imaginer en train de blesser quelqu'un, et encore moins un enfant de son âge.

Pourtant, il l'avait fait. Et pour une raison parfaitement stupide. À présent, Kate allait devoir s'occuper de lui, passer du temps à l'écouter, l'aider à devenir un adulte responsable. Si elle manquait à ce devoir, James irait de mal en pis. Certains enfants peuvent devenir des monstres. Charlie Olmstead en était la preuve.

– James a besoin de moi, dit-elle. Et ton père a besoin de toi.

Éric fit des efforts surhumains pour cacher sa déception. Son sourire resta collé sur son visage mais ses yeux se troublèrent un tantinet.

– Donc il n'y a rien de possible entre nous ? reprit-il.

– Pas pour l'instant. Peut-être un jour. Bientôt.

Bien qu'ils aient parlé à voix basse, James s'éveilla. Il remua, ses paupières papillonnèrent.

– Je vais vous laisser seuls, dit Éric en s'éloignant. Prends soin de toi, Kate.

La mort dans l'âme, Kate le regarda partir. Elle savait qu'elle avait pris la bonne décision. Éric occuperait toujours une place dans son cœur. Mais ce cœur appartenait au petit garçon qui était en train de se réveiller près d'elle.

– Tu as sommeil, petit ours ?

Quand James hocha la tête, elle se déplaça vers le bord du lit pour lui faire de la place. Il se glissa entre les draps et se cacha sous les couvertures.

– Je suis toujours puni ? demanda-t-il.

– Oui.

Elle aurait voulu répondre non, mais elle tiendrait bon. James avait mal agi et il devait apprendre à ne plus jamais recommencer. Il était en colère. Il lui en voulait. Mais c'était pour son bien.

– Je suis désolé pour ce que j'ai fait, dit-il.

– Je sais. Tu commettras encore d'autres bêtises dans ta vie. Tout le monde en fait. Mais tu es mon fils et je t'aime. Je t'aimerai toujours. Quoi qu'il arrive, je ne te lâcherai jamais.

Kate ferma les yeux et serra James contre elle. Bientôt, le sommeil les emporta. James eut beau s'agiter, se tourner et se retourner, Kate fit ce qu'elle venait de dire. Elle ne le lâcha pas.

Remerciements

LA PLUPART DES VILLES et des lieux mentionnés dans ce livre relèvent de la fiction, à commencer par Perry Hollow. La principale exception à cette règle est Centralia, ville fantôme notoirement connue. Le sous-sol de Centralia est effectivement la proie des flammes depuis de nombreuses années. J'ai un peu modifié des dates et certains éléments géographiques pour mieux servir l'action du roman.

En revanche, j'ai suivi au pied de la lettre l'épopée des missions Apollo. Les dates, les faits relatés sont conformes aux rapports de la NASA. Toute erreur en ce domaine serait non intentionnelle et relèverait de mon seul fait.

J'en arrive aux remerciements. Je commencerai par mon éditrice, Kelley Ragland, son assistant, Matt Martz et toute l'équipe de St. Martin's Press et de Minotaur Books. Je remercie tout particulièrement Sabrina Soares Roberts, son regard acéré et son indulgence envers mes lacunes en vietnamien. Je tiens également à remercier pour leur travail formidable Michelle Brower, mon agent, et Dana Kaye, chargée de la publicité.

Sur un plan plus personnel, j'aimerais exprimer mon affection et mes remerciements aux familles Ritter et Livio. Votre soutien m'a été très précieux. Il en est de même pour Sarah Dutton qui a bien voulu relire ce livre en y apportant des critiques constructives, et pour Felicia Wellington qui m'a dit avoir préféré ce roman au premier. Je serais impardonnable si j'oubliais de remercier mes amis et les membres de ma famille que j'ai grandement négligés dès que j'ai commencé à m'enfouir dans le terrier de l'écrivain en pleine création.

Enfin, j'exprime toute ma reconnaissance à Mike Livio, un merveilleux partenaire de vie, doublé d'un chauffeur, d'un thérapeute et d'un compagnon de voyage. Sans parler de sa présence attentive et stimulante. Je ne le remercierai jamais assez.